Barbara
Spychalska-Granica

MARZENIA na AGRAFCE

ZYSK I S-KA
WYDAWNICTWO

Projekt okładki i stron tytułowych
Paulina Radomska-Skierkowska

Redaktor
Witold Kowalczyk

Wydanie I

ISBN 978-83-7785-866-0

Zysk i S-ka Wydawnictwo
ul. Wielka 10, 61-774 Poznań
tel. 61 853 27 51, 61 853 27 67
dział handlowy, tel./faks 61 855 06 90
sklep@zysk.com.pl
www.zysk.com.pl

Czasami zdarzenie, z pozoru bez znaczenia, lub napotkana osoba potrafią odmienić nasze życie. Wystarczy tylko chcieć to zauważyć…

sen

Cóż z tego, że z boku na bok się przewracam,
kołdrę naciągam, poduszkę odwracam,
myśli po mej głowie pędzą jak szalone,
jak stado koni na łące rozpędzone
swobodnie brykają
i spać mi nie pozwalają.
Zaciskam powieki, nic to nie daje,
barany liczę, ale przestaję,
bo jeden uparcie pod płotem stoi
przeskoczyć nie chce, chyba się boi.
I znowu się z boku na bok przewracam
kołdrę naciągam, poduszkę odwracam
tym razem spokojnie już czekam na niego
przyjdź wreszcie i do mnie, kolego!
Ale on jakoś me łóżko omija
i tylko zegar północ wybija.
Zmęczona czekaniem światełko zapalam,
odrzucam kołdrę, szlafrok nakładam
cieplutkie stopy wciskam w bamboszki
i idę do kuchni zażyć jakieś proszki,
Lecz zamiast tego lodówkę otwieram
i aby zasnąć, zwyczajnie się obżeram
i wiem, że rano jak już zbudzić się zdołam,
stojąc na wadze, głośno zawołam:
Do kitu diety, do kitu głodówka,
do kitu niestety pełna lodówka!

Rozdział 1

Idę sobie brzegiem morza, szuram nogami po płytkiej wodzie, omijam wodorosty i zastanawiam się, co ja właściwie tutaj robię sama jak palec, chociaż miało być zupełnie inaczej. Jeszcze niedawno wydawało mi się, że mój pomysł jest rewelacyjny. Ba! Byłam wręcz pewna, że moja decyzja jest słuszna, chociaż wszyscy dziwnie się na mnie patrzyli, a ja, wbrew tym spojrzeniom, zadowolona z siebie, uparcie przegrzebywałam net w poszukiwaniu odpowiedniego pokoju. I wreszcie go znalazłam, chociaż decydowałam się dość długo, i po którymś tam z kolei przeglądaniu ofert wybrałam ten najbliżej plaży, bo po co mam zmęczona opalaniem zasuwać z plażowymi tobołami Bóg wie gdzie, skoro mogę spokojnie wybrać i nie będę musiała.

Inni wykładają teraz swoje cielska na brzegu Adriatyku albo oglądają zabytki, objadając się regionalnymi daniami, które w zimie będą z dumą serwować swoim znajomym na proszonych kolacjach, podczas gdy ja jestem właśnie tu, nad naszym zimnym i burym morzem, bo…?

Bo mam swój cel i nikt nie zdołał mnie od niego odwieść! Uśmiechnęłam się do siebie, jakbym faktycznie prowadziła z kimś dialog. Za tę kasę, którą już zdążyłam wydać, miałabym przyzwoity pokoik w przyzwoitym hoteliku z widokiem na cieplutkie morze, a nie spoglądała na budkę z pamiątkami obleganą przez kolonistów, a do tego jeszcze ten ohydny smród smażonej ryby wkręcający się w mój nos tak uparcie, że czuję go jeszcze na plaży, ale cel to cel i w tym wypadku smród aż tak nie przeszkadza. Właściwie miałam dwa cele, jeden odpadł od razu, drugi postanowiłam zrealizować do końca.

Trochę przesadzam z tym smrodem, na plaży już go nie czuję, bo na pasażu przed zejściem na piasek pieką gofry — przełknęłam ślinę — z bitą śmietaną i jagodami…

Jeśli z nich nie zrezygnuję, a chwilowo nie mam takiego zamiaru, to wrócę do domu w luźnym dresie, bo nic innego nie będzie na mnie pasować, chyba że moja tarczyca wychwyci dużo jodu i pomimo podjadania gofrów ubędzie mnie troszkę, liczę na to.

I znowu nie mogę się powstrzymać i z bambetlami w rękach zajmuję miejsce w ciut przydługiej kolejce. Ten zapach jest nieziemski. Odwrotnie niż ten w moim pokoju, chociaż też opanowuje moje nozdrza na długi czas. Wstyd przyznać, ale łasuch jestem. Walczę z tym, od kiedy postanowiłam osiągnąć rozmiar trzydzieści sześć, ale niestety bez skutku. Lekarka, do której się z tym problemem zwróciłam, omiotła wzrokiem moją postać z dziwnym grymasem na twarzy. Zrobiłam to samo, jej figura nie spełniała wymaganych obecnie kryteriów jeszcze bardziej niż moja.

— Nie wydaje mi się, aby pani nadwaga była wynikiem choroby, uważam raczej, że jest skutkiem niewłaściwego odżywiania, ale skoro się pani upiera i twierdzi, że żadne diety nie skutkują…

— Pani doktor — jęknęłam — ja naprawdę już wszystkiego próbowałam…

— Skoro się pani upiera… — westchnęła.

Pochyliła się i bez słowa zaczęła wypisywać coś na karteczce, którą po chwili podała mi z tym samym grymasem co poprzednio.

— Zrobimy wszystkie badania — powiedziała takim tonem, jakby znała już ich wynik. — Czy w rodzinie ktoś chorował albo choruje na tarczycę?

— Yyy… — zastanowiłam się. — Chyba nie, nie wiem — powiedziałam zgodnie z prawdą i zaczęłam się nad tym poważnie zastanawiać.

— Halo! Proszę mi to oddać — powiedziała zniecierpliwiona z wyciągniętą w moją stronę dłonią. — Dopiszę.

— To jakieś skomplikowane badanie? — zapytałam cicho, żeby nie przeszkadzać w pisaniu.

— Nie, to tylko sprawdzenie, czy w organizmie jest odpowiedni poziom hormonu. Jeśli okaże się za niski, to jest niedoczynność i się tyje.

— Aha… I co wtedy?

— Trzeba leczyć! U nas brak jodu, więc możliwe, ale to się dopiero okaże — wytłumaczyła.

— Aha…

Odebrałam potulnie skierowanie i w mojej głowie pojawiła się nadzieja. I to właśnie ona, oprócz chęci pobycia trochę sam na sam z Rafałem, skłoniła mnie do wyjazdu nad Bałtyk, bo wszyscy wiedzą, że tylko tutaj można się nawdychać zbawiennego dla naszego organizmu jodu, którego być może i moja tarczyca potrzebuje.

Badań jeszcze nie zrobiłam, nie miałam kiedy, do lekarza udałam się tuż przed samym wyjazdem. Zrobię, jak wrócę... O tej tarczycy, prawdopodobnej przyczynie moich zbędnych kilogramów, których tak okropnie chciałabym się pozbyć, powiedziałam mamie. Westchnęła jak zawsze.

— Zrób sobie te badania, ale wątpię, żeby z twoją tarczycą było coś nie tak — powiedziała, patrząc na mnie z troską. — Ty sobie coś ubzdurałaś, kochanie — pokręciła głową z dezaprobatą. — Wbiłaś sobie do głowy, że powinnaś wyglądać jak tyczka, a to nie jest możliwe przy twojej budowie, którą odziedziczyłaś po rodzinie swojego ojca. Popatrz na ciotkę Beatę, czy według ciebie jest gruba?

— Oczywiście! — wykrzyknęłam zdziwiona jej słowami.

Od kiedy pamiętam, ciotka zawsze była miękka i dlatego jako dziecko uwielbiałam się do niej przytulać. Obejmowała mnie i mrucząc kołysanki nad moim uchem, huśtała mnie namiętnie godzinami. Bardzo ją kocham, jest fantastyczna i można z nią konie kraść, ale to nie zmienia faktu, że jakby zrzuciła przynajmniej dziesięć kilo, to sadełko nie wylewałoby się jej na plecach powyżej biustonosza, zdecydowanie wyglądałaby lepiej i młodziej. Wiem, że odziedziczyłam sporo cech po moim ojcu, ale to nie powód, żebym wyhodowała sobie takie brzuszysko jak on i szczęśliwie paradowała po świecie, nie przejmując się uwagami innych ludzi. Pamiętam okrzyk starego znajomego taty przypadkiem spotkanego w salonie samochodowym, do którego, w ramach wycieczki, tata zabrał mnie w jakąś słoneczną niedzielę przed obiadem.

— Bogumił, stary byku, to ty?! — wykrzyknął ten znajomy, rozpościerając ręce na całą szerokość jak strach na wróble na środku pola pełnego dojrzewającej pszenicy.

— Ed, Ryża Małpo! — Ojciec wyszczerzył zęby i rzucił mu się w te ramiona, dokładając swoje. Poklepali się po plecach dość hałaśliwie, po czym odsunęli od siebie, taksując się wzrokiem. Znajomy taty się roześmiał.

— Oj! Boguś, Boguś oddałbyś dziecku piłkę...

Na początku nie zrozumieliśmy, o co mu chodzi, i to chyba było widać, bo roześmiał się jeszcze głośniej i klepnął ojca w brzuch.

— A... — Tata pogłaskał się z czułością po tym, co wyhodował przed sobą z pomocą maminych obiadków i poobiednich piw. — To nie piłka — zaprzeczył. — To się nazywa mięsień piwny — powiedział dumnie, zdecydowany walczyć o swoją rację.

— Niech ci będzie — zgodził się Ryża Małpa i zarzucił ojcu rękę na ramiona.

Odeszli zatopieni w fachowej konwersacji o wyższości stojącej nieopodal limuzyny nad wersją kombi.

Stanęłam w pachnącej wanilią kolejce posuwającej się ledwo, ledwo i nie mogłam się zdecydować, czy powinnam się skusić i przekroczyć limit porannych kalorii, czy może zrezygnować z tej cudownej przyjemności, na którą miałam okrutną wręcz ochotę.

Toboły w plażowej torbie uwierały mnie w ramię, słońce — zawieszone już dość wysoko na nieboskłonie — operowało po całej mojej osobie nieposkromione żadnym obłokiem. Zaczynałam się pocić, ale i tak nie mogłam albo nie chciałam zrezygnować, bo przecież znajdowałam się już tak blisko, że zaglądałam przez okienko do wnętrza i liczbę osób stojących przede mną porównywałam z liczbą nastawionych w maszynkach wafli. Wpatrzona w ręce kobiety za szybą zastanawiałam się, czy dzisiaj, jak przyjdzie już moja kolej, powinnam zjeść gofra z malinami, czy — tak jak wczoraj — z jagodami i czy mam się jeszcze skusić na polewę czekoladową, czy może karmelową, która w wielkiej butli zaglądała do mnie wesoło, błyskając zaczepnie kolorową etykietką.

Do samego końca nie mogłam podjąć tak ważnej decyzji i na pytanie, z czym sobie życzę gofra, wykrzyknęłam:

— Yyyy... Z malinami!

— Ze śmietaną?

— Tak!

— Z polewą czy bez?

— Z polewą! — Pokiwałam energicznie głową.

Kobieta, czekając na moją decyzję, wyciągnęła przed siebie dłoń gotową szybko złapać odpowiednią butlę, a ja patrzyłam jak zaklęta, tak jakby od tej decyzji zależało moje życie.

— Jaką? — zapytała zniecierpliwiona.

— Yyyy... Toffi! — wykrzyknęłam i poczułam ulgę.

Ta kobieta chyba też, bo już więcej na mnie nie spojrzała. Zapłaciłam i dzierżąc w dłoni pachnącą zdobycz, udałam się powoli w kierunku plaży, co, wbrew pozorom, okazało się niezbyt łatwe, tym bardziej że tobół na moim ramieniu akurat teraz postanowił zacząć z niego zjeżdżać, zamiast wpijać się sadystycznie w moje ciało jak poprzednio. Zauważyłam, że nie wszyscy o tej porze leżą na plaży i „smażą" się jak frytki. Jedni pałaszowali lody, inni zapiekanki pachnące pieczarkami, a inni tak po prostu sobie spacerowali i popijali colę z ogromnych kubków.

Skuszę się na jedną zapiekankę w drodze powrotnej, bo nie przypuszczam, a raczej jestem pewna, że nawet najbardziej kaloryczny gofr nie wystarczy mi na cały dzień, nie biorę pod uwagę tego, co zawierała moja torba.

Wycierając serwetką śmietanę przylepioną do warg, przypomniałam sobie moje próby zmiany diety i uśmiechnęłam się na wspomnienie maminej miny na widok dwóch siatek jarzyn, które przytargałam z mozołem do domu. Nie powiedziała ani słowa, tylko z zaciekawieniem spoglądała, gdy to wszystko rozkładałam na kuchennym stole, bardzo z siebie zadowolona.

Był akurat środek zimy, gdy dopadła mnie paskudna chandra i nic ze starych sposobów jej zwalczania nie skutkowało. Zaczęło się tak jak zawsze. Niewinnie.

W przypływie gotóweczki postanowiłam zrobić sobie przyjemność i pojechałam do centrum handlowego, wyciągając oporną koleżankę na zakupy. Złamałam jej opór obietnicą zrobienia jej prezentu, na co zgodziła się w przyspieszonym tempie. Wiadomo, za darmo…

I tak oto wędrowałam wzdłuż sklepów samym środkiem pasażu i czułam się wręcz wspaniale w otoczeniu kolorowych wystaw pełnych wspaniałych strojów. Płynęłam niczym motyl, prawie nie dotykając podłogi, i rozglądałam się z niezmąconym uśmiechem kobiety sukcesu, chociaż miałam do dyspozycji tylko premię, jaką wszyscy pracownicy otrzymali z okazji świąt. Ale to w tej chwili nie miało znaczenia, najważniejsze było to, że ja też ją dostałam i mogłam wydać na byle co, sprawiając tym niewymowną przyjemność wszystkim swoim zmysłom.

Podobało mi się prawie wszystko, co zobaczyłam: bluzki, swetry, sukienki i spódnice, nie wspomnę już o butach, które prawie tupały do mnie przez szybę. Przepełniona tym uczuciem, uczuciem niewymownego wręcz szczęścia, weszłam do jednego z butików i poprosiłam o spódnice w moim rozmiarze. Ekspedientka, bardzo miła, zerknęła taksująco na moje biodra i uśmiechnęła się, mówiąc ostrożnie:

— Wydaje mi się, że potrzebuje pani większego rozmiaru.

— Ależ skąd?! — oburzyłam się i uznałam za stosowne jej wytłumaczyć: — Kurtka mnie tak pogrubia!

— Możliwe — uśmiechnęła się dyplomatycznie i przeszła w kierunku wieszaków wiszących szeregiem na metalowej rurce umocowanej wysoko na ścianie.

Patrzyłam, jak przerzuca wieszaczek za wieszaczkiem, aż zatrzymała się na ostatnim. Zdjęła go szybkim ruchem i wręczyła mi, nadal uśmiechając się z wyższością, pewna swojego dobrego oka.

Z podniesionym czołem i pewnym krokiem, dzierżąc w dłoni za dużą moim zdaniem spódnicę, udałam się w kierunku przymierzalni. Ustawiłam się w kolejce pełnej kobiet w różnym wieku, niektórych prawie tak zadowolonych, jak ja. Jeszcze raz zerknęłam na trzymaną w ręce spódnicę, aby się upewnić, że ekspedientka jednak nie miała racji, i już chciałam pójść wymienić ją na mniejszą, jak odsłoniła się przede mną kotarka. Wyszły z niej dwie chichoczące dziewczyny mniej więcej w moim wieku, machając mi przed nosem dwiema parami spodni, które przymierzały przed chwilą. Nonszalancko spojrzałam na obwód pasa tych przemykających mi przed nosem ciuszków i machinalnie zacisnęłam usta, porównując je dyskretnie z tym, co trzymałam w dłoni.

— Wchodzicie? — zapytał ktoś z boku.

— Tak, tak — odpowiedziałam, usiłując się uśmiechnąć.

W kabinie, do której nie wpuściłam pchającej się za mną koleżanki, po zawieszeniu kurtki, torebki i szalika oraz po ściągnięciu z pewnym wysiłkiem kozaków bez zamka spojrzałam w lustro i jakimś dziwnym sposobem czar prysł. Coś odebrało mi ochotę na przymierzanie. Nie chciałam już nikomu udowadniać, że spódnica zawieszona na wieszaku obok kurtki, szalika i torebki będzie na mnie za duża. Odpięłam wprawdzie zamek, ale jakoś tak bez entuzjazmu. Przyłożyłam ją sobie do brzucha i w tym momencie napłynęła zdradziecka łza. Zacisnęłam zęby i w przypływie buntu tupnęłam bosą stopą o podłogę. Na szczęście wykładzina o niezbyt miłym kolorze stłumiła ten mój odruch.

— Wszyscy się mylicie! — szepnęłam dobitnie pod nosem przez nadal zaciśnięte zęby. — Nawet to cholerne lustro — spojrzałam na nie, jakby było moim największym wrogiem, i jednym pociągnięciem odpięłam guzik.

Niczemu niewinna spódnica z łatwością przemknęła przez moje stopy, łydki i uda i pomknęła w kierunku bioder. Dobra jest, pomyślałam, wciągając ją dalej.

— No... — szepnęłam z uśmiechem w stronę swojego odbicia — nieźle... — Prawie się zachwyciłam tym, co zobaczyłam.

Zadowolona schwyciłam guzik za plecami i chciałam nim tak po prostu trafić w dziurkę, i tu nastąpił drugi kryzys tego dnia. Mimo wciągania brzucha tak prosta sztuka, jaką jest zwyczajne przepchnięcie guziczka przez dziurkę, nie powiodła się. Okręciłam spódnicę wokół pasa i podjęłam jeszcze jedną, ostateczną próbę ujarzmienia upartego potwora. Niestety z takim samym skutkiem albo nawet i gorszym, bo te moje zmagania oglądało teraz naprawdę okrutne lustrzane odbicie. Zrobiło mi się gorąco i duszno, zerwałam znienawidzoną materię i usłyszałam pukanie w ramę kabiny.

— Hej! I jak kiecka? Wbiłaś się?

— Spoko!

— To wyjdź, pokaż się!

— Już zdjęłam — odpowiedziałam zgodnie z prawdą, zdejmując z wieszaka wszystkie swoje rzeczy. Przetarłam spocone czoło i wyszłam z uśmiechem, odsłaniając kotarkę dla następnej klientki.

Bez słowa ominęłam koleżankę, ruchem głowy wskazując jej wyjście z butiku. Przechodząc, oddałam spódnicę innej ekspedientce. Nie chciałam widzieć tryumfu na twarzy tamtej okropnie pewnej siebie kobiety.

— Poczekaj! — poczułam szarpnięcie. — Może ja sobie taką kupię.

Spojrzałam na koleżankę wzrokiem bazyliszka. Czy jej się może wydaje, że skoro nie kupiłam sobie, to jestem skłonna jej zafundować tę kieckę?

— Nie żądasz ode mnie chyba... — zaczęłam, ale roześmiała mi się w twarz.

— Zwariowałaś?! — wykrzyknęła prawie obrażona. — Myślisz, że mnie nie stać?!

— Nie... No, nie — zmitygowałam się.

— Idę przymierzyć. — Porwała o rozmiar mniejszą od tej, którą przymierzałam, błysnęła w moją stronę idealnie równiutkimi białymi zębami i pomknęła w stronę kabiny niczym rącza łania.

Dyskretnie zerknęłam w stojące obok mnie lustro, uniosłam górną wargę i spojrzałam w uzębienie znajdujące się w mojej jamie ustnej. Niby wszystko okej, równiutkie, czyściutkie, bo przecież dbam o nie regularnie, ale jednak nie takie jak jej. Cholera! — pomyślałam. Jeszcze to...

Koleżanka wyszła z przymierzalni ze spódnicą w ręce i bardzo zadowoloną miną, ale nie od razu zdradziła mi powód tego zadowolenia wręcz tryskającego z jej twarzy.

— I co? Za mała? — zapytałam, oczekując satysfakcjonującej mnie odpowiedzi.

— Nie — szepnęła, pochylając się w moją stronę. — Za duża — dodała i odpłynęła w stronę wieszaka wypchanego mniejszymi rozmiarami.

Teraz to już miałam całkiem dość. Obróciłam się plecami do lustra, bo stwierdziłam z przykrością, że odbicie mojej twarzy, której wolałam nie oglądać, kojarzy się z burzową chmurą tuż przed gradobiciem. Współczułam tylko tym, którzy, przechodząc obok, będą musieli na mnie spojrzeć.

Skupiłam wzrok na bezrozmiarowej biżuterii tkwiącej na samym środku sklepu, która po sekundzie zainteresowała mnie na tyle, że nie zauważyłam nadejścia uśmiechniętej koleżanki.

— Świetna ta kiecka! — oznajmiła dość głośno nie tylko mnie. — Nie wiem, dlaczego ty jej nie bierzesz.

Wzruszyłam ramionami, udając obojętność.

— Beznadziejna jesteś, wiesz?! W tej cenie nigdzie takiej nie dostaniesz! — Podetkała mi spódnicę pod nos. — Zobacz, jaki to materiał... — Poruszyła palcami. — I kolory! Obłęd! Pasuje do każdego sweterka, każdej bluzeczki! Świetnie wybrałaś. — Położyła ją na ladzie w pobliżu kasy i uśmiechnęła się do mnie słodko: — Pożyczysz?

Tego już było za wiele jak na jeden dzień. Zatrzymałam na niej wzrok o charakterze bezuczuciowym, po czym bez słowa odwróciłam się w stronę ściany pełnej spódnic i bez wahania wybrałam tę, którą mierzyłam, tę wielką, i walnęłam ją, może trochę za mocno, na ladę obok tej o dwa rozmiary mniejszej.

— Jasne! — Uśmiechnęłam się sztucznie i dołożyłam wisiorek, który dość mi się podobał, ale nie był mi koniecznie potrzebny.

Do kasy podeszła kobieta, która już na wstępie zepsuła mi humor. Czekałam, czy w jakikolwiek sposób skomentuje mój zakup, ale nie zrobiła tego na swoje szczęście, bo chybabym już nie wytrzymała i wylała na nią wszystkie nagromadzone przez półgodzinny pobyt w tym sklepie żale.

— Razem to skasować? — zapytała, grzebiąc w materiale w poszukiwaniu metki.

— Tak — odpowiedziała stojąca bliżej kasy koleżanka i zwróciła się w moją stronę z proszącym uśmiechem.

Wróciłam do domu i od razu wrzuciłam reklamówkę ze spódnicą i wisiorkiem, którego też mi się już odechciało, do szafy z postanowieniem wielkich zmian w swoim życiu. Oczywiście, jak zawsze zaczęłam od wyglądu, który moim zdaniem był powodem wszystkich dotykających mnie, czasami bardzo boleśnie, niepowodzeń.

Na drugi dzień, akurat gdy przyszłam z tymi worami warzyw i owoców, mama oświadczyła, że znalazła podczas przedświątecznych porządków reklamówkę upchniętą na dnie szafy i czekając na mój powrót z pracy, udrapowała jej zawartość sympatycznie na moim łóżku.

— Czemu mi nie pokazałaś? Bardzo ładna. Przymierz! — poprosiła.

Nie byłam w stanie jej odmówić, więc zniknęłam za drzwiami swojego pokoju i usilnie w tym momencie zwracałam się do Stwórcy, aby obwód mojego pasa skurczył się o co najmniej cztery potrzebne mi w tej chwili bardziej niż w butiku króciutkie centymetry. Na próżno. I tym razem, niestety, moja prośba nie została zatwierdzona.

Może za słabo prosiłam? A może w niebie zabrakło tuszu, czemu bym się specjalnie nie dziwiła, bo ileż to wieków można w kółko kłapać pieczątką, zatwierdzając tak ogromną liczbę docierających tam próśb i życzeń. Czasem jakieś trzeba odrzucić, tylko dlaczego akurat moje?

Wyszłam z pokoju i stanęłam przed obliczem mamy ze spuszczoną głową. Usłyszałam jej ciche westchnienie.

Podeszła do mnie ze wzrokiem wbitym w nieszczęsną spódnicę, która, chociaż niedopięta, opinała moją talię niemiłosiernie.

— Po co kupujesz taki mały rozmiar? — westchnęła ponownie i z siłą, o jaką jej nie podejrzewałam, spróbowała zapiąć guzik.

— Zostaw! — Odsunęłam się zniecierpliwiona.

— Stój! — Przyciągnęła mnie do siebie ponownie. — Patrzę, czy da się przerobić!

— Nie da się! — wykrzyknęłam i nie bacząc na dłonie mamy, wyrwałam się energicznie.

Cholerna spódnica prawie paliła mnie swoją obecnością na moim tyłku. Zrzuciłam ją z siebie tak szybko, jak tylko się dało, podniosłam z podłogi, pognałam do swojego pokoju i żeby uciąć jakiekolwiek dalsze komentarze, zatrzasnęłam za sobą drzwi. Zdążyłam ją jeszcze zwinąć w kłębek, zanim wylądowała w tym samym miejscu co poprzednio.

Wieczorem, przed telewizorem siedziałam spokojnie na kanapie i gryzłam, chrupiąc głośno, surowe marchewki, paskudny seler naciowy i pół jabłka, które sobie przygotowałam na początek mojej restrykcyjnej diety. Spoglądałam przy tym smętnie w kierunku piramidy pysznych kanapek, które mama „niechcący" postawiła za blisko mojego nosa i oczu. Wzdychałam, ukradkiem połykając ślinę, ale byłam tak zaparta w swoim postanowieniu, że skusiłam się tylko na jeden plasterek przepysznej suchej kiełbasy, zabójczo pachnącej czosnkiem. Najpierw obgryzłam go powolutku dookoła, potem żułam go bardzo, bardzo, bardzo długo, aż kompletnie stracił smak, przeobrażając się w dziwną papkę, którą i tak połknęłam z wielką przyjemnością. Wytrzymałam pięć długich dni i dwie godziny... Spódnica nadal się nie dopinała.

*

Trochę za szybko skończyło się moje słodziutkie śniadanie. Poprawiłam torbę, klapki wzięłam do ręki i powoli zaczęłam schodzić po rozgrzanych kamiennych schodach, obijając się czasami o tych, którzy powracali.

Ostrożnie stawiając stopy, przebrnęłam przez sypkie i gorące piaski, nie miałam ochoty trafić na śmieci, niedopałki i szyszki o ostrych krawędziach, których obfitość akurat przy zejściu trochę mnie wyhamowywała. W dzieciństwie nastąpiłam na taką szyszeczkę i skończyło się paskudnym dłubaniem i szyciem przez przemiłego lekarza, który poczęstował mnie cukierkiem o dziwnym smaku, wyciągniętym z przepastnej kieszeni chirurgicznego fartucha.

Dotarłam na sam brzeg i zadowolona wykopałam nogą dołek. Rozłożyłam ręcznik i rozglądnęłam się, rejestrując wzrokiem osoby w najbliższej okolicy. Chętnie usiadłabym jeszcze bliżej morza, ale w końcu z tego zrezygnowałam. Tu też nawdycham się jodu, a nie będę się niepotrzebnie narażać na zdeptanie przez wędrujących bezustannie brzegowych spacerowiczów. Rzuciłam świeżo zakupioną gazetę w miejsce, gdzie zaraz położę głowę, i uklękłam, żeby zrzucić z siebie sukienkę. Poczułam na sobie czyjś wzrok. Uniosłam nieznacznie głowę... Nie patrzyły na mnie jedne oczy, patrzyło ich tysiące. Oglądały, świdrowały, wgryzały się. Okropność! I jak ja mam się tu rozebrać?!

Włożyłam ręce pod sukienkę i poprawiłam kostium w newralgicznych miejscach, to znaczy na biuście i na pośladkach, mając nadzieję, że nic, co nie powinno ujrzeć światła dziennego, nie wypiętrzyło się zdradziecko. I dopiero po tej czynności z klęczek szybkim ruchem przeszłam w siad prosty i teraz mogłam spokojnie ściągnąć sukienkę przez głowę, nie obawiając się kompromitacji. Oczywiście zaraz się położyłam, ale przypomniało mi się, że nie nasmarowałam się mleczkiem z odpowiednim filtrem, i musiałam usiąść i przegrzebać torbę, w której miałam mnóstwo skarbów: okulary przeciwsłoneczne, okulary do czytania, których specjalnie nie potrzebuję, ale wyglądam w nich świetnie, kanapki z ciemnego razowego chleba bez masła, z białym serem, jogurt zero procent i łyżeczkę do niego, dwa paskudne, niedojrzałe jabłka, dojrzałą brzoskwinię, dwie młode, umyte i obrane ze skórki słodziutkie marchewki, woreczek z obranym i pokrojonym w słupki zielonym ogórkiem, obowiązkową wodę mineralną w dwulitrowej butli, żytnie chrupki na wszelki wypadek, jakbym jednak zgłodniała na plaży, do tego woreczek muszelek zbieranych dla mamy, którego zapomniałam zostawić w pokoju, opaskę na włosy, szczotkę do ich rozczesania, nawilżającą pomadkę z witaminą E, chusteczki dezodoryzujące, chusteczki higieniczne i na samym dnie, oblepione nieco piaskiem mleczko do opalania i oczywiście dokumenty oraz resztę pieniędzy z wczorajszego dnia w nowiutkim portfeliku w kolorze mórz południowych, a nie Bałtyku, i w takim samym intensywnie turkusowym kolorze zegarek w najmodniejszej silikonowej oprawie, z którego jestem bardziej niż zadowolona.

Jak zawsze musiałam poprzekładać wszystko, zanim znalazłam poszukiwany przedmiot, ale w końcu się udało i z namaszczeniem zaczęłam oblewać się białymi strumyczkami mleczka, starając się nie ominąć żadnego miejsca przy rozsmarowywaniu. Po tej czynności wymagającej skupienia opadłam z powrotem na koc i oddałam się błogiemu lenistwu, jakim jest opalanie.

Nie trwało ono jednak długo.

W pierwszej chwili pomyślałam, że to słońce zaszło za jakąś chmurkę, która z pewnością za chwilkę odpłynie, ale czekałam i nic się nie zmieniało. Cień tkwił na mojej twarzy i nie znikał. Ostrożnie uniosłam powieki i ujrzałam przyczynę chwilowego zaćmienia słońca. Przyczyna miała może ze dwa latka i skręcone w śmieszne kędziorki włoski spięte gumkami na czubku głowy, które tworzyły coś na kształt puchatych różków ślimaka. Mnóstwo piegów na twarzy i wielkie oczy wpatrujące się we mnie ciekawie. Do tego jasnozielony kostium kąpielowy z mnóstwem falbanek umiejscowionych gęściej na pupie. W jednej ręce puste, kolorowe wiaderko, w drugiej roztapiające się lody spływające strużkami po małej, pulchnej rączce.

— Przesuń się, kochanie — uśmiechnęłam się. — Zasłaniasz słońce, a ja chciałabym się opalić — poprosiłam, ale dziewczynka nie drgnęła. — Lody ci się roztapiają — powiedziałam, wpatrując się w spływające strużki. — Obliż je…

Dziewczynka nie drgnęła. Uniosłam się na łokciu i palcem pokazałam jej, gdzie powinna oblizać. Zrobiła to. Przyszło mi do głowy, że może biedactwo nie słyszy, i zrobiło mi się przykro. Taka ładna dziewczynka i całe życie będzie się męczyć ze swoją przypadłością tak jak ja ze skłonnością do tycia. Albo jeszcze gorzej, bo ja przynajmniej słyszę, jak mnie obgadują.

— Jeszcze tu — wskazałam jej drugą stronę.

Dziewczynka posłusznie oblizała wskazane miejsce. Przyciągnęłam torbę i rozpoczęłam poszukiwanie wilgotnych chusteczek, którymi chciałam obetrzeć oblepione rączki. Jakoś nie przyszło mi do głowy, że prostszym rozwiązaniem byłoby pójście w kierunku szumiącego cudownie morza i zmycie resztki lodów morską wodą. A może i przyszło, ale musiałabym wstać i przejść parę metrów przed tysiącem oczu, które wpatrywałyby się we mnie. Oczywiście te oczy zauważyłyby moje uda podrygujące przy każdym kroku, napakowane niedosmażoną skórką pomarańczową, moje fałdki na brzuchu opięte lycrą jak baleron siatką i niemieszczące się w kostiumie, wręcz wylewające się piersi, które falują przy każdym kroku jak znajdujące się przede mną morze. Sama myśl o takiej wędrówce napawała mnie lękiem. W stronę morza to jeszcze okej, ale powrót! Nigdy w życiu! Nikt mnie na to nie namówi, nawet tak urocze stworzenie, jak to, które teraz koło mnie stało oblepione słodką masą z kapiących lodów.

Znalazłam chusteczki wyjątkowo szybko, a to tylko dzięki temu, że poprzednio wsunęłam je do wewnętrznej kieszeni wszytej do tego celu przez sprytnych Chińczyków. Oni to mają głowy... Niby zwykła torba plażowa, a tak przemyślna. Kieszonka na drobiazgi, kieszonka na telefon, wprawdzie trochę za mała na najnowsze smartfony, ale jest. W środku wkładka z zamkiem na kosmetyki plażowe, co prawda główka zamka, ta do przesuwania, od razu została mi w ręce, ale jest. Ogólnie torba wporzo, tylko musiałam poobcinać strzępiące się nitki.

Bez słowa wytarłam małe łapki. Nie było sensu nic mówić, skoro dziecko i tak nie słyszy. Posłusznie oddało mi nie do końca oblizany patyczek i wystawiło rączki z rozczapierzonymi paluszkami. Śmieszne różki pochyliły się i ogromne, błękitne oczy dziewczynki wpatrywały się w każdy ruch mojej dłoni.

— Jesce tiu — odezwała się nagle i brudnym paluszkiem pokazała mi małą plamkę, którą ominęłam niechcący. Miałam ochotę przytulić ją za te dwa słowa. Uśmiechnęłam się do niej i wyjęłam ostatnią chusteczkę.

W folię, która pozostała po chusteczkach, pośpiesznie zawinęłam patyczek. Odłożone na bok zabrudzone papierki wyschły w słońcu bardzo szybko, a mnie pozostała na palcach lepka masa, ale to przecież nie problem. Mam zwykłe chusteczki i wodę mineralną, tak też przecież można. Szczęśliwie znalazłam drugą paczuszkę, tym razem pełną. Dwoma palcami wydłubałam chusteczkę i nie byłam w stanie zrobić tą dłonią już nic więcej. Mięciutki, leciutki, wielowarstwowy, utworzony w ramach recyklingu, oszczędzający rosnące sosny suchy papierek przylgnął za sprawą lepkiej i słodkiej mazi do moich palców, oblepiając je swoimi warstewkami. Próba odlepienia skończyła się tylko rozwarstwieniem owego tworu i niczym więcej. Może jedynie tym, że uczepiona moich palców chusteczka powiewała smętnie w podmuchach morskiej bryzy. Unosząc dłonie, wierząc w sprawne mięśnie swojego tułowia, ponownie się odchyliłam w stronę torby, bo w tym momencie jedynie woda mogła mnie uwolnić od niechcianych strzępków ligniny, ale zachwiałam się i nie zdążyłam użyć najprostszej podpórki, jaką są własne łokcie. Padłam twarzą prosto w gorący piach.

Pędzelki zaczęły podskakiwać na dwóch nogach, wydając z siebie dźwięki uradowanego stworka z bajki. Podniosłam się i spojrzałam na dziewczynkę, była taka urocza, że nie mogłam się na to śmieszne „coś" zezłościć. Uśmiechnęłam się do niej i czystą ręką otrzepałam z twarzy piasek, ale nie do końca, bo drobniutkie ziarenka przylgnęły do mojej skóry w miejscach posmarowanych mleczkiem do opalania.

Po tej czynności, już porządnie oparta na łokciach, spokojnie sięgnęłam do torby po wodę. Odkręciłam butelkę i ją przechyliłam. Dziewczynka z wiaderkiem w ręce szarpnęła mnie energicznie za wyciągniętą rękę.

— Oć! — powiedziała stanowczo

Butelka wypadła mi z ręki i z sykiem, wylewając sporą część swojej zawartości, poturlała się spokojnie po piasku, po czym lekko się przechyliła i utkwiła gwintem w dołku pomiędzy miniaturowymi wydmami utworzonymi prawdopodobnie ludzką stopą. Patrzyłam, jak świeże morskie powietrze nasycone jodem wpływa do niej pod postacią okrągłych przesympatycznych bąbelków.

— Oć — powtórzyła dziewczynka.

— Nigdzie nie idę, sama sobie idź — odpowiedziałam jej nieco już wzburzona, starając się uratować resztki wody.

Gdzieś z lewej strony doleciał mnie komentarz wypowiedziany damskim, ale dość niskim głosem:

— Czy ty widzisz, jakie te młode matki są teraz leniwe? Dupy jej się nie chce podnieść i pójść z dzieckiem po wodę! Woli siedzieć i się opalać! Ja biegałam z Wojtusiem, nie było mowy, żeby poszedł sam! To takie niebezpieczne! Pamiętasz, Heniu, jak biegałam?

— Mhm, pamiętam, biegałaś — potwierdził jej słowa znudzony, równie niski głos Heniusia.

Odwróciłam się energicznie, chciałam zobaczyć, kto śmie niesłusznie zwracać mi uwagę, i natrafiłam na parę wpatrzonych we mnie oczu. Słowa i wzburzenie zamarły w moich ustach. Wstałam, wzięłam dziewczynkę za rączkę, uśmiechnęłam się w stronę moich sąsiadów najwspanialszym uśmiechem, na jaki mnie w tej chwili było stać, i zapytałam równie słodko:

— Przypilnujecie państwo?

— Oczywiście! — usłyszałam.

Poprawiłam kostium i poszłam do tego cholernego morza nabrać wody do wiaderka. Dziewczynka podskakiwała na brzegu szczęśliwa, a ja zastanawiałam się, jak się zasłonić malutkim wiaderkiem w drodze powrotnej.

Dotarłam do swojego miejsca wypłukana z chusteczki i piasku i zmęczona wędrówką opadłam z impetem na ręcznik z myślą, że już nie chcę koło siebie żadnej dziewczynki. Sięgnęłam do torby, wyjęłam kanapkę z białym serem i woreczek z zielonym ogórkiem. Wbiłam w kromkę zęby i zapatrzona w horyzont, zaczęłam tak jak zawsze przeżuwać z namaszczeniem. Dziecko, które — miałam nadzieję — odejdzie z wiaderkiem do swojej matki, usadowiło się na piasku koło mnie i jednym ruchem opróżniło zawartość wiaderka wprost na mój ręcznik. Udawałam, że nie widzę, i spokojnie przeżuwałam dalej. Dziewczynka obserwująca strumyczki, jakie spływały z mojego ręcznika, zerwała się nagle, falbanki na jej pupie podskoczyły figlarnie, i podeszła do mnie, usiłując bez słowa wyrwać mi kanapkę z ręki.

— Hej! — wykrzyknęłam, naciągając się razem z kromką w stronę drapieżnej rączki. — Hej! — powtórzyłam. — To moje!

Dziewczynka nie zwróciła uwagi na moje wołanie. Oddałam jej kanapkę, uznając walkę o kawałeczek chleba za bezsensowną, i powróciłam do poprzedniej pozycji. Wygrzebałam z woreczka kawałeczek ogórka.

— Daj — odezwało się dziecko.

— Nie! Jedz chlebek!

— Nie cie. — Oddała mi rozmamłaną skórkę.

— Ja tes nie cie — odpowiedziałam jej w tym samym stylu tak samo.

— Konstancja! Konstancja! Konstancja! — Gdzieś w oddali damski głos rozdzierał się nieziemsko. — Konstancja! Konstancja! — zbliżało się miarowo. — O Boże! Konstancja!

Tym razem rozległo się bardzo blisko i zgrabna kobieta w kostiumie tak skąpym, że prawie nic nie przykrywał, zaczęła biec w moją stronę. Stworzonko ze śmiesznymi ogonkami uniosło zieloną pupę z uroczymi falbankami i rączki wysmarowane resztkami chleba z serem. Na króciutkich, tłuściutkich, jak to u małego dziecka, nóżkach pobiegło w stronę wołającej kobiety, ta porwała je na ręce i zaczęła całować po umorusanej buzi. Po tej salwie matczynej radości odeszła bez słowa. Malutki aniołek przytulony do jej ramienia pomachał do mnie rączką.

— Heniu… — odezwała się starsza kobieta po mojej lewej stronie. — Jak myślisz, ona chciała porwać to dziecko? Co? Kiedyś czytałam o takiej, co nie mogła mieć swoich i porywała cudze…

— Daj spokój, Jadwiniu — jęknął Heniu.

Obróciłam się twarzą w kierunku morza, położyłam się na brzuchu i przyciągnęłam torbę odpowiednio blisko, żebym już nie miała żadnych problemów z wyciąganiem z niej czegokolwiek. Chciałam się wyciszyć i w spokoju przeglądnąć gazetę zakupioną po drodze. Morze szumiało miarowo, słońce grzało stosownie do pory roku i dnia.

Ogórek, marchewka i brzoskwinie przeniosły się z torby do mojego żołądka, ale ja nadal byłam głodna. Wyraźnie brakowało mi czegoś konkretnego, czegoś, co uciszyłoby jęki mojego żołądka i jelit. Udawałam, że ich nie słyszę, że autosugestią zmuszę je do milczenia, ale skuteczność tej terapii okazała się tak znikoma, że musiałam sięgnąć po chrupki, które oblepiały moje zęby, dziąsła i język, którym mełłam w ustach jak krowa.

Odłożyłam okulary, odsunęłam gazetę i usiadłam po turecku. Z torby wyciągnęłam łyżeczkę i jogurt zero procent. Nabrałam trochę, włożyłam łyżeczkę do ust i stwierdziłam z obrzydzeniem, że jogurt w tym upale zdechł. Pieczołowicie zapakowałam paskudztwo z powrotem i ułożyłam się wygodnie, starając się skupić na przeglądaniu gazety, która powoli mnie wciągała, bo umieścili w niej wakacyjne opowiadanie. Zapomniałam, że jestem na plaży, zapomniałam, że leżę tylko w kostiumie kąpielowym, przez moment zapomniałam o bożym świecie i byłoby mi tak dobrze, gdyby niespodziewanie, nie wiadomo skąd, potężny strumień lodowatej wody nie wylądował na moich włosach, plecach, ręczniku i nieprzeczytanej jeszcze gazecie.

— Aaa! — rozdarłam się na cały głos i spojrzałam w stronę oddalających się i nadal świetnie się bawiących dwóch rozbrykanych łobuzów, którym przyszło do głowy przelanie morza wiaderkiem.

Sapnęłam jak rozwścieczony byk szeroko rozdętymi nozdrzami i poderwałam się na równe nogi. Z falą wewnętrznego gorąca nadpłynęła nadprzyrodzona siła, która umożliwiła mi start godny olimpijskich sprinterów. Zignorowałam myśl o pomarańczowej skórce, o fałdkach i podskakującym biuście i popędziłam za nimi jak lokomotywa, sapiąc też tak jak ona:

— Ty gówniarzu! — krzyknęłam ostatkiem sił, łapiąc mniejszego chłopca za rękę. — Zrób tak jeszcze raz… — pogroziłam mu palcem wskazującym. — Zrób tak jeszcze raz, a… — zabrakło mi słów — a zobaczysz!

Nie mogłam na szybko wymyślić, co zobaczy, za to ja zobaczyłam przerażone oczy i pojawiające się w nich łzy. Puściłam go tak szybko, jak złapałam, i pomyślałam, że jestem straszną jędzą, bo przecież leżymy nad samym brzegiem morza i trochę wody jest chyba w takim miejscu zjawiskiem normalnym, no, może nie całkiem normalne jest wylanie na mnie znienacka całego wiaderka, ale…

Odwróciłam się i… przeraziła mnie odległość, jaką miałam do przebycia. Ruszyłam w swoją drogę przez mękę „pod oszczszałem" milionów oczu!

Zdyszana już nieco mniej usiadłam na ręczniku i rozglądnęłam się. Chyba nikt z moich najbliższych sąsiadów nie zauważył mojej szarży przez piach. Odetchnęłam z ulgą, poprawiłam kostium i położyłam się na brzuchu, twarzą w stronę szumiącego cudownie Bałtyku w celu, jak już wiadomo, wchłonięcia jak największej ilości jodu, co poskutkuje wiadomo czym. Przejechałam dłonią po schabikach i przez chwilę wydawało mi się, że już się jakby trochę skurczyły.

Morze szumiało bardzo miarowo, słońce grzało bardzo dokładnie, plażowe hałasy stopiły się w jakąś ogólną całość, nad moją głową cichutko furczał skrzydełkami foliowy samolocik. Moje myśli zaczęły błądzić... Powróciły do domu, do mojego pokoju, zaglądnęły do biura, w którym pracuję, odwiedziły szefa, którego nikt specjalnie nie lubi, przejechały się po najlepszych sklepach i wylądowały w butikach z letnimi przecenami, które zaczynały się u nich, już kiedy wyjeżdżałam. I to mi przypomniało o sprawdzeniu zasobów finansowych przeznaczonych na dzisiejszy dzień. Uniosłam się na łokciu, żeby znaleźć portfelik, i grzebiąc w torbie, machinalnie spojrzałam przed siebie.

Samiutkim brzegiem, więc jakieś pięć metrów ode mnie, szedł wspaniały mężczyzna. Taki, jakiego każda by sobie życzyła mieć u swojego boku. Zatrzymał się nagle, fala oblała jego opalone, owłosione i sprężyste łydki.

— Boski! — jęknęłam w duchu, omiatając wzrokiem całość jego wspaniałej sylwetki. Od sprężystych łydek gładko przeszłam do równie sprężystych i szczupłych ud, przez chwilę zatrzymałam się na jędrnych, idealnie okrągłych pośladkach w opiętych, turkusowych — mój ulubiony kolor — kąpielówkach tak różniących się od obecnie modnych bezkształtnych hajdawerów do kolan i pomknęłam dalej, w kierunku idealnie wręcz wysklepionego torsu, pokrytego w jeszcze większym stopniu niż łydki złotymi włoskami, i ramion o doskonałej muskulaturze. Zatrzymałam się na głowie, również o idealnym kształcie, obstrzyżonej na modnego „szczurka".

„Boski" nagle zwrócił twarz w moją stronę. Już wcześniej zarejestrowałam jego „grecki profil", klasyczny, z dość sporym, ale ładnym nosem. Zerknęłam szybko w dekolt, żeby sprawdzić, jak się prezentuje mój biust w pozycji, którą obecnie przybrałam, i stwierdziłam, że wporzo. Z powrotem skupiłam wzrok na bóstwie, które wyraźnie spoglądało w moją stronę z zaciekawieniem i pewnym delikatnym skupieniem na twarzy. Odczepiłam się od torby i portfelika i uniosłam się niby mimochodem. Przyjęłam pozę syrenki Ariel na kamieniu, cholernie niewygodną. Na twarz przywołałam kokieteryjny uśmieszek, delikatny jak muśnięcie wiatru, i czekałam w napięciu, udając niezainteresowaną jego spojrzeniem.

„Boski" niczym posąg tkwił w jednym miejscu, widocznie nie mógł się zdecydować, czy powinien do mnie podejść. Chciałam jakoś dyskretnie dać mu jakiś znak, że być może jestem nim przypadkiem zainteresowana, ale nie wiedziałam jak. Posąg drgnął i ruszył w moim kierunku. Wciągnęłam brzuch i wstrzymałam oddech, przygotowując w myślach inteligentną, ewentualną odpowiedź na domniemane pytanie, jakie mógłby mi zadać. Patrzyłam kątem oka, jak zbliża się do mnie i jego boska twarz nabiera chmurnego wyrazu. Na pewno też myślał o tym samym co ja, o pytaniu rozpoczynającym naszą znajomość, bo wiadomo, wejściówka jest bardzo ważna.

Już tylko dwa kroki dzieliły go ode mnie, podniecenie narastało we mnie lawinowo, co się dziwić, taki facet, gdy brutalnie mnie ominął, obsypując piaskiem z unoszącej się akurat na mojej wysokości stopy, i ryknął gromkim głosem, prawie do mojego ucha:

— No gdzie ty się, kurwa, rozłożyłaś?! Mówiłem ci, kurwa, że masz być blisko!

I odpowiedź lekko zniecierpliwionym głosem:

— Przy trzecim falochronie, nie?!

— To ty, kurwa, liczyć już z tego upału nie umiesz?! We łbie ci się chyba coś popierdoliło! To jest, kurwa, czwarty!

— Trzeci! — uparła się kobieta, której nie było widać za parawanem.

— Pojebana baba — mruknęło bóstwo. — Zapierdalam w tym upale...

I swym wspaniałym ciałem walnęło dość akustycznie na ręcznik, sięgnęło do torby po puszkę piwa, którą z sykiem otwarło i wypiło z gulgotaniem, po czym, nagromadzonym w żołądku powietrzem wydało z siebie odgłos wywołujący u mnie odruch wymiotny, odgłos godny ryku lwa. A brzmiał on trochę bulgotliwie, mniej więcej tak:

— Eeeeeee...

No cóż... Komentarz zbyteczny.

Powróciłam do poprzedniej pozycji, z tą tylko różnicą, że już nie miałam ochoty wgapiać się w morze, tak jak uprzednio, tylko przylgnęłam policzkiem do ręcznika, który trochę podsechł w tym czasie, i znowu moje myśli, wraz z uspokajającym szumem morza, popłynęły swobodnie, ale już w kierunku konkretnej osoby, mianowicie mojego byłego chłopaka Rafała, który miał tu ze mną być. Umówiliśmy się, że w tajemnicy przed moimi rodzicami wyjedziemy sobie nad morze tylko we dwójkę. Właściwie to ja go namawiałam, a on łaskawie się zgodził z dziwnym grymasem na twarzy, takim, jaki się robi, gdy łazi po tobie natrętna mucha i odganiasz ją, machając na wszystkie strony rękami. Ale to mi nie przeszkadzało. Wymyśliłam sobie, że miło by było spędzić z nim parę dni z daleka od kumpli i komputera, no bo tak na ogół to on ma mało czasu. Ile razy zadzwonię, to mówi, że teraz nie. Na spacer? Nie, bo siedzi na fejsie, innym razem nie, bo umówił się na piwo, do kina nie, bo instaluje nową konsolę i tym podobne, i tak dalej.

Więc do kina idę z koleżanką, tą, co mi jeszcze za spódnicę nie oddała. A... No właśnie! Nie oddała mi, a ja jej bilet fundnęłam! Wzruszyłam ramionami, teraz to nieważne. No więc ten mój Rafał na ogół nie ma czasu, no, chyba że coś mu się nagle pozmienia. Dzwoni wtedy i konspiracyjnie szepcze do słuchawki, bo nie używa telefonu, jak wszyscy, tylko męczy się, nie wiem po co, z tabletem:

— Wpadniesz? Starzy się zmywają na dwa dni.

— Jasne... — odpowiadam i wiem, co będzie dalej.

Mama myśli, że nadal jestem dziewicą jak te szare, smutne dziewczyny, które w przyszłości chcą być zakonnicami. Parsknęłam pod nosem, bo przypomniał mi się kawał, który kiedyś w kuchni sąsiad opowiadał rodzicom.

„W barze, przy szklaneczce piwa spotkało się dwóch kumpli. Jeden z nich usiadł na barowym stołku z niewesołą miną i po pierwszym łyku piwa zapytał:

— Ty! Są takie pingwiny? — Wskazał dłonią temu drugiemu wysokość około pół metra.

— Są.

— Ty! A takie? — Wskazał około metra.

— No... są — odpowiedział tamten lekko zdziwiony.

— Ty, a takie? — Wskazał około półtora metra.

— E... chyba nie...

— Kurna — zmartwił się ten pierwszy — to musiałem przejechać zakonnicę".

Tata roześmiał się głośno, mama milczała z poważną miną i patrzyła na pana Janusza pogardliwym wzrokiem. Ja nie wiedziałam, czy mam się śmiać jak tata, czy może zareagować tak jak mama. Na wszelki wypadek nie zrobiłam nic, chociaż kawał wydał mi się trochę śmieszny, choć okrutny, bo jak można przejechać człowieka i spokojnie o tym rozmawiać przy piwie? Pingwina też nie można przejeżdżać bezkarnie, tym bardziej że ich u nas nie ma, więc każdy przypadkowy osobnik powinien być pod ścisłą ochroną.

Ja „pingwinem" na pewno nie będę, bo przecież nie wytrzymałabym w jednych ciuchach non stop. Czarne i czarne. Wprawdzie dobrze mi w czarnym, ale nie w takiej długości, i raczej w spodniach, a nie w kiecce. W szafie mam jedną małą czarną, jeszcze jest zbyt opięta, ale po tych wakacjach to kto wie... Kto wie...

Westchnęłam, obróciłam się na bok i poczułam, że boli mnie skóra na plecach, nie wspomnę już o brzuchu pustym jak wyschnięta studnia, który już się chyba przylepił do pleców, sądząc po niewielkim dołku, jaki mi się wytworzył. Bardzo miłym dołku, który mógłby już pozostać na stałe, ale niestety na razie nie pozostanie, bo nie wytrzymam.

Pora się zbierać, jod jodem, ale trzeba coś do brzuszka wrzucić. Usiadłam i poprawiłam kostium tak na wszelki wypadek, bo ten „kąpielaczek" — tak mówi trzyletnia córka mojej koleżanki z podstawówki, fajna, teksty ma jak dorosły, boki można zrywać — wyjątkowo mi się udał. Sięgnęłam po sukienkę, włożyłam ją szybko i dopiero teraz mogłam swobodnie wstać. Podniosłam się ostrożnie i delikatnie otrzepałam piasek, który poprzyczepiał się, gdzie tylko się da, i zobaczyłam ogrom strat, jakie poniosłam w dniu dzisiejszym.

— O nie! — jęknęłam na widok wdeptanych w piasek okularów. — O nie! — powtórzyłam, biorąc do ręki suchą już gazetę ze stronami nie do rozlepienia. Ze złością zwinęłam ją w kłębek i wpakowałam na dno torby, dorzuciłam butelkę z resztką wody, która ze względu na piasek, który się do niej dostał, nie nadawała się już do wypicia, a na to nawrzucałam woreczki po jedzeniu. Uniosłam ręcznik, wytrzepałam ostrożnie, poskładałam i wcisnęłam do torby. Ruszyłam, zerkając jeszcze, czy nie zostawiłam po sobie jakichś śmieci, bo niemiło byłoby mi któregoś dnia trafić na walający się mój papierek czy szeleszczący woreczek po kanapce.

Na ostatnim schodku starannie wygrzebałam piasek spomiędzy palców, żeby w czasie wędrówki na coś dobrego nie wgryzał się boleśnie w moją skórę, i założyłam klapki.

Wyprostowałam się i spojrzałam w lewo. Zapiekanka? Chyba mi przeszło. W prawo. Rybka?

Jeśli tak się jeszcze dłużej porozglądam, to całkiem

z sił opadnę... Rybka... Dużo rybki i zdrowej surówki. Żadnych frytek!!!

W smażalni, w której głośno rozbrzmiewały szanty, szczególnie przy ladzie, kolejka była o wiele krótsza niż rano po gofry. Nie rozumiem ludzi wypoczywających nad morzem. Świeża ryba powinna być podstawą wyżywienia właśnie tutaj, bo gdy wrócą do domów, to już takiej świeżutkiej na pewno nie dostaną. Przełknęłam ślinkę...

— Proszę łososia i surówkę — uśmiechnęłam się do przystojnego chłopaka za ladą, ale on nie zwrócił na mnie uwagi i odszedł w kierunku zaplecza.

Po chwili, która wydała mi się okrutnie długa, jego miejsce zajęła niemłoda kobieta, która zaczęła robić szybki porządek. Zerknęłam na nią i jeszcze raz w jego stronę, bo on właśnie zaczął zdejmować z siebie biały fartuszek, który, jak zauważyłam, ukrywał niezwykle atrakcyjnie opiętą na jego umięśnionym torsie czerwoną bawełnianą koszulkę. Szanty i mięśnie! Uff! Cholernie ciepło w tych smażalniach.

Przetarłam dłonią mgiełkę potu, która wypełzła na mój opalony nos. Nieznacznie uniosłam brew i mimowolnie przesunęłam zębami po dolnej wardze. Interesujący brunecik, stwierdziłam po wnikliwej analizie. Muszę przyznać, że w moim guście. Nie wiem, czy go ściągnęłam wzrokiem, czy może też wpadłam mu w oko, bo przez moment jego oczy wstrzeliły się we mnie głęboką czernią.

— U... — wypuściłam powietrze malutką dziurką pomiędzy wargami. — Niezłe ciacho... — westchnęłam nieznacznie i odwróciłam wzrok, zdając sobie sprawę, że z moim wyglądem nie mam szans. Uniosłam lekko brodę, udając zainteresowanie wywieszonym na ścianie menu i na nim skupiłam wzrok, zastanawiając się, co powinnam zamówić, ale nie wytrzymałam i po chwili odruchowo zerknęłam jeszcze raz w tamtą stronę. Niestety, obiekt zniknął w czeluściach zaplecza.

— Co dla pani?! — usłyszałam donośny głos kobiety ufarbowanej na blondynkę.

Porównałam ich twarze i uśmiechnęłam się pod nosem. Cóż za podobieństwo do mamusi!

— Już mówiłam... — uśmiechnęłam się.

Spojrzała na mnie pytająco.

— Łososia i surówkę! — powtórzyłam zamówienie.

— Damska czy męska?

Zmarszczyłam brwi. Damska czy męska?! Nie pytałam o toaletę, tylko o rybę! Łosoś chyba powinien być damski lub męski, a nie „damska czy męska". A czy łososie w ogóle są męskie i damskie?

— Nie rozumiem... — Spojrzałam na nią kpiąco, bo palnęła ewidentny błąd.

— Porcja! — zirytowała się. — Duża jak dla chłopa czy mała?

— A... — zajarzyłam. — Duża!

— Jaka surówka?

— Przepraszam — szepnęłam do osoby stojącej za mną i cofnęłam się do przezroczystej lady. — Poproszę... — „Osiołkowi w żłoby dano..." — wszystkie! Tylko niedużo!

— Frytki?

— Nie! — wykrzyknęłam zdecydowanie i zerknęłam w czekające na odbiór talerze pełne usmażonych na złocisto ziemniaczanych patyczków. Przełknęłam ślinkę po raz drugi. — Frytki! Małe! — dodałam zdecydowanie.

Kiwnęła głową i podziobała szybko w przyciski. Powoli, z ledwo dosłyszalnym warkotem wysunął się niewielki paragon. Urwała go zdecydowanie i mi wręczyła. Sięgnęłam do torby i z dumą wyjęłam z niej mój piękny, nowiutki, turkusowy portfelik, a z niego pięćdziesiąt złotych, które położyłam na szklanej podkładce stworzonej specjalnie do tego celu. W zniszczonej dłoni zakończonej długimi, wymalowanymi na koralowo paznokciami banknot szybko zamienił się w drobne, które zebrałam ze szklanej podstawki i bez namysłu wrzuciłam do turkusowego portfelika. Odeszłam z trzymanym w dłoni umerkiem w stronę jedynego w tej chwili wolnego stolika.

Szanty nad moją głową rozbrzmiewały całą potęgą męskich głosów, listki bluszczu zwisające również nad moją głową kołysały się miarowo albo do taktu, poruszane delikatnymi podmuchami wiatru. Słońce… No, słońce dopadło mojej spalonej skóry na plecach i wgryzając się w nią okrutnie, zmusiło mnie do zmiany miejsca. Przesiadłam się na sąsiednie krzesełko, które okazało się trochę kulawe na jedną nogę. Teraz ja kiwałam się na boki miarowo, stuk-puk, stuk-puk, stuk-puk, patrząc na morze równie miarowo i leniwie obmywające falochrony i brzeg, i nogi spacerowiczów, i zielone wyspy wodorostów i śmieci, gdzieniegdzie zebrane w niewielkie kupki. Jakaś butelka typu PET smętnie unosiła na niewielkiej fali swój pusty brzuch. Tkwiła zaczepiona korkiem o kawałek wymoczonego konara, marząc zapewne o dalekich podróżach.

— Dziesięć! — oznajmił donośny głos przebijający swą mocą muzykę.

— To nie mój… — westchnęłam, ale na wszelki wypadek zerknęłam na zniszczony, przetarty na brzegach kartonik i zerwałam się z metalowego krzesełka, pod które włożyłam podczas kiwania tylną część mojego plażowego obuwia, żeby krzesełko nie wydawało stukotu, tylko miękko opadało na kawałek pianki, z której zrobione były moje klapki. — Tu, tu jestem! — zawołałam.

Szarpnęłam stopę i wstałam, ruszając dosyć ostro po odbiór rybki. Klapek pozostał pod krzesełkiem, a ja trafiłam bosą stopą na zapiaszczone płytki chodnikowe. Wzruszyłam ramionami i kuśtykając jak krzesełko przed chwilą, pognałam po obiadek. Zadowolona położyłam numerek na ladzie obok ogromnego półmiska z rybą sporej wielkości, górą różnych sałatek i niewielką kupką frytek, po który nikt się nie zgłaszał.

Czekałam cierpliwie na swoje zamówienie, bo oprócz mnie nie było w tej chwili nikogo zarówno z tej, jak i z drugiej strony lady. Spojrzałam jeszcze raz na półmisek i zaczęłam się zastanawiać, jak może wyglądać osoba, która jest w stanie pochłonąć taką ilość jedzenia, gdy z zaplecza, z naręczem pełnych talerzy wysunęły się dwie osoby. Kobieta, która przyjmowała moje zamówienie, i szczupła brunetka ze związanymi w warkocz włosami.

— Dziesiątka… — uśmiechnęłam się i podsunęłam kartonik.

Kobieta lekko popchnęła półmisek w moją stronę.

— To chyba pomyłka? — jęknęłam.

— Łosoś, męska porcja, trzy surówki i małe frytki… — odczytała ze stoickim spokojem.

Uśmiechnęłam się i z zaciśniętymi ustami przyznałam jej rację kiwnięciem głowy. Tak, to jest moje zamówienie...

Przysunęłam półmisek, z kubełka wyjęłam plastikowe sztućce i poniosłam swój łup w stronę stolika, który zajął już jakiś facet. Postawiłam półmisek, odłożyłam sztućce w serwetce i spojrzałam na mój klapek, nadal tkwiący pod nogą ciężkiego metalowego krzesełka. Facet najpierw zauważył półmisek i przyjrzał mu się z uwagą, potem spojrzał na mnie i uwaga przemieniła się w zdziwienie.

— Przepraszam — uśmiechnęłam się — mogłabym pana prosić o wstanie z krzesełka?

— Dlaczego? — Jego zdziwienie się pogłębiło.

— Mój klapek...

— Pani klapek? — powtórzył jak echo.

— Tak — wskazałam metalową nogę krzesła — zostawiłam...

— A... — Spojrzał w dół i się zerwał. — Przepraszam, nie zauważyłem! — Zmieszał się, pochylił i usiłował spod krzesełka wyjąć mój but.

Ale złośliwy klapek, widocznie zadowolony z roli podkładki, zaplątał się paseczkami i nie bardzo chciał się wyplątać.

— Może ja? — odezwałam się gotowa pośpieszyć z pomocą.

— Dam radę... — stęknął pochylony, ukazując mi uroczą, idealnie okrągłą i równiutko opaloną łysinkę na samym czubku głowy. Z klapkiem w ręce i miną zdobywcy podniósł się powoli, okropnie czerwony na twarzy.

— Dziękuję — uśmiechnęłam się i spojrzałam na wyrwane paseczki wykonujące w tej chwili dziwny wahadłowy taniec. Paam, paam, paam.

— O Boże! Przepraszam! Popsułem!

— Nic nie szkodzi... Mam drugie... — Uśmiech jakoś nie chciał odlepić mi się od twarzy, tkwił tam jak zaklęty.

— Może da się naprawić?!

— Wątpię... — Upuściłam klapek, który upadając, obrócił się podeszwą do góry.

Mężczyzna schylił się szybko, podniósł but, usiadł i w skupieniu połączonym ze zmarszczeniem ciemnych brwi usiłował wepchnąć okrągłe zakończenie w niewielką dziurkę w podeszwie. A mnie momentalnie zrobiło się gorąco! A jeśli jakimś przypadkiem te klapki nieładnie pachną? A jeśli weszłam w coś paskudnego i ten gość pobrudzi sobie ręce? W napięciu obserwowałam jego zmagania z gąbczastą materią i nie wierząc w skuteczność jego działania, walczyłam z nasilającą się chęcią wyrwania mu tego buta z ręki.

— Proszę. — Podał mi klapek z bardzo zadowoloną miną.

— O... — Poczułam ulgę. — Udało się panu! Dziękuję!

Pokiwał tylko głową i usiadł, odwracając się w stronę kolejki po frytki, surówki i rybki damskie i męskie, a ja nareszcie zaczęłam jeść. Zwrócona twarzą w tę samą stronę co mój sąsiad w milczeniu dłubałam kawałek za kawałkiem i z przyjemnością przeżuwałam, delektując się każdym kęsem. Mężczyzna tkwiący dotąd w bezruchu drgnął i zobaczyłam, że w naszą stronę z pełną szklanką coca-coli wędruje chłopczyk przypominający mi tego rozbrykanego z plaży. On chyba też mnie rozpoznał, bo uśmiech zamarł na jego buzi, a szklanka drgnęła, ulewając odrobinę płynu na zasypane piaskiem płytki chodnikowe, tworząc na nich niewielką ścieżkę mokrych plamek.

— Hm... — mruknęłam, dźgając widelcem martwe zwierzę na talerzu.

Mężczyzna podniósł się w stronę syna i odebrał od niego napój. Mały zadarł głowę i wskazując mnie ręką, uświadomił ojcu, przy jakim usiadł stoliku, i kto mu w tym siedzeniu towarzyszy. Spuściłam głowę i wkłułam widelec w surówki, udając, że mnie to nie dotyczy.

— Przepraszam — usłyszałam nad sobą męski głos.

Nie miałam wyjścia, musiałam stawić czoła przypadkowi, który posadził właśnie tego mężczyznę przy moim stoliku, a nie na przykład przy stoliku oddalonym ode mnie o dziesięć metrów. Poczułam, jak cierpnie mi na plecach moja spalona słońcem skóra.

— Słucham. — Podniosłam głowę przerażona tym, co teraz usłyszę z ust zapewne wściekłego na mnie ojca, ale się pomyliłam. Nie zobaczyłam wściekłości, której się spodziewałam.

— Mój syn chce panią przeprosić za incydent na plaży... — odezwał się ojciec.

— Ależ nic się nie stało! — wykrzyknęłam radośnie i przybrałam minę chodzącej łagodności. — To raczej ja powinnam przeprosić! — dodałam, patrząc na drżącą nieco dolną wargę plażowego rozrabiaki. — Przestraszyłeś się, prawda? — Pochyliłam się, żeby spojrzeć w jego oczy, ale chłopczyk tylko leciutko kiwnął głową, nie unosząc jej zbytnio.

— Aleksander... — cichym głosem upomniał go ojciec. — Miałeś przeprosić...

Mały się nie odezwał.

— W takim razie muszę to zrobić za ciebie — westchnął jeszcze raz, tym razem uśmiechając się do mnie porozumiewawczo. — Bardzo panią przepraszam — powiedział głośno i dodał: — I obiecuję w imieniu syna, że to się już więcej nie powtórzy.

— Przeprosiny przyjęte — powiedziałam tak samo głośno, patrząc w oczy sympatycznego mężczyzny. — Ja też cię przepraszam, Aleksandrze, że cię nastraszyłam.

Główka powoli się uniosła i zobaczyłam niebieskie figlarne oczka patrzące na mnie już bez strachu.

— Proszę — wskazałam obu panom krzesełka przy stoliku.

— Dziękujemy — odezwał się ojciec i pomógł małemu odsunąć ciężki jak dla niego ogrodowy mebel, a sam udał się w stronę lady po zamówione dania.

Powinnam porozmawiać z młodym człowiekiem, ale zamiast tego wyjęłam z mojej plażowej torby turkusowy portfelik i dopiero teraz sprawdziłam, ile mnie ten dzisiejszy „dietetyczny” obiadek kosztuje. Wyprostowałam trochę zmięty paragon i… włos zjeżył mi się na głowie.

— Ry-Lo … ×1 25,00 PLN
— Ka-Su … ×3 10,50 PLN
— Fry-mal … ×1 3,00 PLN

Suma............ 38,50 PLN

— Boże! — jęknęłam — Nic z tego nie rozumiem! Dlaczego tak dużo? Za co?

Spojrzałam na półmisek i westchnęłam. Beznadziejna jestem, nie zjadłam nawet połowy. Cóż za marnotrawstwo! Ewidentne! Chyba powinnam zabrać to do domu, tylko w czym? Rzuciłam się na torbę i zaczęłam przegrzebywać jej zawartość. Z radością znalazłam woreczki po jarzynach, ale były pełne resztek jedzenia, pestek i ogryzków i do tego jeszcze oczywiście za małe na to, co mi pozostało na talerzu. Nie widziałam możliwości wpakowania do nich takiej ilości pożywienia, jaka pozostała na talerzu, w konsystencji nadającej się potem do spożycia z apetytem.

Rozglądnęłam się bezradnie po wnętrzu, chociaż znikąd nie spodziewałam się pomocy. Stolik drgnął. Na blacie stołu wylądowały dwa talerze. Jeden pełny, ale nie tak jak mój przedtem, i jeden pusty, również nie tak jak mój w tej chwili. Mężczyzna rozdzielił zawartość jednego na dwie porcje i jedną podsunął synowi.

Chyba nie powinnam tak siedzieć i wgapiać się w nich — pomyślałam. Powinnam wstać i zdobyć coś na resztki. Ups! Moje resztki to tyle co ich obiad, zaśmiałam się gdzieś w środku, spoglądając na współbiesiadników z przypadku.

Narzuciłam torbę na ramię i udałam się w kierunku lady w celu zdobycia jakiegokolwiek pojemnika. Doszłam bowiem do wniosku, że tak dobrą rybę mogę zjeść na zimno w ramach kolacji i chyba zabranie jej ze sobą nie będzie postrzegane przez innych jako coś niestosownego. Podobno nawet we wspaniałych restauracjach, tych znanych na całym świecie, do których ja nigdy nie pójdę, chyba że wygram miliony w Lotto, też pakują resztki na życzenie klienta. To dlaczego ja nie mogę?

— Przepraszam — zwróciłam się do kobiety za ladą.

— Chwileczkę... — To było do mnie, bo do brunetki z warkoczem sięgającym do połowy idealnie szczupłych pleców z atrakcyjnie wystającymi łopatkami zwróciła się rozkazującym tonem: — Posprzątaj ze stolików! I zetrzyj! Nie widzisz, co się dzieje? — Do siebie mruknęła: — Nawet nie potrafią wrzucić do śmietnika! Ciekawe, czy u siebie w domu też tak robią! — po czym zwróciła się do mnie: — Słucham.

Uśmiechnęłam się nieśmiało.

— Czy ma pani może jakieś pojemniki na resztki dla psa?

— Mam! — Pokazała mi plastikową wydmuszkę.

— A większą?

— Dwa złote — mruknęła, stukając w kasę.

Zapłaciłam i zadowolona odwróciłam się w stronę moich resztek, przy których akurat teraz znalazła się szczupła brunetka z wyjątkowo zgrabnymi nogami opalonymi na złocisty brąz, tak jak i reszta jej zgrabnego ciała, a w każdym razie te części, które wystawały z krótkich spodenek i kusej koszulki o sportowym kroju. Przez chwilę obserwowałam jej sylwetkę, sposób poruszania się, bo o czymś takim to mogłam sobie tylko pomarzyć, obserwując kobiety, które Pan Bóg obdarzył takimi sylwetkami. Westchnęłam, po raz nie wiadomo już który dzisiejszego dnia, i ruszyłam w stronę stolika, dzierżąc w ręce strzelający pod palcami cieniutki, przezroczysty, plastikowy pojemnik.

— To mo...je! — wykrzyknęłam na widok tekturkowego półmiska spływającego idealnym ślizgiem w głąb czarnego błyszczącego worka na śmieci. — Chciałam... — Pojemnik strzelił ostatni raz w moich palcach i pofrunął leciutko, trafiając idealnie w czarną paszczę odpadkowego smoka. Ujrzałam tylko zaskoczone spojrzenia dwóch par oczu.

— Czemu pani nie powiedziała? — odezwał się właściciel burych.

— Nie wiem — wzruszyłam ramionami. — Do widzenia…

— Do widzenia…

Rozdział 2

Zrezygnowana wyszłam ze smażalni i poszurałam klapkami w stronę mola, poszurałam, bo ten naprawiany zrobił się jakby luźniejszy i musiałam trzymać go przykurczonymi palcami, jak trzyma się gałęzi tkwiący na drzewie ptaszek. Po chwili stało się to niewygodne, więc przyszło mi do głowy, że mam okazję kupić sobie nowe, których pełne stojaki zauważyłam przy molo.

Te i tak mi się znudziły, bo używałam ich już drugi sezon jako letnich kapci po domu. Może dobrze, że ten facet je popsuł, chociaż naprawił?

— O! Jakiś nowy stragan postawili! *Wow!* Nie byłam tam jeszcze! A jaki oblegany! — szepnęłam do siebie i przyspieszyłam, ściskając klapek jeszcze mocniej, aż do skurczu stopy.

Przystanęłam, szybkim ruchem zdjęłam oba i niedbale wrzuciłam je do torby. Potem wyrzucę wszystkie śmieci.

Czyżby jakaś okazja, pomyślałam, widząc dość sporą grupkę pochylonych nad kartonami kobiet. Energicznie zarzuciłam torbę na ramię i w takt melodii z piosenki *Świnki trzy* zaśpiewałam pod nosem: „Idę sobie po ciuszki, po ciuszki, po ciuszki" i fajnie mi się boso szło, chociaż niektóre z mijanych przeze mnie osób spoglądały z dziwnymi uśmieszkami na moje bose stopy, ale „wolnoć Tomku w swoim domku", pomyślałam i uniosłam nieco brodę. Może opiszę to w książce i zapoczątkuję nową modę?

Już widzę tytuł! *Powrót do natury, czyli akupunktura naturalna*, a pod spodem: *Jak bezpiecznie i zdrowo iść przez życie boso* i dwie bose, zadbane, damskie stopy na okładce, z paznokietkami pomalowanymi na ostry oranż. Piękne!!!

Można by też męską wersję zrobić… Nie można dyskryminować facetów, chociaż dobrze by było, żeby czasami i oni poczuli, jak to jest. Grymas wykrzywił mi twarz, męskie owłosione palce nie wyglądałyby dobrze na okładce.

Przepchnęłam torbę na plecy, żeby mi nie przeszkadzała, i korzystając z wolnego miejsca, które stworzyła odchodząca klientka, wepchnęłam się bliżej kartonów. Wytrzeszczyłam oczy ze zdziwienia na widok ceny napisanej na kartonie grubym markerem. Piętnaście złotych za bluzeczkę z krótkim rękawem i w dodatku z cekinami?! Przecież to za darmo!

— Przepraszam! Mogę zobaczyć tę koszulkę?! — Wyciągnęłam rękę i krzyknęłam w stronę młodziutkiej, chyba szesnastoletniej dziewczyny.

— Chwileczkę, proszę pani — odpowiedziała mi,

wyciągając z pudła żółtą i podając komuś innemu z drugiego końca kolejki, potem upatrzoną fioletową, tę fajną, z cekinami, i znowu żółtą, i różową, białą i malinową. O! I miętową... Aż skończyła się zawartość pudła i dziewczyna szybkim ruchem otwarła następne...

— Halo! Teraz ja! Proszę mi podać tę koszulkę!

Przyszła druga dziewczyna.

— Proszę pani! — pomachałam ręką. — Chciałabym fioletową, proszę pani, fioletową!

Skończyło się drugie pudło. Świetna cena, to kupują jak wariatki. Ja też chcę! Fioletową!

Ktoś za mną stanął, może mnie wesprze? Rozdarłam się.

— Czy ja mogę wreszcie dostać tę fioletową koszulkę?!!

Ta druga, trochę starsza, spojrzała na mnie przelotnie i powiedziała pod nosem:

— Kolejka jest z drugiej strony — i śmiejąc się do tej pierwszej półgębkiem, odwróciła się do mnie plecami. Komentarza na swój temat nie usłyszałam.

Fajnie, pomyślałam, wykręcając usta jak Robert De Niro, mogła mi to wcześniej powiedzieć, niepotrzebnie się wygłupiałam. Wycofałam się ze swojego miejsca i przeszłam na drugą stronę stoiska. Posłusznie stanęłam w kolejce, która posuwała się jakoś niemrawo. Co chwilę się wychylałam, żeby sprawdzić, czy ktoś z boku nie podchodzi, bo to się nagminnie zdarza w takim tłoku.

— Dlaczego pani się tak wierci! Nic przez panią nie widzę!

No proszę, jakie napięcie w ludziach z powodu koszulek. Obróciłam się i stanęłam twarzą w twarz z osobą zwracającą mi uwagę. Kobieta nie odezwała się, tylko spojrzała paskudnie. Już otworzyłam usta, żeby jej coś powiedzieć, gdy usłyszałam wołanie:

— Halo! Co mam pani podać?! Nie będę tu tkwić do nocy! — i dodała półgłosem: — Baba se odpoczywa, a my tu mamy jebać nie wiadomo do której...

Zacisnęłam usta, rezygnując z odpowiedzi na niemiłą zaczepkę.

— Fioletową proszę — wycedziłam przez zęby — z cekinami.

— Jula! Masz tam jeszcze z cekinami?! — zawołała, wyciągając rękę do koleżanki.

— Ostatnia! — Rzuciła jej koszulkę.

— I żółtą jeszcze proszę.

— Żółte są młodzieżowe!

— A ja niby co jestem?

Zachichotały obie i ta pierwsza dziewczyna pokazała mi koszulkę z daleka. Dobra, możecie sobie chichotać, nie muszę mieć żółtej.

— Ta ma dziurę! — powiedziałam i odłożyłam koszulkę na brzeg pustego kartonu. — Może mi pani dać jakąś inną?

— Tych już nie ma...

— To całkiem inną...

— Dużych już nie ma, zostały same małe.

Ukłuło mnie to słowo jak szpilka, ale się opanowałam.

— A w tamtych pudłach? — Wskazałam na nieotwarte jeszcze paczki, zniszczone podczas transportu, opisane śmiesznymi chińskimi znakami. W odpowiedzi dziewczyna wzruszyła tylko ramionami.

Tłum napierał na mnie z wielką siłą, tych małych koszulek miały jeszcze trzy pudła, a chętnych było dużo. Wycofałam się, po co mam narażać swoje stopy na zdeptanie. Nie muszę mieć koszulki, bo mam ich całą półkę, chociaż takiej jak ta fioletowa to akurat nie mam. Westchnęłam. Była ekstra… Nie dość, że ulubiony kolor, to jeszcze te cekiny. Od razu wpadła mi w oko i już w myślach dopasowywałam do niej resztę. Odwróciłam się, dotarłam do kosza, który widziałam przed chwilą, i opróżniłam torbę ze śmieci. Nadziałam stare klapki, bo omiatanie moich stóp dziwnymi spojrzeniami już mi się znudziło. Chociaż muszę przyznać, że wśród tych spojrzeń było dużo męskich, ale czy te rozważania muszę prowadzić pochylona nad pełnym odpadków koszem na śmieci?

Narzuciłam torbę na ramię, wyprostowałam się i pomyślałam, że nie ma tego złego, co by na dobre nie wyszło, mając w tym wypadku na myśli niezamierzoną oszczędność, i poprawiłam włosy, przede wszystkim upartą grzywkę, żałując, że przed wyjazdem nie ścięłam jej tak jak włosów na karku. Stanęła mi przed oczami dziewczyna z baru rybnego, a właściwie jej długie włosy w kolorze bakłażana. Ciekawe, ile lat się takie zapuszcza.

Ich kolor skojarzył mi się z potrawą, którą ostatnio zaserwowała nam mama. Bakłażan w oliwie. Otrząsnęłam się na samo wspomnienie smaku tej dziwnej potrawy. Ohydne to było… Zjedliśmy z tatą, jak zawsze, bez słowa, ale aż do wieczora odbijało mi się oliwą, której mama nalała za dużo. Paskudztwo. Oczywiście nie powiedzieliśmy jej tego i zadowolona mamusia zapowiedziała, że niedługo znowu zrobi tę wspaniałą potrawę.

— Bakłażany są teraz takie tanie! — zawołała radośnie, stawiając na stole tę zatopioną w oliwie papkę bez smaku. — A włoska kuchnia jest taka zdrowa!

Nie wiem, czy to włoska, bakłażan to raczej grecka kuchnia, ale tego też jej nie powiedziałam, bo była z siebie bardzo zadowolona. Jak wrócę, to poszukam w necie przepisów z tym paskudnym fioletowym ogórkiem. Niech sobie gotuje, ale coś, co będzie można przełknąć ze smakiem.

Ja nie bardzo lubię gotować, a może lubię, ale we dwie się w kuchni nie mieścimy. Nie z powodu braku miejsca, bo kuchnię mamy sporą, tylko z powodu mamy. Jej jest za dużo i ja jestem zbędna. Parę razy próbowałam, ale mamine porady skutecznie mnie stamtąd wygoniły: „Kochanie, zasmażkę robi się tak", „Nie, nie, nie tą łyżką. Proszę, ta jest do tego", „Kochanie, dlaczego majeranek? Do tego nie dodaje się majeranku!"...

I żeby tego nie słuchać, unikam gotowania jak ognia, po prostu się nie pcham.

Już widzę port i stoisko z klapkami. Taki spacer dobrze działa na figurę! Raz, dwa, raz, dwa, raz, dwa. Wszystkie mięśnie pracują, a szczególnie pośladki! Czuję, jak pracują!

Jednak ten wyjazd to był dobry pomysł. Oczywiście, mamie nie spodobał się od razu, ale się uparłam. Najgorsza dla niej była wiadomość, że chcę pojechać sama, a nie na przykład z kuzynką, ale moja „poważna" kuzynka, bo za taką ją mama uważa, właściwie cioteczna siostra, się wykręciła. Ciotka ją wykręciła! Przed wyjazdem dowiedziałam się, że w tym czasie co ja nad Bałtykiem, Dżoana będzie w Chorwacji, oczywiście z jej superchłopakiem, którego nie trawię. Strasznie zadzierają nosa, że niby są lepsi, bo studiują. Gdybym chciała, to też bym mogła.

Żałowałam, że mama zadzwoniła do ciotki i zaczęła ją namawiać. Ciotka w wielkiej tajemnicy zdradziła, że Aśka zawaliła egzamin i musi się uczyć, co było ewidentnym kłamstwem. Mama oczywiście jej uwierzyła i się zmartwiła, ja z początku też, ale prawda jak szydło z worka wyłazi w najmniej spodziewanym momencie. Pracuję z sąsiadką ciotki i ta mi wychlapała o tej Chorwacji. Na pewno na mnie ciotce też chlapie, otrząsnęłam się z obrzydzeniem, oczywiście ploty...

Po rozmowie z ciotką mama trochę skapitulowała, ale nie wiedziała, że wtedy miałam jeszcze swój plan, o którym nie mogłam jej przecież powiedzieć, ale plan mi nie wypalił i jestem nad morzem sama. Nie jestem już dzieckiem i dam sobie radę. Jak chcę, to przecież mogę sobie pobyć poza zasięgiem rodzicielskich skrzydeł, to znaczy poza zasięgiem skrzydeł mamy, bo tata już dawno swoje zwinął.

Najlepsza była ich rozmowa, gdy im zakomunikowałam, że wyjeżdżam na tydzień, a może nawet i na dwa. Nie mogłam im oczywiście powiedzieć, że czekam na decyzję Rafała, a on jak zawsze z niczym się nie śpieszy. Dyplomatycznie zrobiłam to podczas wieczornych wiadomości, które mój ojciec namiętnie ogląda na wszystkich programach, komentując głośno różnice między nimi. Traktuje to jak swoiste polowanie...

Wyglądało to tak. Weszłam i szepnęłam najpierw mamie, żeby nie przeszkadzać tacie i... się zaczęło. Mama siedząca na kanapie w fartuszku, który zawsze nosi w kuchni i zapomina go zdjąć aż do wieczora, mimo że w kuchni jest już idealnie czysto, zagdakała jak kura:

— Bogumił! Słyszałeś?! — zawołała oburzona. — Ona chce jechać sama nad morze!

A ja, patrząc na nią, usłyszałam: „Bogumił! Płopopo, płopopo! — Trzepot skrzydełek. — Płopopo, płopopo!".

— Mhm… — mruknął tata wpatrzony w ekran.

— Bogumił! — gdaknęła z mocą.

— Słyszałem — mruknął tata, nie zaszczycając żadnej z nas spojrzeniem.

— Co słyszałeś?! — zapytała ostro.

— Co? — zagrał na zwłokę.

— Co słyszałeś? — Mama zaczynała być zła.

Ojciec odwrócił głowę.

— Nie widzę problemu…

— No jak to?! — oburzyła się. — Twoje dziecko samo tyle kilometrów od domu?! Nie wiadomo gdzie?! Jeszcze jej się coś stanie albo pójdzie na dyskotekę nie wiadomo z kim?! A nas tam nie będzie! Bogumił!

Znowu to „płopopo…".

— Tu nie chodzi, a tam pójdzie? Nie przesadzasz?

Nie wypaliło, tata nie zareagował tak, jak się mama spodziewała. No to zaczęła z innej beczki:

— Będzie jadła jakieś świństwa! — krzyknęła autentycznie zmartwiona. — Zatruje się i kto jej pomoże w pustym pokoju? No kto? A jak będzie trzeba do lekarza? Do szpitala? Z trucizną nie ma żartów! Temu zatrutemu grzybami chłopczykowi musieli przeszczepić wątrobę!

Znowu to „płopopo", pomyślałam, ale tym razem zmartwione, i już delikatniejszy trzepot skrzydełek. Ojciec spojrzał na mnie, uśmiechnął się porozumiewawczo i powiedział spokojnie do mamy:

— Danusiu, nasze dziecko nie będzie nad morzem jadło grzybów. Nad morzem je się ryby.

— No właśnie! — Mama nie dawała za wygraną. — Stare, śmierdzące ryby!

— Ulituj się — jęknął. — W domu też można zjeść nieświeżą rybę.

— No wiesz?! — Uniosła się na kanapie. — Czy ja kiedykolwiek dałam ci coś nieświeżego?! — zawołała. — Przez prawie trzydzieści lat!

— Ależ oczywiście, kochanie, że nie dałaś — zaczął ją uspokajać. — Nie powiedziałem, że w naszym domu. Ty wspaniale o nas dbasz. — I się podłożył. — Nie tak jak inne kobiety…

— Inne kobiety?! — Mama znowu podskoczyła na kanapie. — U jakiej innej kobiety ty jadasz?!

Tata przetarł czoło i westchnął, szepcząc coś pod nosem. I to był moment, kiedy należało wkroczyć, żeby uratować ojca.

— Pomożesz mi się spakować? — zwróciłam się do mamy.

— Bogumił? — Z wyrazu jej twarzy można było wyczytać, że jak ojciec powie „Tak", to gdyby cokolwiek mi się stało nad tym morzem, to będzie jego wina.

— Niech jedzie, jest dorosła, tylko ty tego nie chcesz zobaczyć.

Mama odwiązała fartuszek i z podniesionym czołem, bez słowa wyszła z pokoju, dając nam do zrozumienia, że mimo decyzji ojca nadal jest przeciwna i cierpi, że nikt się z jej zdaniem nie liczy i nie docenia jej troski i starań. Biedna mama, nie może pogodzić się z tym, że nie jest mi już tak potrzebna, jak kiedyś, że nie musi wycierać mi nosa i trzymać mnie za rączkę. Zrobiło mi się jej żal.

— Mama! — zawołałam.

— Tu jestem — odezwała się z sypialni.

Poszłam tam i przytuliłam się do niej. Westchnęła i ostentacyjnie wytarła nos.

— Jedź, kochanie — szepnęła, głaszcząc mnie po plecach. — I baw się dobrze, tylko uważaj na siebie...

— Mhm... No jasne!

— Nie rozmawiaj z nieznajomymi...

— Mhm... — Ciekawe, jak mam to zrobić.

— I nie jedz żadnych świństw.

— Mhm... — Przecież się odchudzam...

— I proszę cię, nie chodź na dyskotekę.

— Mhm... — Właściwie czemu nie?

Schwyciła mnie za ramiona i zmusiła do spojrzenia sobie w oczy.

— Obiecujesz? — zapytała, wpatrując się we mnie intensywnie.

— Obiecuję — wyszeptałam.

— Trzymam cię za słowo. — Odetchnęła z ulgą, puściła moje ramiona i uśmiechnięta poszła do mojego pokoju. — Tę kurtkę chyba weźmiesz?! — zawołała.

— Którą? — zapytałam, idąc za nią.

— Zieloną.

— Jesienną?

— Jest ciepła, a nad morzem bywa różnie.

— Mam polar — mruknęłam zrezygnowana. Pakowanie też będzie bardzo wesołe.

— Cóóórciu! — przeciągnęła efektownie, spoglądając na półki ze swetrami. — I z żadnym mężczyzną... —

pogłaskała wełniany — wiesz… bo to grzech. — Spojrzała wymownie.

— Wiem — jęknęłam jak tata przed chwilą.

*

Dotarłam do stojaka z klapkami, chociaż znowu dostałam skurczu w stopie.

— Przepraszam — zwróciłam się do chłopaka, który zamiast zająć się klientem i wciskać mu towar, szczerzył zębiska do kokietującej go dziewczyny. — Przepraszam! — zawołałam, bo tamto nie odniosło skutku. Stałam boso i patrzyłam cierpliwie w jego stronę, gdy podeszły do mnie dwie kobiety, chyba siostry, i też zaczęły oglądać te naprawdę ładne klapki.

— Można przymierzyć? — zwróciła się do mnie jedna z kobiet.

— Nie wiem — rozłożyłam ręce — ja tu nie pracuję. Chyba tamten chłopak, ale jest bardzo zajęty. Już wołałam i nie reaguje, to może wolno sobie brać — zaśmiałam się dość głośno.

Spojrzały na siebie wymownie, chyba nie wszyscy znają się na żartach. Wzruszyłam ramionami, odpięłam sznurek, którym na stojaku powiązane były klapki, i wyjęłam sobie upatrzone dwie pary w moim rozmiarze, po czym starannie zamotałam sznurek tak samo jak wcześniej. Chłopak nie zwrócił na mnie uwagi pochłonięty rozmową, a ja nie mogłam się zdecydować, czy wziąć granatowe, czy błękitne, i pochylona przymierzałam następną parę i nawet nie zauważyłam, kiedy zjawił się nade mną. Poczułam jego obecność i uniosłam głowę do wysokości jego chudych, owłosionych aż do kolan nóg.

— Wołałam! — usprawiedliwiłam swoją samowolę. — Wezmę te! — sapnęłam, nadal nie podnosząc głowy wyżej, bo jeden z paseczków zaczął drapać mnie delikatnie w podbicie. Może przymierzę jednak tę pierwszą parę, pomyślałam i wsunęłam lewą nogę w błękitny klapek, podczas gdy na drugiej nadal tkwił granatowy. Fajnie to wyglądało, ale musiałabym kupić obie pary. Pochylona sięgnęłam po swój śliczny nowy portfelik w kolorze mórz południowych i zamarłam. Gdzie mój zegarek?! Powinien być na dnie! Rozdziawiłam torbę i zaczęłam przegrzebywać jej zawartość intensywnie. Włochate nogi odeszły. Przegrzebywanie nic nie dało, zegarka nigdzie nie było. Wyprostowałam się.

Okradli mnie! Tylko kiedy?!

Spojrzałam w dal. Przy koszulkach! Podparłam się pod boki i łzy zakręciły mi się w kącikach oczu. Nie dość, że nie dostałam koszulki, to jeszcze nie mam zegarka! Dobrze, że portfelik trzymałam w ręce, bo i jego by nie było. Przy koszulkach ktoś się na mnie pchał, ale ja nie zwróciłam na to uwagi, bo — idiotka — chciałam zdobyć koszulkę z cekinami, tak jakbym bez niej nie mogła żyć! Idiotka! Idiotka! Idiotka! Wściekałam się na siebie, mimowolnie wykręcając usta w różne strony. Wraz z głębszym wdechem przyszło olśnienie.

A może nikt mnie nie okradł? Może nikt nie grzebał w mojej torbie? Uspokoiłam się troszkę, bo przed oczami zamajaczył mi kosz na śmieci. Może po prostu wywaliłam zegarek do kosza na śmieci razem z woreczkami, ogryzkiem, butelką po wodzie. Pamiętam, że wodę wylewałam pod usychający kwiatek, którego okropnie było mi żal, i zdeptałam ją z przyzwyczajenia, żeby nie zabierała tyle miejsca w śmietniku. Zawsze tak robię. Woreczki złapałam... Kurczę! Wywaliłam wszystko razem! Ciekawe, co jeszcze oprócz zegarka. Pozbierałam wszystko, co było dookoła torby, i ostrym ruchem narzuciłam ją na ramię.

— Ile płacę? — Zdenerwowana postanowiłam brutalnie przerwać chłopakowi mizdrzenie się do dziewczyny w bikini.

— Jedna para czy dwie? — Spojrzał na moje stopy.

— Dwie — burknęłam bez zastanowienia.

— Pięćdziesiąt. — Niespecjalnie zainteresowany wyciągnął przed siebie dłoń, chyba miał nadzieję, że szybko przestanę mu przeszkadzać.

Zapłaciłam i wpakowałam zakup do torby, przyłożyłam rękę do biustu, blokując jego ewentualny ruch wahadłowy, i ruszyłam tak samo ostro jak rano na plaży. Zziajana dotarłam do przepełnionego kosza i oparłam się o niego, ledwie dysząc.

— Gdzie, uch, uch, jesteś, uch, uch. Wody...

— Proszę. — Butelka zjawiła się przed moimi oczami, które uniosłam zdziwiona. — Proszę — powtórzył właściciel wody mineralnej.

— Dziękuję, odkupię — wysapałam, odkręciłam zakorkowaną fabrycznie butelkę i przyssałam się do niej z przyjemnością.

— Dokąd się pani tak śpieszyła? — zagadnął.

Przerwałam picie i nabrałam powietrza.

— Do niego — odpowiedziałam zgodnie z prawdą, wskazując przepełniony pojemnik.

Odłożyłam torbę i butelkę na ławkę i z obrzydzeniem sięgnęłam do śmietnika. Opuszkami palców odchyliłam dwa papierki po wafelkach prince polo, ale pod górą następnych opakowań zegarka nie było widać.

— Pani czegoś szuka? — spojrzał na mnie z dziwnym uśmieszkiem.

— Tak, zegarka — odwróciłam głowę w poszukiwaniu jakiegoś pomocnika, patyczka lub gałązki.

— Zgubiła pani zegarek w koszu na śmieci? Grzebała już pani w nim wcześniej? Jest tam coś ciekawego? — Z wyciągniętą szyją zaglądnął do wnętrza kosza.

— Niech pan nie kpi — zezłościłam się, bo chyba wziął mnie za jakąś nawiedzoną. — Tylko pomoże szukać.

— Pani serio z tym zegarkiem?

— Serio — burknęłam nieładnie i spojrzałam na niego z wściekle zmarszczonymi brwiami.

Uśmiechnął się, a ja spojrzałam na niego z pogardą. Zamiast mnie wypytywać bez sensu, pomógłby, jak na faceta przystało.

— No, rusz się! — krzyczało moje wnętrze. —Jesteś mężczyzną! — dodawało. — Pomóż słabej dziewczynie!

Chyba zrozumiał, co w tym momencie wyrażał mój wzrok, bo westchnął, pochylił się i z premedytacją zagłębił rękę w śmieciach, wyrzucając ich część na czerwone kostki brukowe nadmorskiego deptaka. Z odchyloną na bok głową wyglądał jak cyrkowy magik. Czekałam, czy przypadkiem nie wyciągnie białego królika.

— Ten? — Wyciągnął mój skarb wraz z rybim kręgosłupem, brudną chusteczką do nosa i używanym smętnie zwieszonym lateksowym flaczkiem, co wywołało u mnie najpierw rumieniec, potem odruch wymiotny. Odwróciłam głowę, zatykając usta dłonią. Mój wybawiciel strzepnął spokojnie to wszystko z zegarka i podsunął mi go pod nos.

Potrząsnęłam głową.

— Ohyda! — wykrzywiłam usta. — Niech pan go wrzuci z powrotem — szepnęłam, nie odsłaniając ust w obawie, że to coś wydziela jakąś woń. Dreszcz obrzydzenia przebiegł po moich plecach niczym pędzące do mrowiska mrówki robotnice.

— Jest pani pewna?

— Ohyda... — Otrzepałam się jeszcze raz, przełykając ślinę.

— Można go wymyć. — Uśmiechnął się wpatrzony w zwisający z jego brudnej ręki turkusowy zegarek. — I będzie jak nowy!

— On jest nowy... — Wpatrywałam się w zegarek tak jak on.

— Idziemy — kiwnął głową. — Wykąpiemy go.

— W morzu?

— Raczej nie — roześmiał się i zawołał syna, którego dotąd nie zauważyłam.

Weszliśmy do restauracji i obaj panowie zgodnie zniknęli za drzwiami męskiej toalety. Wyjęłam z torby telefon i zobaczyłam, że mama dzwoniła do mnie aż dwanaście razy.

— Hej, mama!

— No nareszcie! Czemu nie dzwonisz?! Ja tu się tak martwię, że aż mnie wątroba rozbolała. Co ty tam robisz, że nie możesz odebrać telefonu? Jaka pogoda, bo u nas leje od rana. Jadłaś coś czy znowu się odchudzasz? W co jesteś ubrana? Posmarowałaś się przed pójściem na plażę? Włożyłaś kapelusz? Bo wiesz, udar słoneczny to nie żarty, pamiętam, jak ciotka…

— Wiem, wiem, ale to było dawno — mruknęłam.

— A co to ma za znaczenie? — oburzyła się. — Wtedy słońce było jakieś inne?!

Turkusowy zegarek zachybotał przed moim nosem.

— Mama, muszę kończyć…

— Już? Dlaczego? Jeszcze nie porozmawiałyśmy!

— Muszę, wołają mnie — skłamałam, patrząc na wahadłowy ruch czyściutkiego czasomierza.

— Kto? Nowi znajomi? Już kogoś poznałaś? Obiecałaś mi… Kto to jest? Mężczyzna? Halo! Odpowiedz mi!

— Mama! Pa! Zadzwonię wieczorem! — wykrzyknęłam i się rozłączyłam.

Z promiennym uśmiechem wyjęłam z ręki mojego łowczego upragniony skarb, dziękując mu wylewnie. Pragnąc odwdzięczyć mu się jakoś, zaprosiłam go wieczorem na kawę. Zaproszenie przyjął.

*

Usiadłam przy stoliku w kawiarence w pobliżu wejścia na molo i z przyjemnością zerknęłam na znaleziony po południu zegarek. Przyszłam za wcześnie, nadgorliwa jak zawsze. Nie powinnam, ale to przecież nie jest randka, tylko zwykłe spotkanie z wdzięczności. Wypijemy herbatę, bo na kawę jest za późno, może zjemy jakieś ciastko albo lody i rozejdziemy się, każde w swoją stronę, bo przecież się nie znamy.

Zamówiłam sobie coca-colę, chociaż powinnam bezkaloryczną wodę mineralną, i popijając brunatny płyn ze smakiem, spoglądałam na romantyczny zachód słońca. Obraz topiącego się w morzu słońca sprawił, że ogarnął mnie smutek i przypomniało mi się, że Rafał wystawił mnie do wiatru, chociaż jeszcze niedawno marzyłam, że takie zachody będę oglądać właśnie z nim. Mój smutek pogłębił się, gdy przypomniałam sobie naszą ostatnią rozmowę. Sama do niego zadzwoniłam szczęśliwa, że wszystko udało mi się załatwić, tak jak zaplanowałam. Urlop, pokój blisko plaży i zgodę rodziców. Ktoś może powie, że to śmieszne, że jestem już dorosła i nie powinnam już o to ich prosić, ale ja jakoś tak nie mogłabym bez ich akceptacji spakować się i po prostu sobie pojechać... I dlatego tak bardzo chciałam się z nim podzielić tymi wspaniałymi wiadomościami. Zadzwoniłam.

— Hej... Rafałku... — szepnęłam seksownie.

— Hej — mruknął wybitnie nieseksownie.

— Stęskniłeś się? — zapytałam głosem słodkiej Barbie.

Jego odpowiedź zagłuszył głos Majki.

— Rafał, kto to? Boguśka? Powiedz jej! — wydała rozkaz.

— Majka jest u ciebie? — zapytałam, siląc się na obojętność.

— Mhm — mruknął.

— Co masz mi powiedzieć?

— Że z nami koniec, teraz jestem z Majką — wydusił z siebie beznamiętnie, jakby właśnie zdjął jedną wygodną bluzę i włożył inną, równie wygodną, lecz w innym kolorze.

— Co?! — krzyknęłam głośno.

Odebrała mu telefon.

— Nie słyszałaś?

— Co miałam usłyszeć, ty... ty... ty? — Chciałam ją bardzo brzydko nazwać, ale jakoś nie mogły mi przejść przez usta ordynarne słowa. Za to w głowie kłębiły się wszystkie znane mi paskudne wyrazy na określenie tak perfidnej kobiety, koleżanki, z którą znałam się od przedszkola. Syknęłam tylko: — Wlazłaś mu już do łóżka?

— No... — zaśmiała się. — Nie mówiłaś, że jest taki dobry w te klocki...

Prychnęłam z wściekłości, zaciskając palce na obudowie telefonu, i się nie odezwałam. Za to odezwała się Majeczka:

— Jesteś tam?

— Daj mi Rafała... — wysyczałam przez zaciśnięte zęby.

Udawała, że nie słyszy mojej prośby.

— Ty, tylko nie strzel samobója! — zarechotała jak wiedźma.

— Daj mi Rafała! — krzyknęłam desperacko, ale zamiast jego głosu usłyszałam tylko tryumfujący rechot Majki i... ciszę.

Brzegiem morza wędrowali jacyś ludzie, widziałam tylko ich szalejące po piasku sylwetki i słyszałam głośne śmiechy, które niechcący spotęgowały moją złość albo raczej rozgoryczenie. Jak mógł mi to zrobić? Zamiast razem ze mną spacerować, jak tamci, zamiast przytulać mnie, jak ci przy drugim stoliku, zamiast śmiać się ze mną, jak ci w kącie, pieprzy się z taką zołzą jak Majka. Pieprzy się, bo inaczej tego nie mogę nazwać.

Fuj, nieładne słowo. Mama by się zgorszyła, słysząc je w moich ustach. Na szczęście to tylko moje myśli, których nikt nie słyszy.

Westchnęłam i wypiłam coca-colę duszkiem, rozglądając się w poszukiwaniu kelnera. Chciałam zamówić następną szklaneczkę niezdrowego napoju, który być może spłucze z mego języka przekleństwa, licznie na nim nagromadzone w tej chwili, ale zamiast kelnera zobaczyłam zbliżającego się w moją stronę faceta, z którym się zbyt pochopnie umówiłam. Tajfun uczuciowy, który szalał teraz we mnie i nie był skłonny przycichnąć, nie sprzyjał miłemu spotkaniu, a takie to spotkanie miało być w założeniach, miłe i na pełnym luzie, który w tej chwili ciężko by było u mnie znaleźć.

— Dobry wieczór — powiedział ojciec Aleksandra, siadając naprzeciwko z uśmiechem, który wcześniej chętnie bym odwzajemniła.

— Dobry wieczór — odpowiedziałam głosem zgodnym z poziomem „świetnego" humoru, na który nowo przybyły nie zwrócił uwagi.

— Czy pani już coś zamówiła? — zapytał uprzejmie, biorąc do ręki kartę dań. — Kawkę, herbatę czy może coś przekąsimy? — Odłożył trzymaną kartę. — A może torcik czekoladowy? Widziałem, przechodząc.

Nabrałam powietrza do płuc i westchnęłam głośno, unosząc nieco głowę. Spojrzałam w jego uśmiechniętą twarz oczami pełnymi łez.

— Coś się stało — zaniepokoił się.

Pokiwałam twierdząco głową, a jedna łezka, dyndająca mi na koniuszku rzęs, urwała się i spadła na zieloną serwetkę, tworząc mokrą plamę. Dowód mojej tragedii.

— Proszę nie płakać. — Dotknął mojej dłoni położonej na stoliczku, którą zakryłam mokry ślad, chcąc w ten sposób ukryć swoje cierpienie. — Mogę jakoś pomóc?

Pokręciłam przecząco głową i opuściłam ją, bo chociaż wypłakałam już całe jezioro, łzy zaczęły gromadzić się intensywnie, a oglądanie rozmamłanej baby, zamiast zadowolonej, nikomu nie sprawia przyjemności, a co dopiero facetom, którzy są z natury twardzi i nie płaczą.

Ktoś chrząknął, gdzieś koło mnie szurnęło krzesło, ale zalana łzami nie widziałam gdzie i mogłam się tylko domyślić, że jednak mnie opuszcza, gdy wraz z kawałkiem czekoladowego tortu postawionego przed moim zapłakanym nosem usłyszałam:

— Ćśśś... Cicho... Niepotrzebne te łzy... Wszystko będzie dobrze, zobaczysz...

— Przepraszam, to ten zachód słońca — chlipnęłam i spojrzałam w zatroskane bure oczy, a potem na tort z czerwoną wisienką na środku.

Przetarłam oczy serwetką porwaną z przepięknego wachlarza stworzonego zdolnymi rękami, misternie usadowionego w metalowym serwetniku na środku stołu, której nie udało mi się wysunąć delikatnie, nie burząc przy tym bezpowrotnie owego dzieła. Następnymi dwoma, z bezładnej kupki leżącej smętnie na stole, opróżniłam dość głośno, choć nie było to przeze mnie zamierzone, mój biedny, cierpiący tak jak ja nos i spojrzałam, uśmiechając się nieco blado.

— Waldek jestem — przedstawił się, powracając na swoje krzesełko, i zaraz się poprawił: — Waldemar Szpyra.

Mimowolnie przebiegłam wzrokiem po jego szczupłej postaci i pociągnęłam nosem. Hm... Na szpyrkę to ten gość zdecydowanie nie wygląda, prędzej na porcję rosołową, pomyślałam i chlipnęłam ostatni raz.

— Bo... — powiedziałam cichutko, ale chyba nie usłyszał, patrzył na mnie jak cielę. — Bo... — powtórzyłam głośniej i zamilkłam, czekając na efekt.

— Nie rozumiem.

— Ojej! — zniecierpliwiłam się troszkę. Tak się starałam wypowiedzieć to moje imię tajemniczo, a on nie wyczuł i idiotycznie się dopytuje. — Ja jestem Bo... — wskazałam na siebie palcem. Może teraz zajarzy.

— Bo? — powtórzył zdziwiony i znowu spojrzał pytająco.

— Bo! Po prostu Bo... — wyjaśniłam.

— Aha — drgnęły mu nozdrza. — Bo jak Bożena?

— Nie — uparłam się — po prostu Bo... Bo Korzycka — dodałam pośpiesznie.

— Okej — przyjął do wiadomości.

Właściwie to mogłam mu podać swoje pełne imię i wyjaśnić powód używanego przeze mnie skrótu, tak jak wyjaśniłam to tacie jakiś czas temu, ale czy warto?

Tata zrozumiał mnie w lot, z mamą, jak na razie, mi się nie udało.

— Bogusiu, kochanie! Przynieś mi łyżeczkę, bo mama jak zawsze zapomniała! — zawołał z pokoju.

— Nie mów do mnie Bogusiu — poinformowałam go, zbliżając się do fotela z brakującą częścią herbacianego zestawu. — Mów do mnie Bo... — Stanęłam na tle telewizora.

— Bo co? — zażartował, spoglądając na mnie nieco filuternie.

— Bo chcę być Bo — powiedziałam stanowczo. — Ty jesteś Bogumił, a ja nie chcę być nikomu miła, nawet jemu. — Pokazałam palcem sufit, chociaż miałam na myśli niebo. — Na dzisiejsze czasy nieciekawe mi imię wymyśliliście.

— Mama... — mruknął, mieszając w filiżance.

— Ty nie? — zdziwiłam się.

— No... — oblizał łyżeczkę, czego nienawidzę. — W zasadzie...

— Dzięki! — jęknęłam, patrząc mu w oczy. — Mogłeś się nie zgodzić!

— No... — westchnął i przesunął mnie dłonią, udając straszne zniecierpliwienie. — Idź, bo patrzę na mecz!

Wiedziałam, że tort czekoladowy jest w stanie poprawić mi humor. Ten kawałek, który właśnie kończyłam, żałując, że Waldek przyniósł tylko jeden, sprawił, że moja śluzówka wyschła całkowicie. Chciałam poprosić go o repetę, bo to przecież i tak na mój koszt, ale nie wypadało mi go fatygować. W zasadzie powinnam pójść sama i chociaż domyślałam się, ile ten kawałeczek przysporzy mi centymetrów tu i tam, rozgrzeszyłam się, bo po takim przeżyciu mi się należy, i dlatego wydawało mi się to czymś absolutnie naturalnym. Moje ciało znów będzie przypominać idealną w swoim kształcie foczkę wylegującą się spokojnie na piaszczystej łasze, w promieniach słońca, ale co mi zależy.

Mogłabym się zamienić w foczkę całkowicie, gdyby nie Waldek wpatrzony w ruchy mojej łyżeczki. Z ostatnim kąskiem wypełniającym moje usta poczułam ogólne odprężenie i ujrzałam swoją tragedię inaczej, zdecydowanie inaczej i wszystko by było okej, gdyby nie bardzo dziwne, lekko drwiące, nieco rozbawione spojrzenie Waldka, które uświadomiło mi, że zostałam przez niego potraktowana nie jak dorosła kobieta, tylko jak rozkapryszony maluch, którym zdecydowanie nie jestem, i ażeby zmienił ten niegodny mojej osoby wyraz twarzy, zaczęłam mu opowiadać o Rafale, mimo że pierwotnie nie miałam takiego zamiaru. Pomogła mi w tym lampka wina, którą Waldek zamówił razem z tortem.

— Pieprzyć Rafała razem z jego Majką! Niech się bawią! — powiedziałam na koniec mojej opowieści i zdziwiona użytym przeze mnie słowem, ze śmiechem, który miał to zdziwienie zatuszować, upiłam mały łyczek słodkiego czerwonego wina z następnego zamówionego przez Waldka kieliszka.

— Niech się! — wykrzyknął tak jak ja i uniósł swój kieliszek.

— Nie potrzebujemy ich! — dodałam i stuknęłam się z nim trochę za mocno.

— Nie potrzebujemy! — potwierdził, chociaż zauważyłam, że spoważniał.

— A ty kogo nie potrzebujesz? — zapytałam zaciekawiona.

Zerknął w stronę ciemnego morza.

— Matki mojego syna — odpowiedział cicho i się zamyślił.

Z obawy, że zechce uraczyć mnie swoim opowiadaniem, dopiłam resztkę wina.

— Późno już — zerknęłam na zegarek.

— Późno — potwierdził, ale nie drgnął.

Pozbierałam swoje gadżety i podsunęłam się na brzeg krzesełka, żeby wstać, jak tylko jego myśli gdzieś błądzące powrócą do kafejki.

— Idziemy? — zapytałam z torbą w ręce, bo nadal siedział, wpatrując się w niewidoczne już morze. Spojrzał na mnie obojętnie

— Tak — szepnął.

Nie pozwolił mi zapłacić i każde z nas rozeszło się w swoją stronę. Przez chwilę myślałam, że może mnie odprowadzi…

Rozdział 3

Nawet nie wiem, kiedy minęły trzy dni od mojego przyjazdu. Trzy leniwe dni, w których nic się nie działo, nic oprócz paru rozmów z niedającą mi spokoju mamą, oprócz szalonych, w przypływie buntu, zakupów pamiątek znad morza, które podziwiałam po każdym powrocie z plaży.

Piękną apaszkę w białe groszki kupiłam dla mamy, dla taty muszlę wyłowioną w jakimś ciepłym morzu, nie w Bałtyku, w której słychać szum fal. Foczkę z mięciutkiego futerka dla malutkiej Justysi, córeczki mojej koleżanki ze szkoły. Sobie sprezentowałam okulary przeciwsłoneczne, koraliki i dwie letnie spódnice z gumką w pasie, w tym jedną w groszki, no i bluzę. I to na razie na tyle, bo muszę się liczyć z objętością torby podróżnej.

Spaceruję brzegiem morza co wieczór, oczywiście z nową bluzą przewiązaną w pasie, bo za ciepło jest, aby ją włożyć, ale jest tak bajerancka, że nie mogę spokojnie zostawić jej w wynajętym pokoju.

Wypatrywałam też nowych znajomych, ale nigdzie nie było widać biegającego chłopczyka — ani na plaży, ani na deptaku, ani wieczorem nad brzegiem morza. Może już pojechali do domu, tak jak ja pojadę za trzy dni, bo chyba jednak nie zostanę tu dłużej.

Trochę szkoda, że ich nigdzie nie ma, bo może nie nudziłabym się tak bardzo.

O! Jednak nie wyjechali!

Ucieszyłam się, widząc ich pogrążonych w męskiej rozmowie. Szli w moją stronę.

— Dzień dobry! — zawołałam i uśmiechnęłam się do chłopczyka o sympatycznej, lecz w tej chwili zbuntowanej twarzyczce, i pomachałam mu dłonią.

— Dzień dobry! — wykrzyknął ten większy i wyraźnie, mimo oporu tego mniejszego, przyśpieszył.

— Dokąd zmierzacie?

— Tak bez celu… — wzruszył ramionami Waldek.

— Na lody — dodał Olo, chmurno-zadziornie spoglądając w moją stronę.

— Pójdziemy na lody — potwierdził Waldek spokojnie, zwracając twarz w stronę małego rozbójnika, i dodał, zerkając na mnie: — Za chwilę, najpierw obiad.

— Nie chcę obiadu! Chcę lody! — zawołał malec i znienacka szarpnął ojca za rękę, przechylając całą jego postać w jedną stronę.

Żeby nadal patrzeć w jego oczy, wychyliłam się w prawo o jakieś trzydzieści stopni.

— Obiad — powtórzył stanowczo Waldek, prostując się, ale nie na długo, bo osobnik niewielkiej postury, lecz siły Herkulesa szarpnął jeszcze raz i jeszcze raz, ale że skutek wywołał mizerny, zaczął podskakiwać miarowo w miejscu, nadal szarpiąc rękę ojca. Waldek z początku nie reagował, próbując rozmawiać ze mną, ale ruch wahadłowy, jaki wykonywał mimo woli, nie sprzyjał owocnej konwersacji, chociaż starałam się dopasować do tego dziwnego tańca.

— Lody, lody, lody!!! — krzyczał Olo.

— Obiad, obiad, obiad — powtarzał spokojnie do taktu Waldek.

Ja bez słowa gibałam się razem z nimi. Raz, raz, raz... I wszystko byłoby okej, gdyby nie przypadek, który pozwolił wysmyknąć się małej rączce z dłoni ojca. Ten sam przypadek sprawił również, że na promenadzie rozległ się wrzask zwracający ogólną uwagę. Wrzask upartego malca, który ledwie dotknął pupą trotuaru, a już rozdarł się wręcz operowo na wysokim „c" albo „d", a może to było i „e" albo cały alfabet naraz.

— Hej. — Pochyliłam się nad nim, starając się go pozbierać i ustawić w pozycji typowej dla naszego gatunku, czyli w pionie, ale nie udało mi się to, bo okazało się, że wrzask działa na jego małe ciałko jak długo przeżuwana guma do żucia, umiejscowiona jednym palcem pod blatem stołu. Jest nie do oderwania. Spojrzałam bezradnie na równie bezradnego Waldemara.

— Może wyjątkowo, eee, chodźmy na te lody — wyszeptałam, z ukosa zerkając na rozdzierającego buzię chłopca.

— Chodźmy — jęknął.

Po zaledwie dwóch krokach, jakie udało nam się zrobić, na deptaku zaległa wręcz niebiańska cisza, pomijając oczywiście tupot małych stóp odzianych w nadal modne w tym sezonie krokodylki, a ja dokonałam rewelacyjnego odkrycia.

Mogłabym być wychowawcą trudnej młodzieży. Z pewnością dałabym sobie radę, bo potrafię wczuć się w problemy innej osoby. Ja też wybrałabym lody zamiast obiadu, chociaż wiem, że jest to kompletnie nielogiczne, za to okropnie pyszne. I zaraz pomyślałam o Majce. Też ją rozumiem, chociaż nie mogę wybaczyć, ale to ewidentny przykład zazdrośnicy, bo jak inaczej wytłumaczyć jej postępowanie? Nie przypominam sobie, żeby była w Rafale zakochana, wiedziałabym o tym, zawsze się tylko wygłupiała, więc może teraz też to robi. Ewidentna zazdrość, bo po co by polazła do niego i namówiła go na zerwanie ze mną? I ten tekst o jego możliwościach seksualnych. To tylko z zazdrości oczywiście! Paskudne uczucie, które jest mi obce. Przecież nie zazdrościłam Natce awansu, chociaż dziewczyny, jak się dowiedziały, to wieszały na niej przysłowiowe psy, ale ja… nie. Powiedziałam tylko, że nie ma odpowiednich na to stanowisko kwalifikacji, ale to nie była zazdrość, tylko stwierdzenie faktu, że ja lepiej się na tym znam i to ja powinnam awansować. Nie wiem, dlaczego wybrali właśnie ją. Chyba po znajomości albo „po przyjaźni" z Nieczajem, naszym kierownikiem, który ciągle mówi: „Nie czaję, o co ci chodzi", jak któraś z nas źle się czuje z powodu „tych dni" i chce chwilkę posiedzieć. Albo: „Nie czaję, po co ci urlop", tak jakby sam nigdy go nie potrzebował. I różne takie tam „nieczaje" na bieżąco, ale teraz nie chce mi się myśleć o pracy.

Wolę, patrząc na Aleksandra, zachwycać się, jak wspaniale udało mi się wybrnąć z trudnej sytuacji. Drzemią we mnie ukryte zdolności, o których nie miałam dotąd pojęcia. Zachwycałam się oczywiście sama nad sobą, bo nikt inny tego nie zrobił. Waldek spokojnie wędrował za rączkę z prawie milczącym synem, bo usiłowanie przeforsowania trzech gałek lodów zamiast obiecanej przez ojca jednej w trakcie zbliżania się do kawiarni było w tej chwili drobiazgiem w porównaniu ze sceną, jakiej byłam świadkiem przed chwilą.

— Usiądziemy? — zapytał Waldek.

— Chętnie — uśmiechnęłam się jednym z najlepszych moich uśmiechów.

— Tata, tata! — wykrzyknął uśmiechnięty Olo i paluszkiem pokazał kiwającą się obłędnie, udającą autko, kolorową kaczuszkę w idiotycznym kapelusiku. Ojciec sięgnął do kieszeni, ale nie znalazł w niej drobnych.

— Potem — oznajmił dziecku i wywołał swoim brakiem cech dyplomatycznych ponowną lawinę złego humoru syna. Krzyk, wrzask i złość wylana na niewinnym kawiarnianym krzesełku zaskoczyła wszystkich tych, którzy do tej pory spokojnie delektowali się lodami i kawą.

— Cicho! — powiedzieliśmy oboje do rozwrzeszczanego bachora.

— Jeśli się nie uspokoisz, to nie będzie lodów! — dodał Waldek i zaraz tego pożałował, bo wrzask się spotęgował.

— Idź, ja tu zostanę! — krzyknęłam do niego, co wykorzystał skwapliwie, oddalając się w stronę zamrażarki z lodami, a ja odważnie zostałam na placu boju, chociaż akurat w tym momencie nie wiedziałam, jak ujarzmić małego potwora.

Jedyna metoda, jaka przyszła mi do głowy...

— Chodź! Mam dwa złote.

I tym razem trafiłam. Postanowiłam zastosować metodę kija i marchewki. Na początek marchewka, a potem... coś wymyślę.

Aleksander wyjął mi z ręki monetę i zadowolony wsiadł do kaczuszki, która oprócz ruchu wahadłowego w przód i w tył wydawała z siebie znajomą mi skądś melodię w wersji chińsko-katarynkowej. Takie uspokajające, miarowe blim, blim, blim.

— Olo! Tata przyniósł lody — zwróciłam się do zadowolonego małego mężczyzny, zaraz jak skończyło się blim, blim i kaczuszka znieruchomiała.

Amator huśtania zerknął w stronę pustego stolika i kpiąco spojrzał na mnie, niemo zarzucając mi kłamstwo.

— Chcę jeszcze raz!

— Idziemy. — Wzięłam go za rączkę.

— Chcę jeszcze raz! — powtórzył bardzo stanowczo i wyrwał mi rękę.

— Kochanie, lody się roztopią — powiedziałam spokojnie.

— Chcę jeszcze raz! — Spojrzał wzrokiem nieznoszącym sprzeciwu i oparł się z rękami założonymi na piersiach.

— Okej — skapitulowałam i dla świętego spokoju wrzuciłam jeszcze jedną monetę, bo postanowiłam małego terrorysty nie prowokować do rozdzierającego powietrze wrzasku. — Ostatni raz — dodałam, żeby mu uświadomić, że jednak ja tu rządzę, i spokojnie przeczekiwałam następne blim, blim. — Idziemy — chciałam powiedzieć, gdy się skończy kaczuszkowa piosenka, ale nie zdążyłam.

Aleksander niespodziewanie opuścił huśtawkę w połowie jej wahadłowego cyklu i zarył nosem w chodnik tuż pod moimi nogami. A dalej było jak uprzednio.

Pozbierał go Waldek, spoglądając na mnie z lekkim wyrzutem, jakby to była moja wina, że jego syn opuszcza kaczuszkę przed czasem. Usiedliśmy z uspokojonym widokiem lodów Aleksandrem i w ciszy rozkoszowaliśmy się ich smakiem, a sądząc po tempie, z jakim znikały z pucharka Aleksandra, były najlepsze na świecie.

— Nie jadł obiadu — szepnął zrezygnowany Waldek na widok zdziwienia malującego się na mojej twarzy. — Wczoraj też nie.

— To po co kupiłeś mu trzy gałki? — zapytałam tak samo cichutko jak on.

Waldek z wyrazem bezradności na twarzy wpatrzył się w syna pałaszującego z zapałem ostatnią gałkę.

— Bo już nie mogę słuchać jego wrzasku — westchnął. — Będę musiał wziąć urlop od urlopu, żeby nareszcie odpocząć! — roześmiał się głośno.

— Rozumiem — odpowiedziałam.

— Naprawdę?! — wykrzyknął radośnie, jakby zrozumienie kogoś innego było nie lada wyczynem.

— Mhm… — potwierdziłam spokojnie.

— Masz dzieci? — zaciekawił się.

— Nie.

Radość i chwilowe zainteresowanie opuściło jego twarz.

— To nie rozumiesz... — powiedział tonem niedopuszczającym mnie do klubu zmaltretowanych rodziców.

— Koleżanka ma córkę — wyjaśniłam z grymasem pewności na twarzy.

— To nie to samo...

— Mylisz się, opiekuję się nią dość często — skłamałam, bo od razu mnie skreślił.

— Tak? — znowu się zdziwił. — Może chcesz na godzinkę zaopiekować się Aleksandrem?

— Nie widzę problemu — odparłam pewnie, wzruszając ramionami.

Uśmiechnął się, a w jego oczach zagościła denerwująca kpina.

— Nie wierzysz? — Wkurzył mnie tą miną.

— Mmmm — pokręcił przecząco głową.

Ostentacyjnie spojrzałam na zegarek.

— Gdzie się spotkamy za godzinkę?

— Tutaj? — zapytał, przekrzywiając głowę jak ptaszek.

Kiwnęłam głową na zgodę i zwróciłam się szeptem wprost do ucha Olka:

— Uciekamy tacie? Chcesz iść ze mną na plażę?

Uszko drgnęło, osobnik nie. Odniosłam wrażenie, że jego ucho urosło, żeby dobrze usłyszeć mój szept, co oczywiście nie jest możliwe.

— Kupimy samolocik i sobie go popuszczamy?

Zwrócił w moją stronę buzię całą w lodach i uśmiech rozjaśnił jego twarzyczkę. Zanim zdążyłam narzucić torbę na ramię, zsunął się z krzesełka, pomachał ojcu ręką i pobiegł w stronę budki z pamiątkami, potrącając przechodzących ludzi, a ja oczywiście ruszyłam za nim.

Po długich negocjacjach, bo uparłam się na samolocik, a nie na pistolet, ciężarówkę, piłkę, żaglówkę, „paletki" do gry w ping-ponga, plastikowe kręgle, ponton do pływania, maskę z rurką i płetwami, zakupiliśmy latawiec i już spokojnie, za rączkę, poszliśmy na plażę.

Nie jest tak źle, pomyślałam. Nie wiem, dlaczego Waldek tak jęczy...

Po godzinie walki z latawcem potrzebującym do lotu wiatru, który jak na złość zamarł tak samo jak fale, i z jego upartym właścicielem, któremu nie chciało się biegać i siedział nadęty na jedynym kamieniu wśród piaskowych pól, udało mi się szczęśliwie powrócić na miejsce spotkania w całości, chociaż miałam wrażenie, że moje wykończone bieganiem nogi zostały na plaży, ażeby odpocząć.

— Oddaję — szepnęłam i bezsilnie opadłam na krzesełko, udając, że w ogóle nie jestem zmęczona. Nie chciałam się narazić na Waldkową kpinę.

— To dokąd teraz pójdziemy? — Wstał i się przeciągnął. — Odpocząłem trochę.

— Yyy... nie wiem — mruknęłam, bo po godzinnym bieganiu po piasku nie miałam ochoty już nigdzie iść.

— No przecież nie będziemy tu tak siedzieć — zerknął na mnie z góry.

— Fajnie tu. — Machnęłam nogą.

— Tata — odezwał się Aleksander. — Chodźmy do portu!

— Do portu?

— No...

Zerknęłam w lewą stronę z przerażeniem. Mam iść tyle kilometrów? Chyba nie dam rady.

— A co tam będziemy robić? — Starałam się zyskać na czasie, żeby moje nogi powróciły do formy.

— Popłyniemy statkiem — powiedział zapatrzony w dal Waldek.

— Z jakim Tadkiem? — zapytałam, zakładając torbę na ramię.

Waldek roześmiał się głośno

— Daj tę torbę! — Odebrał mi ciężar. Torba na jego plecach jakoś dziwnie zmieniła gabaryt na mniejszy.

— Z jakim Tadkiem mamy pływać? — Nie dawało mi spokoju.

— Nie z Tadkiem, tylko statkiem. — Wziął Ola za rękę. — Idziemy. — Kiwnął głową.

Westchnęłam, zsunęłam się z krzesełka i złapałam drugą rączkę wyciągniętą oczekująco w moją stronę.

— I… hop! I… hop! I hop…!

— Poczekajcie! Nie daję rady! — roześmiałam się w połowie drogi.

— Może się zamienimy? — zaproponował Waldek i zatańczył przede mną.

— I hop… I hop…

— Poczekajcie! Muszę pooglądać! — Zatrzymałam się przy stoisku z pamiątkami.

— Będziesz coś kupować? — Waldek przytulił się do moich pleców i tak jak ja zerknął na ladę, po chwili poczułam jego dłoń na wysokości mojego pasa, to znaczy w tym miejscu, w którym on powinien być, ale że zamiast wcięcia u mnie było miękkie wypiętrzenie, wciągnęłam brzuch.

Nie miałam zamiaru nic kupować, chciałam tylko pooglądać powykładane skarby, licząc na to, że może znajdę coś innego, ciekawego, ale nie znalazłam. Wpatrywałam się i wpatrywałam i jakoś nie chciałam przestać. Waldek chyba też nie.

— Nie widzę nic ciekawego — szepnęłam.

— A ja widzę... — powiedział cicho wpatrzony w jakieś odpadki muszelek na cieniuteńkim sznureczku.

— To badziewie? — zdziwiłam się.

— Które?

— No to, na co patrzysz!

Uśmiechnął się.

— Kupujesz coś?

— Nie — odparłam, bo Waldek zabrał rękę i nieco się odsunął. — Ale zobaczę jeszcze tam! — Wskazałam drugi stragan.

Podeszłam do straganu i wyciągnęłam szyję.

— A tu jest coś do kupienia? — usłyszałam za sobą.

— Jeszcze nie wiem — odpowiedziałam.

— Chodź, bo statek odpłynie, a następny za godzinę — powiedział i odszedł, a ja dojrzałam wspaniały wisior z bursztynu oprawiony w srebro. Wyjątkowy i w dodatku jeden jedyny.

— Bo! Chodź! — zawołał z daleka.

— Już, już! — odkrzyknęłam i wzięłam naszyjnik do ręki. — Ile kosztuje? — zwróciłam się do obserwującej moje ruchy kobiety. Podała mi cenę, niestety nie na moją kieszeń.

— Bo! — Waldemar znowu zjawił się za moimi plecami, zerknął na to, co trzymałam w dłoni, i złapał mnie za łokieć, delikatnie pociągając w stronę nabrzeża. — Chodź! Potem sobie kupisz!

— Okej — mruknęłam, odkładając bursztyn, i potulnie zrezygnowałam z oglądania na rzecz pływania.

Kupiliśmy bilety i stanęliśmy w długiej kolejce chętnych do oglądania plaży od strony morza. Nie wiem, dlaczego tak się spieszyliśmy, kolejka posuwała się w ślimaczym tempie.

Zdążyłam pooglądać sobie statek, usiąść na słupku i wystawić twarz do słońca, a stateczek jak stał, tak stał i tylko jego pokład wypełniał się tabunami posiadających bilety. Waldek spacerował z Aleksandrem wokół i coś mu tłumaczył, wskazując to na burtę, to na maszty. Zatrzymali się przy kotwicy i długo debatowali, jednakowo zadzierając głowy. Wstałam ze słupka, bo wgryzał mi się w tyłek, i ponownie ustawiłam się w kolejce, która teraz jakoś szybciej się posuwała, i nagle z trzema biletami w ręce znalazłam się sama na wysokości trapu.

— Waldek! — rozdarłam się na całe gardło, ale wołany machnął tylko ręką i dalej opowiadał. Nie wiedziałam, czy mam do nich biec, czy drzeć się dalej. Stałam niezdecydowana i zdenerwowana, byliśmy ostatni, reszta już zwiedzała wnętrze statku.

Mężczyzna ubrany w strój pirata wyciągnął mi z ręki bilety i przedarł na pół, drugi zaczął zdejmować cumy, silnik wszedł na wyższe obroty, a ja stałam pomiędzy tym wszystkim.

— Niech pani zawoła męża, bo zaraz odpływamy — powiedział do mnie pirat i mrugnął jedynym okiem, drugim może też, ale przysłaniała je piracka opaska.

Spojrzałam na Waldka i już chciałam wyjaśnić, że to nie jest mój mąż, ale zamiast tego wydusiłam z siebie:

— Yyy... Proszę?

Ręka zakończona metalowym hakiem wskazała Waldemara siedzącego w kucki.

— Męża pani zawoła, odpływamy! — huknął mi do ucha.

— Chwileczkę! — krzyknęłam i ruszyłam w ich stronę, drąc się tak jak poprzednio, i żeby zwiększyć efekt nawoływania, dodałam wymachiwanie rąk. Przez chwilę wydawało mi się, że może nawet odlecę jak te mewy, które na mój widok zerwały się przerażone. Nie zważając na nie, biegłam dalej i osiągnęłam zamierzony cel. Waldek się wyprostował, porwał Ola na ręce i zaczęli biec w moją stronę, więc ja swoje opuściłam i zawróciłam, nikogo już nie strasząc.

— Sorry, sorry, sorry — sapnął po dotarciu i popychając mnie dłonią, rozkazał: — Wchodź, bo odpłyną bez nas.

— Mieli ochotę! — zaśmiałam się i złapałam linę, która zaczęła się niebezpiecznie kołysać.

— Idź szybciej — usłyszałam z tyłu.

Galeon ruszył, odbił od nabrzeża i zaczął dziobem rozbijać niewielkie fale, a mnie zrobiło się jakoś dziwnie w żołądku, ale już opuszczaliśmy port i wypływaliśmy na szerokie wody, więc z rozmarzeniem patrzyłam na horyzont i oddychałam głęboko, zachłystując się przestrzenią przed dziobem. Statek zaczął się miarowo unosić i opadać. Fale, które niewinnie wyglądały z brzegu, były jednak dość duże i tuż za końcem portowego muru dały o sobie znać.

— Idziemy! — oznajmił nagle gromkim głosem Waldemar.

— Dokąd? — zdziwiłam się, bo wszędzie dookoła było morze.

— Na dół. Do baru. Coś zgłodniałem, woda jednak wyciąga — roześmiał się.

Chyba nie patrzenie na nią, raczej pływanie w niej, pomyślałam i posłusznie podążyłam za towarzyszami mojej morskiej podróży, chwiejąc się odrobinę. Podeszłam szybko do ławeczki i usiadłam, ciesząc się, że to Waldek poszedł złożyć zamówienie. Powrócił z napojami, chociaż ja w tej chwili wcale nie miałam ochoty na picie. Woda, którą wypiłam wcześniej, wypełniała mój brzuch, pozostawiając jedynie miejsce na coś treściwego. Spojrzałam za burtę i poczułam, że zaczyna mi się robić dziwnie niedobrze. Woda w pustym brzuchu zaczęła zachowywać się tak jak ta za burtą. Wytrzeszczyłam oczy przerażona tym, co się dzieje, a działo się coraz bardziej.

— Waldek, gdzie tu jest toaleta?! — wykrzyknęłam i przysłoniłam dłonią usta, czując, że za chwilę może być już za późno.

— Kurczę! Chyba tam! — wskazał mi kierunek.

Pobiegłam, nie zważając na nic, i szybko zamknęłam za sobą drzwi.

— Ble… — Z pierwszym bolesny skurczem wylała się ze mnie cała woda. Następny, jaki nastąpił po chwilowej przerwie, wypróżnił cały żołądek. Usłyszałam pukanie do drzwi.

— Bo! Jak się czujesz?

Otworzyłam usta, żeby mu powiedzieć, że już chyba wszystko okej, bo poczułam ulgę i jakiś wewnętrzny spokój, ale zamiast głosu wydałam z siebie następne „ble"…

— Jak skończysz, to przyjdź na jedzenie — zastukał.

Na samą myśl, że mam coś przełknąć, odpowiedziałam mu tak jak poprzednio.

— Już nigdy nie wejdę na żaden statek — jęknęłam pochylona nad klozetem. — Niech ta cholerna maszyna już się zatrzyma! Już nie chcę być piratem, chcę do domu!

*

Chociaż obiecywałam sobie, że już nigdy nie stanę w tej kolejce, stoję i wpatruję się w ruchy rąk za szybą, wciągam w nozdrza znajomy zapach i połykam ślinkę jak co dzień. Śmietana opływa świeżutkie i ciepłe jeszcze gofry, które odchodzą w dal trzymane w rękach stojących przede mną jeszcze przed chwilą smakoszy takich jak ja.

— Jeden: z jagodami, śmietaną i polewą czekoladową — uśmiechnęłam się, mówiąc bez zająknięcia, szybko i sprawnie, cóż... praktyka czyni mistrza.

Kobieta za szybą nie odwzajemniła uśmiechu. Jeszcze jedna maszynka do gofrów, tyle że na dwóch nogach. Delikatnie odebrałam śniadanie i trzymając je ostrożnie jak największy skarb, zadowolona przełknęłam ślinę i powoli wbiłam zęby, przymykając oczy. Czasami wyłączam inne zmysły, ażeby wyostrzyć ten jeden. Zmysł smaku...

— Bo! — zawołał ktoś i w moje pośladki, jak w puchową poduchę, z impetem rąbnął głową największy psotnik tej nadmorskiej miejscowości, zadzierając uśmiechniętą buzię.

— Cześć! — odezwał się ten większy. — Masz śmietanę na nosie!

— Dzięki — powiedziałam i zanim zdążyłam ruszyć ręką, Waldek brutalnie przetarł otwartą dłonią mój delikatny z natury nosek.

— Idziesz na plażę? Poczekasz na nas? My też po gofry. Trzeba jakoś zacząć ranek. — Zerknął w to, co trzymałam w ręce. — Dobre?

— Mhm... — pokiwałam głową.

I znowu stanęłam w kolejce. Nie. Stanęłam obok, a właściwie nie stanęłam, tylko z głupawym uśmiechem zaczęłam się kręcić wokół własnej osi. Aleksander, ciągnąc za wolną rękę, potraktował mnie jak wielką planetę i krążył wokół, udając mój księżyc lub satelitę. Bzyczał przy tym głośno i nie pozwalał spokojnie zjeść gofra, bo jakakolwiek próba dotarcia do ust mogłaby się skończyć utratą mojego kruchego, słodkiego skarbu.

— Fajnie, że pójdziemy razem! — Waldek się nie kręcił, stał spokojnie w kolejce. — Wiesz, Olek cię polubił. Masz szczęście, bo on do kobiet nie bardzo, stracił zaufanie, ale do ciebie... Proszę dwa... Wyjątkowo! Nie, to nie do pani — uśmiechnął się do kobiety w okienku i rzucił okiem na mój przysmak. — Z jagodami i ze śmietaną... Tak... z czekoladową.

Stanęłam w miejscu i na wszelki wypadek zaparłam się biodrem o ławeczkę. Już nie chcę się kręcić!

— Hej, idziemy?

Kiwnęłam głową i bez entuzjazmu ruszyłam w pewnej odległości za nimi, ciesząc się niezmiernie z „cudownego spokoju", jaki mnie czeka.

— Dlaczego tu? — zapytałam, zrzucając ciężką torbę na piasek.

— A dlaczego nie? — odpowiedział mi pytaniem na pytanie i zaczął grzebać nogą w piasku.

No właśnie, dlaczego nie? Powinnam mu powiedzieć, że nie lubię być wystawiona na spojrzenia wszystkich tych, którzy rozłożyli swoje ręczniki dalej od brzegu. Raczej nie. Westchnęłam. Przynajmniej nie muszę dzisiaj robić sobie miejsca na plaży w postaci dobrze uformowanego dołka z piasku, a raczej wzgórka. Faceci robią to lepiej i sprawniej. Na to arcydzieło sztuki piaskowej starannie rozłożyłam ręcznik. Na ręcznik, w samym kąciku, położyłam torbę z wałówą, do tego nową gazetę, tę samą co poprzednio, ale nadająca się do czytania, z niepozlepianymi stronami. Potem podsukienkowe poprawki i zdjęcie kiecki pod ostrzałem tysiąca spojrzeń, w tym tych burych. I wreszcie spokojne położenie się na plecach. Brzuch w tej pozycji pozostaje względnie płaski, co stwierdziłam, głaszcząc go z przyjemnością dłonią, udając, że usuwam nieistniejące ziarenka piasku.

Przemiłym uczuciem jest dotknięcie swoich kości biodrowych wyłaniających się w tej pozycji jak szczyty Beskidu. Nie Tatry niestety, ale dążę do tego.

— Może powinieneś posmarować syna mleczkiem z filtrem? — mruknęłam w stronę Waldka, unosząc okulary i głowę, bo jakbym usiadła, czego unikam starannie, to z tej wygłaskanej równiny stworzyłby się jeden z ośmiotysięczników, a na to nie mogłam sobie pozwolić. Waldek bez słowa wyjął mi z ręki mleczko i wysmarował nim plecy Aleksandra i moje, bo jednak zmuszona byłam usiąść, dyskretnie zakrywając wypukłości gazetą. Wysmarował mi te plecy, na których miałam w planie dzisiaj leżeć, bo frontowa bladość moich nóg raziła, jak sądzę, nie tylko mnie. Podziękowałam, powróciłam do poprzedniej pozycji i zamknęłam oczy, dając do zrozumienia, że nie mam ochoty na babki z piasku, tor wyścigowy dla dwóch nowych autek, zalewanie wodą z morza fosy wokół zamku i puszczanie latawca leżącego smętnie u moich stóp. Dzięki temu sprytnemu fortelowi dzień mijał w miarę spokojnie. W miarę, bo przypomniały mi się moje wczorajsze niemiłe przeżycia na statku wycieczkowym.

Gdybym wiedziała wcześniej, że nie nadaję się na marynarza, to nie skusiłabym się na ten rejs, który tak miło się zapowiadał, a zupełnie się nie udał. Waldek co chwilę pukał do drzwi ubikacji, wyraźnie zmartwiony tym, co się za nimi działo, a ja chwilami nie dawałam rady nawet mu odpowiedzieć, że nie jest tak źle, chociaż dobrze nie było.

Po zejściu na ląd w postaci widma nie byłam w stanie nigdzie się ruszyć. Usiadłam na ławeczce i starałam się oddychać głęboko, aż świat się uspokoi, a ja razem z nim. Jedyna pozytywna strona mojej przygody to natychmiastowy ubytek ciała na wysokości pasa, który wywołał uśmiech na mojej bladozielonej twarzy. O jej kolorze poinformowali mnie prawie wszyscy, którzy zainteresowali się zajętą non stop toaletą. Nie wiem, czy to zainteresowanie wynikało ze współczucia, czy raczej z utrudnienia w korzystaniu z tego przybytku przez półtorej godziny rejsu.

Wróciłam do domu i zaczęłam się zastanawiać, czy zwracanie pożywienia nie jest dobrą metodą na odchudzanie. Można mieć przyjemność jedzenia, ale nie pozostaje ono na długo w żołądku i chociaż słyszałam o bulimii, postanowiłam spróbować, czy dam radę zwrócić zjedzoną na molo kiełbasę, której nie mogłam sobie odmówić po wstaniu z ławki. Pachniała tak samo jak na tym okropnym galeonie i była wyśmienita.

Weszłam do łazienki, uśmiechnęłam się do swojego odbicia w lustrze i z premedytacją włożyłam dwa palce do ust. Po pierwszej próbie, bo drugiej już nie było, okropnie się zdziwiłam, że dziewczyny mogą robić coś takiego z własnej woli. Ból, jaki poczułam, uświadomił mi, że to nie jest dobra metoda na pozbycie się zbędnych kilogramów i że nie mam ochoty narażać się na cierpienie. Chorować też nie mam zamiaru. Wyszłam z łazienki tak samo zadowolona jak po zejściu z trapu i poczułam wielką ulgę, że nie nadaję się na tę bezsensowną i paskudną metodę.

— Dzisiaj muszę zmusić Olka do zjedzenia obiadu... — odezwał się kapiący zimną wodą Waldek, przerywając mi opalanie. — Może pójdziesz z nami?

— E... mmm... — Uniosłam okulary i przejechałam ręką po brzuchu.

— Nie idziesz na obiad?

— No... — Nie wiedziałam, co odpowiedzieć. Nie miałam w planie objadania się dzisiaj, chociaż towarzyszący mi mężczyźni pozbawili mnie skutecznie i z apetytem zawartości mojej z namaszczeniem przygotowywanej dietetycznej wałówki. Ogórek, rzodkiewka, marchewka i dwie kanapki zostały schrupane z drobinkami piasku z małych rączek, a bez drobinek piasku zniknęła reszta kanapek wraz z pomidorem i niedobrym jabłkiem. W zamian zostałam poczęstowana przepyszną drożdżówką z makiem i serem, polaną dość obficie białym lukrem, do którego nawet pszczoły przylatują ze swoimi okrągłymi brzuszkami w paseczki, a co dopiero ja z moim bladym.

Jeszcze oblizuję palce po niezliczonych kaloriach, w myślach oczywiście, bo wyborny smak puszystej drożdżówki nie pozostał już nawet na języku, opuszczając moje kubki smakowe bezpowrotnie.

Brururu… zaburczało w moim brzuchu, przebrurując nawet szum morza. Próbowałam to burczenie stłamsić, uciskając dłonią brzuch, ale nie pomogło, o czym zawiadomił mnie dyskretny uśmieszek Waldka pochylonego nad upartym ręcznikiem, który zwijając się złośliwie, zdecydowanie nie chciał ułożyć się gładko na piaskowym wzgórku. Obserwowałam te zmagania ukradkiem, nie chciałam, żeby Waldek doszedł do wniosku, że jestem nim zainteresowana, chociaż muszę stwierdzić, że „porcja rosołowa" na plaży nie wygląda tak źle, może wydać się nawet atrakcyjna, pod warunkiem że jest pozbawiona powiewającej na niej koszulki polo w nijakim kolorze i rozmiarze.

— Idziesz?

Pytanie czy ponaglenie? Moje wcale nie ukradkowe spojrzenie na zegarek.

— Raczej nie…

— Okej… — Cicha zgoda i donośny krzyk: — Aleksaaaaander!

Po jakiejś półgodzinie od ich odejścia zebrałam się i ja, bo burczenie w moim brzuchu nabrało mocy, tworząc coś w rodzaju orkiestry z rozsypanymi po moich flaczkach instrumentami. Raz bruu z lewej, raz wielkie brururu centralnie, raz skromny klarnecik gdzieś na samym dole, ale wszystko w tej samej głodowej tonacji. Koncert godny *Bolera* Maurice'a Ravela nabierał rozmachu i natężenia. Tam tararam, tam tam tam, tam tararam, tam tam tam…

Pozbierałam szybko swoje rzeczy i pomknęłam

w stronę schodów przez pustynię z tysiącem oczu, po których również prześliznęłam się z lekkością pustynnej gazeli w stronę baru pełnego jedzenia o nikłej zawartości jodu. Dotarłam szybko, wiedziona marzeniem o kotlecie schabowym lub kurczaku, młodych ziemniaczkach z koperkiem i dużej porcji różnych sałatek wypełniających brzuch i talerz. Poprawiając prawie pustą torbę zwisającą mi smętnie na ramieniu, wpatrzyłam się w ogromną planszę oferowanych dań i jak zawsze nie mogłam się zdecydować, na co mam ochotę. Widocznie zmiany mi nie służą...

— Weź pulpety w sosie — usłyszałam za sobą konspiracyjny szept. — I przyjdź do nas, siedzimy pod oknem...

Zblokowało mnie. Nie dość, że zostałam przyłapana na żarciu, to jeszcze na kłamstwie, i do tego ta orkiestra grająca ostatnią frazę koncertu z pełną mocą wszystkich instrumentów. Poczułam, jak robi mi się gorąco i na policzki wstępuje rumieniec.

— Okej... — wyszeptałam i posłusznie zamówiłam pulpety w jakimś burym sosie, na które wcześniej nawet nie spojrzałam.

— Weź talerz, nabierzemy sałatek...

— Okej — wyszeptałam znowu posłusznie i ze spuszczoną głową podążyłam za nim.

— Nie wzięłaś sztućców? — Zdziwienie odmalowało się na Waldkowej twarzy.

Spojrzałam na swoje zdezorientowane oblicze odbijające się niewyraźnie w zaokrąglonej szybie lady z sałatkami i pomyślałam o sobie to, co w tej chwili Waldek na pewno też o mnie pomyślał. Trąba do kwadratu. Chyba że on innego słowa użył na początku, tego na „d" i o jedną literkę krótszego. Otrząsnęłam się, oby nie...

— Nie — uśmiechnęłam się przepraszająco i pognałam w stronę kubeczka na ladzie.

Z sałatkami na talerzu podeszłam do głównego stanowiska, Waldek po chwili zjawił się za mną. Położyłam numerek na ladzie i tak samo jak po męską rybkę czekałam cierpliwie wpatrzona w okienko pamiętające poprzedni ustrój. Do lady podeszła młoda kobieta, wzięła mój numerek i obdarzona nadludzką siłą zamachnęła wielką jak moja głowa chochlą, wydobywając z równie wielkiego gara porcję ziemniaków z koperkiem, które nie wyglądały tak, jak sobie wymarzyłam. Zamaszystym ruchem zrzuciła je na delikatny plastikowy talerz.

— Eee... — jęknęłam, chcąc przerwać jej to znęcanie się nad talerzykiem, bo porcja wydała mi się monstrualna.

Druga chochla poszła w ruch. I znowu ruchem godnym gladiatora na skromny, cieniutki, prawie przezroczysty, chyba z oszczędności, wiadomo, kryzys, biały, plastikowy talerzyk spłynęły, a właściwie prawie wypłynęły za jego brzeg klopsiki w burym sosie.

— Uuu... — bezwiednie jęknęłam znowu.

— Źle się czujesz? — zapytał Waldek, spoglądając na mnie z góry.

— Nie, tylko ta ilość mnie przeraża — wyszeptałam zwrócona w stronę czekającej góry pożywienia.

— Dasz radę — uspokoił mnie i uśmiechnął się do kobiety szalejącej z wielką łyżką wazową jak tenisista. Forehand, backhand... pyk, pyk.

W milczeniu spożywaliśmy dary niebios, które zajmowały nasze talerze w takiej samej ilości. Powinnam przynajmniej część dobrowolnie odstąpić jakiemuś głodnemu, rezygnując z nadmiaru. Bijąc się z takimi i podobnymi myślami, wydrapywałam namiętnie resztki z talerza.

— Widzę, że ci smakowało — zaśmiał się Waldek i dodał zadowolony: — Nie tylko tobie — wskazał wzrokiem swojego syna. — To chyba dzięki tobie — uśmiechnął się, dziękując mi skinieniem głowy.

— Nie przypuszczam…

— Poranne jarzynki?

— Możliwe…

— Jestem ci wdzięczny… Co byś powiedziała na spacer po plaży w świetle księżyca?

— W trójkę? — zapytałam niezbyt dyplomatycznie.

— Nie… — przeciągnął intrygująco.

— Nie? — zdziwiłam się zachęcająco.

— Nie… — przeciągnął znowu. — Mam zmiennika na wieczór…

— Tak?

— Tak. — W burych oczach ukazały się figlarne błyski. — Babcia przyjeżdża, bo ja w poniedziałek muszę już do pracy…

— Aha… — przeciągnęłam tak jak on. — O której będzie babcia?

— O siódmej.

— Mhm… — mruknęłam, przeżuwając wielbłądzim ruchem wepchniętą w usta zawartość ostatniego widelca.

— To jak?

— Co jak?

— Wino, plaża i…

— I? — odwróciłam szybko głowę.

— I torcik! — przygwoździł mnie spojrzeniem.

— Bez… — spojrzałam stanowczo w bure oczy.

— Jaki bez? — zdziwiony zerknął za okno.

— Bez torciku — wyszeptałam dobitnie, lekko pochylona nad stołem zastawionym pustymi talerzami. Zapach pulpecików uderzył w moje nozdrza, stwarzając złudzenie odmiennego smaku niż poprzednio. Brrrr… Jakieś dreszcze obrzydzenia przeleciały po moich plecach.

— Dlaczego? Nie rozumiem.

Za każdym razem mam ochotę wytłumaczyć mu dlaczego, ale coś mnie powstrzymuje. Teraz też otworzyłam już usta, ale zamknęłam je szybko, jakbym nie chciała, żeby moje kompleksy wypłynęły z nich jak ten szary sos do pulpetów, na który teraz nie miałam ochoty nawet popatrzeć.

— Babcia! Babcia! — wykrzyknął spokojny dotąd Aleksander i zerwał się z krzesełka, które z łomotem opadło na starą kamienną posadzkę pamiętającą moje dzieciństwo. Z wdzięcznością spojrzałam na wrzeszczącego chłopczyka, dziękując mu w myślach za ratunek, który nadszedł w odpowiedniej porze.

— Niemożliwe! — Waldek zerwał się również i obaj pobiegli w stronę drzwi, przy których ten większy zatrzymał się na chwilkę.

— Molo o ósmej?! — zdążył jeszcze zawołać.

— Tak! — odpowiedziałam, ale nie byłam pewna, czy usłyszał.

Zobaczyłam go pędzącego wzdłuż sporej tafli okien z niemym pytaniem na twarzy.

— Tak. — Pokiwałam intensywnie głową.

Rozpromienił się w ostatnim skrzydle i zniknął.

*

Wróciłam do pokoju z zamiarem starannego przygotowania się do spotkania z Waldkiem i tu powstał problem, bo zamiast „zgubić" niezliczone centymetry z obwodu mojego pasa, uzupełniłam jego braki do okrągłej cyfry łatwiejszej do zapamiętania.

— KONIEC Z ŻARCIEM! — wykrzyknęłam w kierunku zawieszonego na ścianie łazienki lustra, które z wrażenia, jakiego doznało, odbijając moją nagą postać, zaparowało się prawie całkowicie. — KONIEC Z GOFRAMI, TORCIKAMI, OBIADKAMI! — dodałam, patrząc morderczym wzrokiem w stronę niewyraźnego odbicia, na którym doszukiwałam się oznak głupoty. — Nie widać jej — odetchnęłam z ulgą i włożyłam nową spódnicę, tę z gumką, „starą" koszulkę kupioną na wyjazd i chustę, którą w tej chwili pożyczam od mamy, bo to jej prezent znad morza. Coś starego, coś nowego, coś pożyczonego...

O ósmej zjawiłam się na molo, ale Waldka nie było. Poczekałam spokojnie dziesięć minut, bo każdy ma prawo się spóźnić, choć nie powinien, i ponownie zerknęłam na zegarek. Postanowiłam dać mu jeszcze dziesięć minut, które jakoś szybko przeleciały i moja dotąd wyprostowana dumnie postawa zaczęła opadać smętnie wraz z wędrówką słońca ku zachodowi. Wstałam i powoli poszurałam nogami w głąb lądu, oglądając zawartość każdej budki z pamiątkami, których mogłabym kupić więcej, ale nie bardzo miałam komu.

I tak, smętna i pozbawiona wspaniałego humoru, usiadłam na betonowym słupku, zastanawiając się nad marnością swojego żywota, a że to zastanawianie się nic mi nie pomogło, a wręcz mnie zdołowało, postanowiłam, otrzepując się z tych myśli, iść dalej i zaczęłam przygotowywać się do opuszczenia tego miejsca, ale jakoś nie mogłam się zmusić, żeby wstać z niewygodnego słupka odgradzającego jezdnię od pasażu, na którym, mimo resztek kończącego się dnia, zapalono już pierwsze światła.

Szum morza, rozmowy spacerujących przechodniów, zakochane pary obejmujące się czule, bim, bim, bim chińskich huśtawek, muzyka niezbyt dokładnie dopływająca z kafejki przy wejściu na molo, lekka bryza muskająca liście drzew i ja, smętnie spoglądająca na nowe klapki i prezentujące się w nich całkiem nieźle moje stopy zakończone idealnie równiutkimi paznokciami w kolorze *blue*.

I nagle, wściekły pisk opon za moimi plecami ekspresowo ściągnął mnie na ziemię i wywołał atak niepohamowanej wściekłości skutkującej szybkim obrotem w stronę bezmyślnego intruza.

— Co za idiota! — wykrzyknęłam, zrywając się z twardego słupka, i zauważyłam, że nie tylko ja tak zareagowałam.

Z samochodu, nieprawidłowo zaparkowanego, tarasującego przejazd, pozostawionego na światłach, wyskoczył nie kto inny jak tylko sam Waldemar Szpyra w całej swojej długiej okazałości, podkreślonej krótkimi dżinsowymi spodenkami, obciętymi chyba własnoręcznie niezbyt ostrymi nożyczkami.

— Bo! — wykrzyknął, a ja przez ułamek sekundy zapytałam samą siebie, czy jestem zadowolona z nowego skrótu mojego imienia. — Bo! — powtórzył roztrzęsiony Waldek i dłońmi jak kleszcze schwycił moje ręce. — Jak dobrze, że jesteś! — jęknął, wpatrując się w moje oczy z nadzieją.

Tak to chyba jeszcze nikt nie cieszył się ze spotkania ze mną. Owszem, w szkole średniej umówiłam się z takim jednym i on też na mój widok zareagował spontanicznie, ale był to raczej okrzyk rozczarowania niż autentycznej radości. Stanął jak wryty jakieś dwa metry przede mną i krzyknął: „Sorry!", i z tym okrzykiem na ustach odwrócił się na pięcie i pognał w przeciwną. Dlaczego? Nie wiem... Może przeraził go mój nowy makijaż, który godzinę studiowałam przed lustrem? Może fryzura? A może rajstopy w Kaczory Donaldy. Ciotka mi je przyniosła, bo Dżoana nie chciała ich nosić. Podobno na nią były za małe, na mnie też trochę, ale i tak je włożyłam. Pod spódnicą nie było widać, że sięgają mi do połowy tyłka i przy każdym kroku musiałam je podciągać, bo zjeżdżały jeszcze niżej. Ale to było tak dawno, no i teraz nie mam rajstop.

— Eee... ja też się cieszę...

— Myślałem, że już poszłaś!

— Eee... chyba poszłam... — powiedziałam niezbyt przekonująco.

— Chodź! — Szarpnął mnie, robiąc półobrót.

— Dokąd? — Szurnęłam klapkami z lekkim oporem.

— Do mnie! — wykrzyknął, ciągnąc mnie jak jaskiniowiec swoją wybrankę. Dobrze, że nie za włosy. Chyba zrezygnuję z ich zapuszczania. — No chodź! — wyraźnie się zniecierpliwił.

— Ale dokąd? — Porzucona pod drzwiami jego auta starałam się cokolwiek dowiedzieć, zanim wsiądę.

— Wsiadaj, proszę... — jęknął błagalnie. — Nie wiem, co mam robić! Może ty jako opiekunka coś wymyślisz.

Ostatnie słowa prawie zgadłam, bo wypowiedział je, wsuwając się na siedzenie wężowym ruchem przez wąską szparę w przyblokowanych słupkiem drzwiach. Na szczęście z mojej strony słupka nie było. Wsiadłam.

Aleksander leżał na tapczanie blady i mokry od potu. Dotknęłam jego czoła i stwierdziłam, że jest gorące jak czajnik zaraz po zagotowaniu i właściwie nic poza tym. Spał, oddychając miarowo. Spojrzałam na zmartwionego Waldka i zapytałam rzeczowo:

— Wymiotował albo, wiesz, no... eee... czyściło go?

— Skąd wiesz? — Spojrzał na mnie z podziwem.

— To te pulpeciki... — zawyrokowałam. — Spodziewałam się. — Przypominałam sobie ich zapach.

— Naprawdę? — Znowu to spojrzenie pełne uwielbienia.

— Mhm... Masz ze sobą jakieś lekarstwa? — Rozglądnęłam się po pokoju. — Babcia nie przyjechała?

— Nie.

— Co nie?

— Nie ma lekarstw, nie ma babci, młody się pomylił, popędziliśmy za obcą babą. Mama się zaziębiła, myślała, że jej przejdzie, ale nie przeszło i nie przyjedzie, jesteśmy zdani na siebie, a ja jak zawsze nawaliłem — dodał zły.

Nie wiem, dlaczego zrobiło mi się go żal i miałam wielką ochotę podziałać na niego tak, jak na mnie podziałał czekoladowy torcik.

— Damy sobie radę — zapewniłam go, chociaż nie byłam tego tak w stu procentach pewna.

— Dzięki — westchnął, patrząc na wyjątkowo spokojnego syna.

Przekonanie, że ten chwilowy spokój załatwiły pulpeciki z baru, pozwoliło mi objąć dowodzenie w tym miniaturowym szpitalu.

— Idź do apteki! — rozkazałam głosem nieznoszącym sprzeciwu. — Ja zostanę — dodałam, aby go uspokoić. — I kup coś na zatrucie, tylko nie zapomnij powiedzieć, że twój syn ma pięć lat. To ważne! Dzieciom w tym wieku nie wszystko można podać.

— Dobrze — sapnął, przeszukując kieszenie wystrzępionych spodni.

— Czego szukasz?

— Pieniędzy. Gdzieś tu miałem. Cholera! Chyba zgubiłem...

Aby uniknąć ponownej męskiej paniki, spokojnie sięgnęłam do torby i podałam mu mój portfelik w kolorze mórz południowych, który za każdym razem wzbudza mój zachwyt.

— Weź — szepnęłam.

— Dzięki. — Bure oczy spojrzały z wdzięcznością.

— Mama... — szepnął Aleksander i jednym kopnięciem zrzucił koc na podłogę. Spojrzeliśmy oboje na niego, potem na siebie.

— Idź już — szepnęłam, podeszłam do tapczanika i schyliłam się po koc.

Gdy się odwróciłam, Waldek stał jeszcze przy drzwiach, ale szybko wyszedł, cicho zamykając je za sobą. Odetchnęłam i zaczęłam nerwowo przekopywać plażową torbę, żeby jak najszybciej znaleźć telefon. Trochę spanikowałam, gdy te drzwi się za Waldkiem zamknęły.

— Hej, mama! — powiedziałam i nie zdążyłam dodać już nic więcej.

— Czułam, że coś się stało! — wykrzyknęła wyraźnie zdenerwowana. — Od godziny nie mogę sobie znaleźć miejsca, chodzę po pokoju niespokojna. Ojca nie ma, w hurtowni rozładunek, myślałam, że to coś niedobrego u niego. Wiesz, te tony cementu zawsze mnie przerażały. Raz tylko widziałam, jak te palety szybują im nad głowami, i powiedziałam twojemu ojcu: „Bogumił! Nigdy więcej mnie tu nie przywoź", i nie pojechałam tam już nigdy, wiesz o tym, ale i tak mam to przed oczami i za każdym razem się denerwuję, dlatego myślałam, że to ojciec, a tu ty dzwonisz!

Utrafiłam moment, w którym mama zrobiła krótką przerwę na nabranie powietrza, i prawie krzyknęłam, żeby nie dopuścić jej do głosu.

— Mam problem!

— Bogusiu! Dziecko! Co się stało, niech ja już wiem, bo ze skóry zaraz wyjdę ze zdenerwowania! Wiedziałam, że nie powinnaś jechać! Miałam przeczucia, ale jak zawsze mnie nie słuchacie!

Udało mi się wreszcie przerwać mamie ponownie i zaczęłam opowiadać naprędce sklecone kłamstwo. W moim opowiadaniu Waldemar był samotną matką, którą poznałam w sklepie spożywczym.

— No i ta bezradna kobieta nie wie, co z jej dzieckiem, i poszła do lekarza, ale ja myślę, że to tylko zatrucie lub niestrawność, a ty co o tym sądzisz?

— Oczywiście! — wykrzyknęła mama. — Ale dobrze, że poszła, zawsze trzeba mieć pewność. Choroby są różne i można się pomylić. Córka naszej sąsiadki, wiesz, ta mała pani Izy też wymiotowała i w pierwszej chwili nawet lekarze się nie zorientowali, że to zapalenie opon mózgowych...

Zdenerwowałam się.

— I co?

— Wyleczyli ją, ale ile się ta Iza nadenerwowała... Nie wolno niczego bagatelizować! Pamiętaj, cokolwiek by było, to zaraz do lekarza, nie tak jak twój ojciec!

— A miała rozwolnienie?

— Kto? Iza?

— Nie — zniecierpliwiłam się. — Jej córka!

— Tego nie wiem, ale mogę zapytać przy okazji, jeśli ona pamięta, bo to już tyle lat temu. Ta mała jest chyba w twoim wieku.

— Młodsza... — szepnęłam.

— Ale niewiele. Ty masz... — zastanowiła się.

— Mama, to teraz nieważne! — burknęłam zła. — Powinna iść do lekarza?!

— Mówiłaś, że poszła.

Kurczę, jak mogłam zapomnieć.

— No... tak.

— To się dowie. Aha! — podniosła głos. — Jeśli to zatrucie, to niech nic nie daje temu dziecku jeść!

— W ogóle?

— Bogusiu, córeczko! — jęknęła mama i na pewno

chętnie załamałaby ręce, gdyby nie to, że trzymała w nich słuchawkę. — Nie można dzieci głodzić!

— Powiedziałaś, że nic... — przypomniałam jej.

— Tak powiedziałam?

— Mhm...

— Miałam na myśli mięso! Musi jeść! Ziemniaczki z masłem, koniecznie z masłem, nie z żadną margaryną! Marchewkę gotowaną, bo ona leczy, i białe bułki, pamiętaj! Tylko lekkie białe pieczywo! I ewentualnie biszkopty, bo dzieci tak kochają słodycze... Pamiętam...

— Mama, muszę kończyć!

— Poczekaj! Powiem ci o twoim zatruciu, bo na pewno nie pamiętasz, jak bardzo byłaś chora, a ja przerażona.

O Boże! Tylko nie to! Znam tę opowieść na pamięć!

— Byłam taka młoda i niedoświadczona, a twoja babcia tak daleko... Nie było telefonów komórkowych, tak jak teraz, i musiałam sobie radzić sama... — westchnęła na wspomnienie tamtych lat.

— Opowiesz mi to innym razem. Muszę kończyć! — zawołałam, bo klamka się poruszyła. — Pa! — krzyknęłam i się rozłączyłam, nie zważając na to, co mama do mnie jeszcze mówi.

— Śpi? — zapytał szeptem wchodzący Waldek.

— Tak — odpowiedziałam, usiłując w obfitości materiału mojej spódnicy zakamuflować prostokątne źródło informacji.

Nafaszerowaliśmy Aleksandra lekarstwami i czekaliśmy na efekt cudownego ozdrowienia.

Waldek w miarę spokojnie, ja, po rozmowie z mamą, nie bardzo. To zapalenie opon mózgowych nie dawało mi spokoju, bo jeśli moja diagnoza jest mylna i małemu rozbójnikowi coś się przeze mnie stanie?

Zrobiło mi się gorąco na samą myśl i zaraz wyobraziłam sobie salę sądową i prokuratora groźnie spoglądającego w moją stronę z oskarżycielsko wystawionym palcem wskazującym, oznajmiającego, że jestem winna śmierci dziecka.

— Czemu tak wzdychasz? — usłyszałam szept Waldka.

— Bo... eee... — Nie wiedziałam, co mam mu odpowiedzieć. Zdecydowanie nie mogłam podzielić się z nim swoimi obawami. — Martwię się — szepnęłam zmieszana, spoglądając w stronę śpiącego dziecka.

Waldek wstał i położył rękę na czole syna.

— Chyba spada, ale sprawdź, bo nie jestem pewien...

Pochyliłam się.

— Bo... — wyszeptał Waldek.

— Tak? — wyprostowałam się i odwróciłam szybko, nosem prawie dotykając Waldkowego policzka.

Bure oczy wpatrywały się we mnie, a ja nie potrafiłam odwrócić wzroku. Nagle, inaczej niż do tej pory, spojrzałam na jego twarz, wydała mi się inna, wyjątkowa. Staliśmy bez ruchu, bardzo blisko. Przysunął się jeszcze bardziej i coś mi kazało wstrzymać oddech. Dotknął mojej dłoni, jakby oczekiwał zgody na dotykanie jej w całości. Zgodziłam się, poruszając palcami, które splotły się z tymi pytającymi w całość. Bardzo poważne bure oczy wpatrywały się we mnie bez ruchu, ale ja przeniosłam wzrok na jego nos, ciemny zarost i usta. Chciałam poczuć dotyk jego lekko uchylonych warg.

— Tata... — doleciało nas od strony tapczanu.

— Tak? — odezwał się Waldek, nie odwracając głowy.

— Pić...

Odwróciłam się szybko i mimo że czar tej magicznej chwili prysł jak bańka mydlana, poczułam ulgę. Jednak się nie pomyliłam i bąbel będzie żył, a nawet, jak wszystko na to wskazuje, będzie zdrowy. Może powinnam zostać lekarzem? Spełniłoby się marzenie mojej mamy. Ja, Bogumiła Korzycka, spacerująca korytarzem szpitala w białym kitlu z dumnie uniesioną głową. Uch! Mocne!

— Jak się czujesz? — Szept Waldka był pełen czułości.

— Pić — powtórzyło dziecko.

Podeszłam do stolika i nalałam wody do kubeczka.

— Proszę — wyciągnęłam rękę.

— Chyba jestem głodny — stwierdził Waldek, patrząc się na mnie z nieukrywaną radością w oczach. Jemu też ulżyło.

— Ja już chyba sobie pójdę — odpowiedziałam, sięgając po torbę plażową.

— Nie wygłupiaj się! — Złapał moją rękę. — Nigdzie cię nie puścimy! Zaprosiłem cię przecież na kolację!

— Raczej na spacer — przypomniałam mu.

— Potem — szepnął. — Zjemy jajecznicę?! — zapytał wesoło w drodze do drzwi. — Kuchnia jest tu wspólna — wyjaśnił mi cel swojej wędrówki.

— Tak! — wykrzyknął bardzo blady Aleksander.

— Nie! — odezwałam się i tym zatrzymałam Waldka w połowie drogi.

— Nie lubisz jajecznicy? — zdziwił się.

— Lubię, ale Olo nie może jeść takich rzeczy — wyjaśniłam spokojnie.

— Dlaczego? — zdziwił się jeszcze bardziej.

Westchnęłam i od razu zaczęłam żałować, że wcześniej nie uprzedziłam Waldka o konieczności zastosowania specjalnej diety w stosunku do naszego chorego, który jakimś dziwnym trafem nabierał sił w bardzo szybkim tempie i te siły od razu zamienił na swój ulubiony okrzyk. Nie, nie, nie, rozbrzmiewało teraz w różnych tonacjach jak najgorsza muzyka. Bułeczkę? Nie. Serek? Nie. Biszkopty? Nie. Jedyne, na co miał ochotę, to jajecznica. I wyrażał to z taką mocą, że zauważyłam wahanie na Waldkowej twarzy.

— Ja bym nie ryzykowała — szepnęłam.

Waldek zerknął na mnie, potem na obrażonego syna i podjął męską decyzję, a mianowicie podszedł do drzwi i bez słowa opuścił pokój, zostawiając mnie sam na sam z chłopcem nadętym jak balon.

Rozdział 4

Następny dzień mojego pobytu w nadmorskim kurorcie rozpoczął się tradycyjnie. Oczywiście pożywne, pełne węglowodanów śniadanko, plażowe jarzynki w potrójnej ilości i kanapki, również w odpowiedniej liczbie. Do tego potężne fale, gorący piasek i bardzo zimny Bałtyk.

— Chyba nie wracam — poinformował mnie Waldemar po powrocie z kąpieli w lodowatym morzu, do którego też się wybierałam, ale jakoś na razie mi nie wychodziło. — Chyba zostanę jeszcze tydzień. Babcia nie przyjedzie, a tydzień to za mało, żeby Olo nabrał odporności. A ty, kiedy wracasz?

— Jeszcze nie wiem, ale chyba w niedzielę.

— W tę najbliższą?

— Raczej tak.

— Szkoda — zmartwił się.

Spojrzałam na moje nadal blade nogi, zerknęłam na wzburzone morze, szumiące dzisiaj ostro, zaczepiłam wzrok na płynącym w oddali statku handlowym, machinalnie poprawiłam włosy, zerknęłam na najbliżej leżącą sąsiadkę, na jej opalone na czekoladkę pośladki w podciągniętym prawie do pasa żółtym bikini, potem na jedzącego arbuza zachłannie i niezbyt apetycznie starszego pana, któremu sok z tego słodkiego owocu spływał po siwej brodzie, tworząc na piasku atrakcyjną czerwonawą plamę pomiędzy szeroko rozstawionymi nogami. Plama tworzyła dość dziwny — powiedziałabym: futurystyczny — obrazek, usiana wypluwanymi systematycznie czarnymi pestkami. Spuściłam głowę i spojrzałam na piasek spokojnie przesypujący się pod moimi palcami i pomyślałam, czy ja też nie powinnam jeszcze zostać, bo jeśli tydzień to za mało na odporność, to co dopiero na wciąganie zbawiennego jodu przez moją tarczycę.

— Gdzie Olo? — zapytałam zdziwiona panującą wokół mnie ciszą.

— Chyba jeszcze w wodzie — odparł Waldek obojętnie, kładąc się na brzuchu.

— Jak to w wodzie?! — oburzyłam się. — Sam?

— Nie — wybełkotał z twarzą w ręczniku. — Z dziewczynami z pokoju obok. Czasami się nim zajmują, nawet go do siebie wołają.

Uniosłam się na łokciach i mimo rażącego słońca otwarłam oczy szeroko. Włosy porywane podmuchami wiatru o niejednakowym kierunku zaczęły mi przeszkadzać, zakłócać ostrość spojrzenia. Sięgnęłam po okulary, ale trafiłam na porzucony, samotny, płócienny i na dodatek biały, więc twarzowy, kapelusz Waldka. Na półleżąco, zbierając włosy w miniaturową kitkę na czubku głowy, nadziałam to cudo, szczęśliwa, że już żaden kosmyk nie będzie mi się majtał przed oczami.

— Przepraszam — powiedziałam do Waldkowych pleców, bo powracając do leżącej pozycji, niechcący zahaczyłam stopą o jego nogę.

Nie odezwał się. Usadowiłam się jak Rambo pośród wydm i przypomniałam sobie kostium kąpielowy imitujący skórę węża. Byłby teraz idealny, wtopiłabym się w tło jak prawdziwy wąż na Saharze. Przymierzałam go przed wyjazdem, ale nie kupiłam, bo nie ma na świecie węży ciągle jedzących wielkie myszy, a tak w nim wyglądałam. Jak przeżarty wąż, który nie jest w stanie pełznąć dalej. Westchnęłam na wspomnienie mojej osoby w przymierzalni. Pal sześć węża, teraz muszę odnaleźć Aleksandra pomiędzy różnymi osobnikami pływającymi i podskakującymi w rozszalałym morzu.

Zaczęłam z wojskową skrupulatnością penetrację wzrokową najbliższego odcinka brzegu. Moje oczy jednak nie zarejestrowały obecności Aleksandra. Zaniepokoiłam się, ale mimo to postanowiłam nie wszczynać jeszcze alarmu, bo moje spojrzenie opuściło przeczesywany dokładnie brzeg i zaczęło systematycznie przeglądać głowy wystające z lodowatego morza, ale i tam nie zauważyłam okrągłej główki obstrzyżonej na króciutko w kolorze wypłowiałej słomy. Zdenerwowałam się jeszcze bardziej, ale nadal postanowiłam nie wszczynać alarmu, żeby nie wyjść na rozhisteryzowaną babę.

Usiadłam po turecku, zerknęłam na spokojnie leżącego Waldka, wyprostowałam plecy, wciągnęłam brzuch i odruchowo poprawiłam kostium, który opadając na dawne miejsce, wydał z siebie lycrowe puch! Wzruszyłam ramionami, uznając te zabiegi za nieistotne, i powróciłam do poszukiwań.

— Waldek! — zawołałam, ale Waldek nie wydał z siebie żadnego odgłosu. — Waldek! — powiedziałam głośniej, z ręcznika rozległ się tylko pomruk.

Nagle pomiędzy falami mignęła mi mała, jasna główka. Dałam spokój Waldkowi i skupiłam wzrok na podskakującym na fali materacu i chłopczyku w towarzystwie roześmianej kobiety, może wczasowej sąsiadki Waldemara, której przecież nie poznałam. Odległość i szalejące białymi grzywami morze zmusiło mnie do tkwienia w bezruchu. Całym moim ciałem zawładnął tak silny niepokój, że nie mogłam przestać wpatrywać się jak sroka w gnat w ten rozbujały czerwony materac. Oczywiście zaraz musiałam wyobrazić sobie najgorszy scenariusz.

Wersja pierwsza: nadchodzi fala, dziecko spada z materaca i zachłystuje się wodą. Kobieta panikuje i zamiast je ratować, ucieka w kierunku brzegu.

Wersja druga: fala uderza w nią, ona puszcza ten cholerny materac, który popychany morskimi prądami odpływa w dal przez nikogo niezauważony.

Wersja trzecia... Nie ma wersji trzeciej! Muszę zbudzić Waldka! On sobie nie zdaje sprawy z niebezpieczeństwa!

— Waldek! — zawołałam, nie obracając się, ale znowu nie usłyszałam odpowiedzi. Domyśliłam się, że po prostu zasnął obojętny na los swojego dziecka. Postanowiłam zbudzić go bardziej radykalnie, dlatego szybkim ruchem wyciągnęłam rękę w jego stronę i równie szybko ją opuściłam, chcąc nie za mocno uderzyć go w udo, ale zamiast uda, na które spodziewałam się natrafić, natrafiłam na inną część Waldkowego ciała. I choć to też miało formę walca, udem nie było.

— Uch… — usłyszałam jękniecie i zamarłam w bezruchu. Teraz najchętniej wkręciłabym się w piach jak pustynne zwierzaki. Dlaczego nie jestem krabem albo chociaż tym cholernym nażartym wężem, zawyłam gdzieś w środku i poczułam, jak ciepło — i to wcale niewywołane słonecznymi promieniami — pełznie po mojej szyi w kierunku twarzy.

Waldek pozbierał się jakoś po tym ciosie i usiadł, obejmując swoimi chudymi rękami równie chude kolana.

— Przepraszam — szepnęłam, zwijając się w kłębuszek. — Ja tylko, eee… chciałam cię zbudzić, bo Ola nie ma!

— Jak to nie ma? — zapytał zdziwiony.

— No nie ma! — powiedziałam łamiącym się głosem. — Nigdzie! Ani na brzegu, ani przy brzegu, ani dalej, ani bliżej! Może morze go porwało?! — zapiszczałam cienko.

— Może, może? — Spojrzał na mnie ze zmarszczonymi brwiami.

— No, morze — wskazałam mu palcem brzeg.

— A… — stęknął niewzruszony.

— Twoje dziecko! — zawołałam z palcem nadal wyciągniętym przed siebie.

— Co „moje dziecko"?

— No! Nie ma go! Nigdzie!

— Wątpię — mruknął i położył się z powrotem.

Miałam ochotę nim potrząsnąć, wkurzający był ten jego spokój. Odwróciłam się na tyle, na ile mi pozwoliła pozycja siedząca, i krzyknęłam, żeby wreszcie dotarło do niego to, co mówię:

— Waldek! Nie ma go nigdzie!

Wzruszył ramionami i wyciągnął lewą rękę w bok.

— Tam jest, ale miło, że mnie obudziłaś. Miło, chociaż troszkę brutalnie — szepnął rozbawiony i podłożył sobie ręce pod głowę. — Może poszlibyśmy gdzieś wieczorem?

Zamilkłam z dwóch powodów, po pierwsze, szczęśliwa na widok Ola, który cały czas był prawie na wyciągnięcie ręki, a po drugie, z powodu propozycji, która mnie zaskoczyła nie mniej niż widok chłopczyka bezpiecznie zajadającego żółtego banana o jakieś trzy do czterech ręczników dalej.

Słońce smażyło moje i tak już przysmażone plecy, wiatr od morza rozwiewał włosy, które nie chciały się ułożyć pod kapeluszem, rozgrzany piasek, jak to piasek, tkwił prawie nieruchomo wokół, a ja nie wiedziałam, co powinnam odpowiedzieć, bo po takim dotyku, którego nie zapomnę do końca życia, męski umysł mógł wyprodukować bardzo różne myśli, bardzo dwuznaczne myśli, które zakwitły i w mojej głowie. Waldek powrócił do poprzedniej pozycji i sięgnął po butelkę z wodą owocową. Upił z niej parę łyków, skrzywił się i spokojnie zakręcił korek. Odłożył ją i przykrył ręcznikiem.

— Poszlibyśmy gdzieś? — ponowił pytanie. — Telefon — dodał ni stąd, ni zowąd.

— Telefon? — zdziwiłam się.

— Twój! W torbie! Dzwoni!

Miał rację, wydobyłam go z torby i odebrałam.

— Halo!

— Bogusiu, córeczko! — zawołała mama głośno, a mnie się wydawało, że to jej „Bogusiu" słyszy cała plaża. — Dzwonię, bo wybieramy się z tatą do ciebie! Chcemy cię zabrać do domu samochodem, żebyś nie wracała sama pociągiem, bo to w dzisiejszych czasach wcale nie jest bezpieczne! I co ty na to?

Zaskoczyła mnie…

— To chyba yyy… nie jest dobry pomysł — odpowiedziałam, zerkając kątem oka na Waldemara, który udawał, że wcale nie interesuje go moja rozmowa.

— Ależ Bogusiu!! — Oburzenie mamy objawiło się podniesionym głosem. Maksymalnie docisnęłam aparat do ucha. — Dlaczego?

— Bo… bo… — zająknęłam się, szukając w myślach odpowiedniego argumentu.

— Bo już masz bilet — podpowiedział mi szeptem Waldek, grzebiąc palcem w piasku.

Zgromiłam go wzrokiem. Nie dość, że podsłuchuje, to jeszcze wtyka nos w nie swoje sprawy?

— Bo już mam bilet powrotny! — odpowiedziałam, obserwując pojawiający się uśmiech na jego twarzy.

— Taki bilet chyba można oddać? Powinni ci bez problemu zwrócić pieniądze! — wymyśliła mama i w tej chwili, patrząc na ruch głowy Waldka, mogłam jedynie wykorzystać jej biletową nieznajomość.

— Już się nie da.

— Nie da się? Dlaczego?

— Bo… bo… Kurczę, dlaczego się nie da? — wyszeptałam, przysłaniając dłonią mikrofon.

Waldek zwinął dłoń w piąstkę i udawał przybijanie pieczątki. Zajarzyłam.

— Bo już jest… — Zamachałam dłonią w jego stronę, bo zabrakło mi jednego, tego najważniejszego słowa.

— Ostemplowany… — szepnął.

— Ostemplowany! — powtórzyłam, szczerząc się w jego stronę z wdzięczności.

— Szkoda — westchnęła mama i uwierzyła w moją bajeczkę. Zrobiło mi się przykro, że ją okłamałam. — Spotkałam dzisiaj tego twojego ogolonego na łyso znajomego — powiedziała po niedługiej chwili milczenia.

— Rafała?

— Chyba tak.

— I co?

— Pytał, czy jesteś nad morzem.

— Serio?

— No serio! I w jakiej miejscowości. I czy sama. Zdenerwował mnie tymi pytaniami, bo co on sobie wyobraża, że pojechałaś tam z kimś? Nie rozumiem.

— Powiedziałaś mu, gdzie jestem? — zapytałam niecierpliwie.

— Powiedziałam.

— I co?

— Nic. Podziękował i odszedł.

— I nic więcej nie powiedział?

— Chyba… — zastanowiła się, czekałam w napięciu. — Powiedział chyba, że on też wybiera się nad morze, ale nie jestem pewna, czy w ten weekend, czy w następny.

— Powiedział, że jedzie nad morze? — upewniłam się.

— Wydaje mi się, że tak. Bogusiu, czy on się tam do ciebie wybiera?

— Nie wiem — odpowiedziałam i skurczyłam się z radości.

— Nie wiesz? — zapytała, wyraźnie mi nie dowierzając.

— Nie wiem — potwierdziłam stanowczo i mama zmieniła temat.

Poinformowała mnie jeszcze o ilości zrobionych przez siebie konfitur i dżemów z truskawek, o upartości mojego taty, poskarżyła się na opuchnięte nogi i skończyłyśmy rozmowę, która nie bardzo się kleiła. Myślałam już całkiem o czymś innym albo raczej o kimś całkiem innym. Spojrzałam wesoło na Waldka, ale on już nie wsłuchiwał się w rozmowę, ze spuszczoną głową przegrzebywał moją torbę w poszukiwaniu kanapki, którą znalazł z wyrazem tryumfu na twarzy, jakby upolował niedźwiedzia, a nie kromeczkę grahama. Odwróciłam głowę i zaczęłam się uśmiechać do spienionych morskich bałwanów, które wydawały mi się teraz najpiękniejsze na świecie. Westchnęłam, wstałam energicznie z ręcznika i zapominając o tysiącu otaczających mnie oczu, zaczęłam wpakowywać wszystko do torby. Powinnam wracać i przygotować się jakoś na przyjazd Rafała, bo on na pewno już zerwał z Majką i jedzie do mnie.

— Zbieramy się już? — usłyszałam za sobą.

Spojrzałam przez szeroko rozstawione nogi, Waldek stał idealnie za moim wielkim tyłkiem sterczącym w tej chwili jak u strusia. Wyprostowałam się szybko.

— Ja się zbieram, bo... bo muszę coś załatwić — skłamałam po raz drugi dzisiejszego dnia. Mam nadzieję, że nie wejdzie mi to w krew.

— Nie idziesz z nami na obiad?

— Dzisiaj nie.

— A z wieczorem jak? — zapytał, schylając się po

mój ręcznik. — Wybierzemy się gdzieś? — Podał mi poskładany w idealną kostkę.

— Zdzwonimy się — odpowiedziałam wymijająco.

Zostawiłam ich na plaży i popędziłam do pokoju gnana jedną myślą.

— Mój Rafcio przyjeżdża nad morze! — zachichotałam nerwowo. — Do mnie przyjeżdża, a skoro przyjeżdża, wprawdzie spóźniony prawie o tydzień, ale jednak, to widocznie z Majeczką mu nie wyszło.

Podeszłam do otwartego okna i wykrzyknęłam, zginając odpowiednio łokieć.

— *Yes! Yes! Yes!* — i zawstydzona schowałam się za firankę, bo niepotrzebnie zwróciłam uwagę przechodniów. Po szybkim obrocie rzuciłam okiem na bałagan w pokoju. — Muszę to ogarnąć — rzuciłam na głos modne obecnie słowo, robiąc przed lustrem dzióbek jak Marilyn Monroe na plakacie, który mam na ścianie w swoim pokoju. — I ogarnąć muszę siebie — powiedziało do mnie lustro takim samym dzióbkiem. — Dobra — kiwnęłam głową.

Pozbierałam porozrzucane ciuchy, z których stworzył się spory tobół, i wrzuciłam szybko na dno szafy, ale patrząc na bezładną stertę, zastanowiłam się przez sekundę. Może powinnam jednak poskładać porządnie, bo chyba zostanę tu jeszcze tydzień.

— Potem... — szepnęłam i docisnęłam drzwi, które docisnąć nie bardzo się chciały.

Szafa z delikatnym skrzypnięciem otwarła się powolutku i to, co udało mi się do niej wepchnąć, wypłynęło cicho z powrotem na podłogę, na szczęście na jedną solidną kupkę do szybkiego zgarnięcia.

— Kurczę — burknęłam pod nosem, jeszcze raz pozbierałam, wrzuciłam wszystko do szafy i spróbowałam ją domknąć, wspomagając się prawym kolanem. Tym razem drzwi zamknęły się rewelacyjnie. Na wszelki wypadek wepchnęłam między nie złożoną w kwadracik pocztówkę, którą planowałam wysłać do ciotki. — Kupię nową i ładniejszą — powiedziałam głośno. — I napiszę coś bardziej interesującego niż „Pozdrowienia znad morza" podpisane „Bogumiła Korzycka" — dodałam, spoglądając na swoje łydki. Schyliłam się i przejechałam po nich dłonią. — O rany! — wykrzyknęłam. — Mam na nogach ściernisko!

W drodze do łazienki zaczęłam się zastanawiać, dlaczego kobiety tak się muszą męczyć i dlaczego na naszym ciele nie może być ani jednego włoska, na nogach, pod pachami, a teraz, zgodnie z obowiązującą modą, również i tam! A faceci? Kępy kłaków zwisają im spod pach i to jest niby w porządku, że tego nie usuwają, tylko leżąc na plaży, eksponują te zagajniki? A my nie możemy tak jak oni. Dlaczego? Albo te ich wygodne gacie, nieuciskające ani jednego centymetra ich delikatnego ciała. A my wciskamy się w bieliznę z twardymi fiszbinami albo „seksowne" stringi z drapiącej koronki. A buty?

Nasze, na niebotycznych obcasach i o wąskich, gniotących palce noskach, odpowiedzialne za halluksy na starość, delikatne czółenka chyboczące się na cieniutkiej szpileczce obok męskich — rozlazłych i wygodnych. Dlaczego?

— O Matko! — jęknęłam. — Ale to boli! Cholera! Tu bardziej niż na nogach! O nie! Nie mam zamiaru tak cierpieć! — krzyknęłam, starając się oderwać plaster z woskiem. — Niech to sobie blondynki robią! — zawarczałam przez zaciśnięte zęby, ostrożnie unosząc wyjątkowo porządny plaster. — O, nie! — zmrużyłam oczy, patrząc na moje dzieło. — Nie będę się katować! — zdecydowałam w momencie i z nie do końca odlepionym plastrem wyszłam dziwnym krokiem z łazienki. — Nie muszę tak cierpieć, nie muszę być modna, nie muszę być... — szarpnęłam. — Auuu... — krzyknęłam i spojrzałam w lustro. — Fajnie — mruknęłam do mojego odbicia. — Mam teraz półłysego irokeza.

Zmęczona gorącą kąpielą i niewątpliwie bolesnymi zabiegami kosmetycznymi walnęłam się całą sobą na łóżko i poczułam pustkę w brzuchu. Wstałam, wyjęłam z woreczka ostatnią dyniową bułeczkę i z przyjemnością zatapiając w niej zęby, postanowiłam zadzwonić do mamy.

— Hej, mama — wybełkotałam, przesuwając językiem ugryziony kawałek.

— Hej, córeczko! U ciebie też tak ciepło? Wczoraj wieczorem oglądałam prognozę na wszystkich możliwych programach i wszyscy, wyjątkowo zgodnie, zapowiedzieli burze. Nad morzem też. Bogusiu, czy ty wzięłaś parasol?

— Mhm... — mruknęłam, odgryzając kolejny kawałek bułki.

— Muszę ci się pochwalić! Tata kupił mi takie śmieszne urządzenie do telefonu, które zakłada się na ucho, i teraz przy rozmowie mam wolne ręce i mogę chodzić po całym domu, dobrze cię słysząc — zaśmiała się.

— Mama, to jest słuchawka...

— A skąd ty to wiesz?

— Wszyscy to wiedzą — mruknęłam.

— Tak?! — zdziwiła się. — To tylko ja nie wiedziałam? — posmutniała. — A po co ty dzwonisz? Potrzebujesz czegoś, kochanie?

— Tak. Twojej porady.

— To czekaj, wrzucę tylko do pieca blachę z ciastem i już cię słucham.

— Okej… — westchnęłam, dziękując samej sobie za wybór abonamentu z dodatkowymi darmowymi minutami.

Oczekując powrotu mamy, zastanawiałam się, czy powinnam już wstać, czy jeszcze chwilkę odpocząć. Z telefonem przy uchu poprawiłam zsuwający się z mojego trochę bolącego, choć idealnie gładkiego ciała ręcznik i w tym momencie od strony drzwi rozległo się energiczne pukanie. Zadrżałam. Rafał?! Tak wcześnie? Rzuciłam telefon na łóżko i owinięta szczelnie, bo to, co przed chwilą zrobiłam, ma być niespodzianką, cichutko podbiegłam do drzwi. Przyłożyłam do nich ucho, ale nic nie usłyszałam, więc na wszelki wypadek zapytałam:

— Kto tam?

— Właścicielka. W sprawie pokoju!

Odetchnęłam i rzuciłam się na klamkę.

— Dzień dobry — odezwała się i nie pytając o zgodę, weszła, rozglądnęła się, a ja uśmiechnęłam się zadowolona, że upchałam ciuchy.

— Pani Korzycka — zaskrzeczała jak mewy na dachu. — Pani jutro wyjeżdża. Pani wie, że doba kończy się o dwunastej? — zapytała z poważną miną starej księgowej i rozsiadła się na jedynym krzesełku w tym pokoju. Zawinięta w skąpy ręczniczek zakrywający tylko to, co koniecznie trzeba było zakryć, z mokrymi i nastroszonymi włosami stanęłam pokornie na środku.

— Tak, wiem, ale ja właśnie chciałam...

Uniosła głowę i rzuciła mi badawcze spojrzenie znad opuszczonych na sam koniec nosa okularów.

— Chce pani zostać?

— Tak! — kiwnęłam energicznie głową, dodając przekonujące mruganie oczami.

Spojrzała na mnie, nie wiem dlaczego, odrobinę ironicznie. Z uśmieszkiem błądzącym wokół ust poprawiła okulary i opuściła głowę. Czy to takie dziwne, że ktoś chce wykorzystać urlop w pełni? Że chce wypocząć i nawdychać się jodu? No dobra, jak Rafał przyjedzie, to mogę tak bardzo nie wypocząć, ale ona tego nie wie. Zaszeleściła kartkami, ponownie poprawiła okulary, stęknęła, jakbym chciała nie wiadomo czego, i w końcu zaszczyciła mnie swoim wyzutym z uczuć spojrzeniem.

— Ale nie w tym pokoju, ten mam już wynajęty.

— Nie ma znaczenia! — prawie wykrzyknęłam. — Jeśli ma pani jeszcze jakikolwiek...

Znowu opuściła wzrok na karteluszki.

— Mam wolne tylko poddasze... — szepnęła jakby do siebie. — Mogę je przygotować dopiero na jutro wieczór, nie dam rady wcześniej — dalej mruczała pod nosem. Nagle spojrzała na mnie. — Będzie pani musiała gdzieś się podziać do wieczora.

— Nie ma problemu! — zawołałam szczęśliwa, modląc się w duchu o w miarę duże łóżko albo chociaż rozkładaną kanapę.

Patrzyłam, jak wypisuje kwit, i delikatnie urywa go z grubego bloczku. Teraz należało wyjąć pieniądze. Rozglądnęłam się w poszukiwaniu plażowej torby, w której miałam portfelik w kolorze południowych mórz, ale jej nie znalazłam.

Podeszłam do szafy i szarpnęłam pozginaną pocztówkę. Wyjątkowo spokojnie patrzyłam, jak zawartość powoli spływa na podłogę.

Pac! — zaczęły dżinsy, uderzyły paskiem o podłogę, potem wysunęła się spódnica, a za nią powoli wypełzła reszta, tworząc kolorową piramidę pogniecionych szmat. Z miną osoby, której nic nie jest w stanie zaskoczyć, przytrzymując ręcznik na wysokości biustu, wydłubałam ze sterty szmat plażową torbę, a z niej turkusowy portfelik, a z niego tylko dwa banknoty, które zaszeleściły w mojej dłoni złowróżbnie.

— Yyy… mam chyba za mało.

Właścicielka spojrzała na stertę za moimi plecami, potem na moją rękę i westchnęła jak królowa na jedynym w tym pokoju krześle, dzierżąc w ręce długopis jak berło.

— Proszę mi to podać — władczo wskazała kwitek, który wcześniej pofrunął w moją stronę, i z trudem zatrzymał się na brzeżku stolika. — Wypiszę zaliczkę… — stęknęła z cierpieniem w głosie.

I wypisała. Pieczołowicie poskładałam kwitek i włożyłam go do portfelika.

— Przejdzie pani ze mną zobaczyć pokój? — zapytała, z trudem unosząc się z krzesełka.

— Teraz? — zdziwiłam się. Czyżby nie zauważyła, że tkwię koło niej w ręczniku!

Z przyjemnością zamknęłam za nią drzwi.

— Halo! — maminym głosem zawołał telefon leżący spokojnie na łóżku. — Bogusiu! Halo, halo! Córeczko! Uuuuuuu! Jesteś tam?

Rzuciłam się na niego. Cholera, stracę wszystkie minuty!

— Jestem! — wysapałam.

— Czy ty chcesz, kochanie, zostać jeszcze tydzień?

Zdałam sobie sprawę, że mama słyszała moją rozmowę.

— Jeszcze nie wiem — odpowiedziałam zgodnie z prawdą.

— A co z biletem? Da się jednak oddać?

— Yyy... No... spróbuję zamienić — wybrnęłam.

— Jeśli chcesz zostać, to zostań — oznajmiła wesoło mama. Miałam zapytać, skąd taka nagła zmiana, ale nie zdążyłam, bo mama zaraz dodała zmartwionym głosem: — Tylko, kochanie, zabrałaś za mało rzeczy! Nie wzięłaś kurtki ani czapki, a zapowiadają ochłodzenie i deszcze.

Już chciałam dodać, że ciepłych majtek też nie wzięłam, ale nie dodałam.

— Jakoś dam sobie radę!

— To może jednak wracaj... — zadecydowała za mnie.

— Nie mogę...

— Dlaczego?! — oburzyła się. — Czy ty może czekasz na tego chłopaka?

— Ten chłopak ma na imię Rafał — przypomniałam jej. — I nie czekam na niego! On tu nie przyjedzie! — skłamałam dla świętego spokoju.

— Nie...? — przeciągnęła niedowierzająco. — Przecież pytał, gdzie ty jesteś. Po co?

— Nie wiem — stęknęłam. — Może chciał tylko wiedzieć. Nie powiedziałam mu.

— Bogusiu... — jęknęła z wyraźnym wyrzutem w głosie.

— Oj, mama! — zdenerwowałam się.

*

Stojąc nieco niedbale przy szafie, odziana tylko w bieliznę, przyłapałam się na tym, że zamiast komponować odpowiedni strój na przywitanie Rafała, rozmyślam o rybie, której zapach dolatywał przez otwarte okno, i dlatego przeglądając mój osobisty butik, będący teraz w zupełnym nieładzie, nie mogłam się zdecydować, czy powinnam włożyć którąś z nowych spódnic i czy, jeśli zdecyduję się na spódnicę, to dobrać do niej koszulkę z napisem „*Yes*" czy lepiej „*I love you*", żeby wiedział, że za nim tęskniłam, albo może z napisem na plecach „*Fuck me*". Nie, skrzywiłam się, to by było zbyt oczywiste. Przyznaję, że mam na to ochotę, ale czy muszę kłuć go tym w oczy? Niech się sam domyśli.

Uderzając dłonią w drzwi otwartej szafy, zdecydowałam się na szybkie wyjście. „Na podwójne polowanie". Pierwsze i najważniejsze to zapiekanka z pieczarkami i serem, najlepiej podwójnym, jak w pizzy. Po drugie, bankomat i *money, money*! Bo już nie mam, nie licząc drobnych.

— Dzień dobry! — uśmiechnęłam się do chłopaka od zapiekania zapiekanek.

— Dzień dobry! — odpowiedział, ale się nie uśmiechnął.

— Chciałam... yyy... — Spojrzałam w szybkę pieca i wyszczerzyłam zęby w zniewalającym uśmiechu. — Można chcieć więcej sera?

— Nie — padła sucha odpowiedź.

Fajny rudzielec, pomyślałam, patrząc na jego piegowaty nos.

— Dlaczego? — Spojrzałam kokieteryjnie.

Wzruszył obojętnie ramionami.

— Bo dostaję gotowe — mruknął.

— Aha... To jedną proszę, taką wypieczoną.

— Okej. — Obrócił się w stronę pieca.

Pooglądałam go sobie. Mój wzrok dostarczył mózgowi dość przyjemnych wrażeń. Wysoki, szerokie bary, tyłeczek nawet, nawet, spodenki markowe, nie zobaczyłam tylko jego butów, ale też na pewno niezłe. Od razu wzbudził moją sympatię. Kurczę! Może powinnam zamówić dwie zapiekanki? Do wieczora będę głodna.

— Hej! — zawołałam i oparłam się łokciami o ladę.

Odwrócił się.

— Wezmę jeszcze jedną! — i widząc jego zdziwioną minę, dodałam: — Dla koleżanki!

— Okej — zaśmiał się. — A już myślałem, że dla ciebie — zmierzył mnie wzrokiem i zatrzymał się na moim dekolcie. Mimowolnie zerknęłam w dół.

— No co ty! — wyprostowałam się, poprawiając ramiączka koszulki.

Dołożył drugą do pieca i nie obracając się, zapytał:

— Jesteś sama czy ze starymi?

— Z kumpelą, a co? — Ostatnio ciągle kłamię.

Wzruszył szerokimi ramionami, obrócił się, oparł dłońmi o ladę i uśmiechnął się zabójczo, wychylając się w moją stronę. Coś we mnie podskoczyło. Facet mnie podrywa! *Wow!*

— Tak pytam — powiedział trochę nonszalancko i poruszył znacząco rudymi brwiami. — Kończę o dwudziestej drugiej, moglibyśmy gdzieś pójść.

— Yyy... no... — jęknęłam zaskoczona.

— Lubię takie dziewczyny jak ty... — szepnął i błysnął bielutkimi zębami.

— Takie jak ja? — zapytałam, oczekując pochwały mojej urody.

— No... — znowu poruszył brwiami. — Mam ksywę Rubens... — dodał tajemniczo.

— Czemu cię tak nazywają?

— Nie wiesz?

— Nie.

— Lubię takie babki, jakie on malował, przy kości...

Czułam, że tak mi odpowie. Uśmiech zamarł na mojej twarzy, spojrzałam na niego, starając się wyglądać jak kostka lodu.

— Chyba nie dam rady — rzuciłam obojętnie, po czym głową wskazałam piec, z którego wypełzła wąska niteczka szarego dymu. — Rubens! Zapiekanki ci się jarają.

— O kurwa! — wykrzyknął. — Znowu się nie wyłączył!

Rzucił się w stronę pieca i usiłował otworzyć gołymi rękami gorące drzwiczki. Patrzyłam spokojnie, jak macha poparzonymi rękami i wydaje z siebie nerwowe odgłosy. Ściereczka leżąca na ladzie obserwowała jego zmagania z takim samym spokojem jak ja.

No i po zapiekankach, zaśmiałam się w duchu, straciłeś, Marcheweczko, dwie ogromne bułeczki, z satysfakcją zaśpiewała moja dusza, której przed chwilą, być może bezwiednie, dokopał. Uśmiechnęłam się idiotycznie.

Wróciłam do pokoju w świetnym humorze, gryząc chrupiącą, parzącą mnie w usta, pachnącą serem i pieczarkami, zapiekankę. Rozkoszowałam się jej wybornym smakiem. Z pierwszą podeszłam do bankomatu. Włożyłam kartę i wpatrzyłam się w niewyraźny ekran. Powoli, krok po kroku wykonywałam polecenia, zastanawiając się, ile powinnam pobrać gotówki, żeby nie nosić jej wszędzie ze sobą, gdy uroczy ludzik, uśmiechając się do mnie, powiedział albo raczej napisał, że nie posiadam na koncie ani grosza, i dodał z obojętnością automatu:

— Wyjmij kartę!

— Chyba upadłeś na głowę! — warknęłam i z zapiekanką w zębach spróbowałam jeszcze raz, ale jak na automat przystało, był bezlitosny: — Nie posiadasz już środków! Wyjmij kartę!

Jak to nie posiadam?! Te cholerne środki powinny jeszcze tam być, więc czemu ich nie ma?!

Ostatnia próba i rezultat ten sam, a za mną kolejka. Akurat teraz wszyscy chcą wypłacić pieniądze, akurat teraz! Przed chwilą było pusto!

— Co? Bankomat nie wypłaca? — usłyszałam pytanie zadane damskim głosem i męski komentarz do niego:

— Jak się nie ma na koncie, to nie wypłaci... — Rechot nieco grubiański.

— To po co ta dziewczyna tam stoi? — odezwał się pierwszy głos, rozpraszając moje bankowe skupienie.

— Może myśli, że jej da na piękne oczy... — znowu ten sam rechot.

— Albo na co innego… — nowy głos, również męski. — Ja bym dał…

— No co pan! — oburzenie w głosie pierwszym, tym damskim.

— No… dałbym…

Wyjęłam z ust zapiekankę, z bankomatu kartę i nie odwracając się, odeszłam, żeby spokojnie przeanalizować swoje wydatki. I, o zgrozo! Z dogłębnej analizy wynikało, że to nie ja mam rację, tylko ta wmurowana w ścianę maszynka!

Usiadłam na ławeczce nieopodal fontanny, która sikała ledwo, ledwo, ale za to rozprowadzała chłodną mgłę po całym otaczającym ją chodniku, tworząc coś na miarę oazy w samym centrum rozgrzanego upalnym latem miasteczka. Miło było usiąść w cieniu dębu i wsłuchując się w szelest liści, rozmyślać, mimo chwilowego braku gotówki, skąd ją wziąć w miarę szybko.

— Cześć, tata — odezwałam się do jedynego mojego sponsora, który na ogół nie odmawia.

— Witaj, córeczko! Stęskniłaś się za starym ojcem?

— Yyy… — zaskoczył mnie. — Nie! Eee… to znaczy tak!

— To nie czy tak?

— Oj, tata — zniecierpliwiłam się.

— Czyżby „kochane pieniążki przyślijcie rodzice”?

— Skąd wiesz?

— Bo dzwonisz. Ile?

— A ile możesz? — zapytałam podchwytliwie i pośpiesznie dodałam: — Oddam z wypłaty…

— Mhm… — zaśmiał się. — Stówę?

— Ulituj się! — jęknęłam. — Stówę na tydzień?

— To ile?

— Dziesięć, dwanaście — spróbowałam.

— Przecież to cała twoja wypłata! — roześmiał się. Nie cierpię prosić, ale tym razem nie miałam wyjścia. Rafał, o ile go znam, jak zawsze nie będzie miał przy sobie za dużo.

— *Please...* — jęknęłam najlepiej, jak umiem.

— Zrujnujecie mnie obie — stęknął, ale usłyszałam, że raczej na wesoło, więc nie jest źle. — Masz szczęście, że siedzę przy kompie, tylko, że... — zawiesił głos — ja chyba nie mam numeru twojego konta.

— Ojej! Nie drocz się ze mną, masz numer!

— Ale, cholera, jakoś go nie widzę.

— Tatusiu... — miauknęłam przymilnie.

— Co te pieniądze czynią z człowieka... — mruknął jakby do siebie. — Co czynią... Masz na koncie — odezwał się normalnie.

— Dzięki, tatku!

— Mhm... Pa, bo nie mam czasu.

— Pa...

Przez tęczę, jaką zobaczyłam w obłoku mgły z fontanny, pobiegłam do bankomatu z dumnie podniesiona głową.

— Kocham cię, tatku — szepnęłam, wyciągając wyplute przez ludzika pieniądze i szczęśliwa, zdecydowana nie oglądać po drodze żadnych pamiątek, udałam się do mojego wynajętego na czas wakacji pokoiku.

Idąc po schodach z kwitkiem w ręce, pomyślałam, że powinnam zadzwonić do Nieczaja i potwierdzić mój dalszy urlop, ale przełożyłam to na poniedziałek. Właściwie mogłam to zrobić wczoraj, ale wczoraj jeszcze nie byłam pewna, czy zostanę, nawet dzisiaj rano nie byłam pewna, jeszcze przed chwilą nie byłam tak pewna, jak jestem w chwili obecnej.

— Kocham cię, życie! — zaśpiewałam i na paluszkach pobiegłam w stronę prysznica. Zgrzałam się, zdobywając gotówkę.

Ciepła woda cudownie zabębniła w moją głowę i plecy, a ja pomyślałam, że jestem okropnie podkręcona. Tak, podkręcona, że aż żołądek z radości podjeżdża mi do gardła.

— Rafałku, przybywaj! — zawołałam, przekrzykując szum wody. — Będę ci na plaży smarować plecki, a potem, pod prysznicem, będę ci myć te plecki z piasku, a potem pójdziemy na łososia i gofry, i naleśniki z owocami, i na zapiekankę.

Zmarszczyłam brwi. Na zapiekankę nie, wkurzył mnie ten Rubens, niech sobie sam zjada te swoje bułeczki z pieczarkami. Albo tak, pójdziemy na zapiekanki, niech wie, że mam chłopaka, niech sobie zobaczy i już nigdy więcej nie porusza tymi swoimi rudymi brwiami do dziewczyny, której wcale nie zna.

Zakręciłam kurki, sięgnęłam po ręcznik zawieszony na drzwiach kabiny i z przyjemnością powycierałam opalone na złoty kolor ciało pozbawione niepotrzebnych włosków.

I z tego zadowolenia postanowiłam zadzwonić do Rafała i dowiedzieć się, o której będzie.

— Cześć, Rafał... — „zaśpiewałam", puszczając w zapomnienie paskudną wiadomość, jaką mu zostawiłam dwa dni temu na poczcie głosowej.

— Cześć — odburknął jak ostatnio.

— Jedziesz już?

— Dokąd?
— Do mnie. Nad morze.
— Skąd wiesz?
— Mama mi powiedziała…
— Wiedziałem, że ci wychlapie…
Udawałam, że nie usłyszałam.
— O której będziesz? — nadal przytrzymując ręcznik, rzuciłam się na poszukiwanie ślicznego turkusowego zegarka, który powinien być na kanapie, ale jakoś go tam nie było. Domyśliłam się, że zgarnęłam go do szafy razem z kupą ciuchów i teraz znajduje się gdzieś pomiędzy nimi.
— O dziewiętnastej…
Z telefonem przy uchu stanęłam nad ciuchami.
— Mama dała ci mój adres? — zapytałam, przekopując nogą zwałowisko. Liczyłam na to, że zegarek sam się wysunie.
— Po co?
Zatrzymałam nogę.
— Jak to po co? Gdzie będziesz spał, jak mnie nie znajdziesz?
— A co ciebie to…
Dojrzałam zegarek.
— Nie rozumiem — zatrzymałam się ze stopą zawieszoną jakieś dziesięć centymetrów nad podłogą.
— Czego nie rozumiesz, nie będę u ciebie spał! Mamy nocleg.
— Mamy? — zapytałam, rezygnując z podniesienia zegarka. Nawet nie spojrzałam, która jest godzina.
— No… mamy.
Napięłam się cała.

— Z kim jedziesz? My to znaczy kto? — wysyczałam, przyciskając mikrofon do ust.

— No... my — odpowiedział jak zawsze bardzo inteligentnie.

— Pytam, kto to my?! — krzyknęłam.

— No... Majka i ja — wydusił z siebie wreszcie.

— Co?! — krzyknęłam, bo wydawało mi się, że się przesłyszałam.

— Kurde! Ogłuchłaś?!

— Kurde! Nie! — wrzasnęłam i się rozłączyłam.

Dobrze, że nie pozbierałam jeszcze z podłogi plątaniny ciuchów, bo rzucony z wściekłości smartfon wylądował bezpiecznie w samym jej środku i rozdzwonił się chyba z żalu, bo ja z tego samego żalu i tej samej wściekłości wypowiedziałam na głos słowa, których na ogół nie używam:

— Kurde, kurde, kurde! — Podniosłam telefon i mocno pacnęłam palcem w ekran. — Czego?! — warknęłam jak paskudny pies mojej sąsiadki, który z zasady warczy na wszystkich.

— O, jak miło mnie witasz! — usłyszałam radosny i spokojny głos Waldemara.

— Przepraszam — zaczerwieniłam się, ale on na szczęście tego nie zobaczył. — Myślałam, że to... — nie dokończyłam.

— Rafał? — zapytał, kończąc za mnie.

— Nie! To znaczy tak! Kurczę, ale świnia, wiesz?! — jęknęłam i zdałam sobie sprawę, że moje pytanie jest bezsensowne, bo skąd Waldek mógłby wiedzieć, że Rafał jest świnią. Zaczęłam wyrzucać z siebie nagromadzone emocje wzburzonym głosem: — Kurczę! — wykrzyknęłam.

— No nie mogę! Jaki podły! A ja myślałam...! Kurczę! Bezczelny! No, gnojek po prostu! O szlag! Myślałam, że on do mnie, a on z tą, tą...! Jaka ja głupia jestem! — rozpłakałam się.

— Hej! Wyluzuj! — odezwał się cicho. — Bo... Nie becz...

— Łatwo ci powiedzieć! — wychlipałam do telefonu.

— Mam przyjść? — zapytał, a ja pomyślałam, że mógłby tu być, miałabym się na czym wypłakać. Męskie ramię jest idealnym miejscem do tego celu.

— Nie — odpowiedziałam — ale możesz mnie gdzieś zabrać. — Głośno wydmuchałam nos.

— Okej...

Odłożyłam telefon i usiadłam na łóżku całkowicie rozbita. Musiałam ochłonąć, za dużo wrażeń jak na jeden dzień. Łzy wyschły, majtki, jedne z ostatnich czystych, użyte do wysuszenia kataru, nie. Zatrzymałam nieprzytomny wzrok na otwartej szafie i kipiącej z niej stercie paskudnych, skotłowanych szmat, które jeszcze przed chwilą chciałam porządnie poskładać, ale w obecnym moim stanie było to niewykonalne, tak jak i pozbieranie się na spotkanie z Waldemarem. Pomysł, abyśmy się spotkali w tym samym miejscu co ostatnio, wydał mi się w tej chwili całkowicie nierealny. Najzwyczajniej w świecie nie chciało mi się tam dreptać. W ogóle nic mi się nie chciało. Nawet zostać na następny tydzień. Może uda mi się zrezygnować z pokoju i odebrać pieniądze? Wzruszyłam ramionami.

— Wątpię... — mruknęłam — najwyżej stracę. — Zerknęłam na zegarek i krzyknęłam: — O cholera! Spóźnię się! W co ja się mam się ubrać? — jęknęłam na widok bezładnej sterty ubrań i zaczęłam w przyspieszonym tempie przerzucać z podłogi na łóżko kolejne oglądane szmatki. Najpierw bielizna... Powinna być seksowna czy wygodna?

Wybrałam to pierwsze. Powinna być seksowna, bo przecież gdzieś chce mnie porwać, więc mimo wszystko powinnam seksownie wyglądać, tyle mogę dla niego zrobić. No, może niekoniecznie jest tak w moim wypadku, co stwierdziłam, oglądając kipiący od tłuszczu brzuch, ale biust, w wielkości dorodnego żółtego melona, umiejscowiony w koronkowym biustonoszu z fiszbinami, prezentował się całkiem, całkiem, nawet jak na moje oko.

W związku z tym biustonoszem oczywiście wywiązała się niezbyt miła rozmowa z moją mamą. Zdecydowałam się na ten element bielizny, będąc we wspaniałym humorze z powodu nadejścia długo przeze mnie oczekiwanej wiosny, i tak jak po tę za małą spódnicę, która do tej pory tkwi na dnie szafy, a w którą zmieszczę się po powrocie, udałam się z koleżanką na zakupy. Gdybym się na nie wybrała z mamą, nie miałabym teraz tego supermodelu, który mojej mamie wyraźnie nie przypadł do gustu. I stąd ta rozmowa, w której, jak zawsze, dyplomatycznie zasłaniając się najświeższą gazetą, nie uczestniczył ojciec.

— Kochanie — powiedziała do mnie mamusia i wzięła głęboki wdech: — To nie jest model dla ciebie — stwierdziła autorytatywnie.

— Dlaczego? — zapytałam, powoli tracąc wspaniały humor.

— Masz duży biust! — jęknęła.

— No i? — zapytałam zaczepnie.

— No i... — powtórzyła jak echo mama. — Powinnaś nosić klasyczny biustonosz, tak jak ja — dodała stanowczo i spojrzała na mnie wymownie.

Chciałam wykrzyknąć: „Jasne!", ale zamiast tego, jak zawsze, przytaknęłam, chowając zakup na dno szuflady, ale że byłam z niego bardzo dumna, włożyłam go rano i spędzone w nim osiem godzin w biurze było katorgą nie do opisania. Wściekła wróciłam do domu i nie przyznając się do swojego cierpienia, z ulgą i westchnieniem wrzuciłam mój przecudowny koronkowy biustonosz wprost do szuflady, gdzie ułożył się smętnie pod stertą majtek. Z przyjemnością zasunęłam szufladę...

Udało mi się wreszcie skompletować zestaw, który ewentualnie nadawał się na spacer, dyskotekę i siedzenie w kawiarence.

— Może być, chociaż mogłoby być lepiej — westchnęłam, spoglądając w duże lustro przy samych drzwiach. Moje odbicie miało grymas niezadowolenia na twarzy, który niespecjalnie mi się spodobał. Próbowałam go zmienić, ale powracał jak australijski bumerang. — Kurczę! Magda Gessler jak nic! — mruknęłam — Nie sądziłam, że jestem aż tak łudząco do niej podobna.

Po tym stwierdzeniu grymas powrócił i pobiegł ze mną, bo byłam już okropnie spóźniona.

— Przepraszam! — wołałam koło knajpy z pizzą. — Przepraszam! — wołałam koło lodziarni i głupiej, milczącej w tej chwili kaczuszki. — Przepraszam! — wołałam, podtrzymując ręką rozszalały biust. W dłoni dzierżyłam idiotyczną, zsuwającą mi się z ramienia torbę, która też powinna wołać „Przepraszam!" razem ze mną, bo udało jej się zaliczyć głowę jakiegoś dziecka i dwa słupki, wyhamowując mój rozpęd. — Sorry! — zawołałam, bombardując dość przystojnego osobnika, który ukazał się nagle zza budki z pamiątkami. Osobnik jęknął i skręcił się nieco. — Sorry! — powtórzyłam, patrząc na niego błagalnie. Nie chciałam przecież.

— Nic się nie stało — wystękał, trzymając się za brzuch.

Reszta grupy, która wyłoniła się tuż za nim, wpadła w nieuzasadniony rechot.

— Ty, ale ci się trafiło! Ło...

— Taka, jakby cię przygniotła, to oddechu nie złapiesz!

Przystojniak skrzywił się jeszcze bardziej. Do chłopaków dołączyły dziewczyny chude jak patyczki, w modnych dżinsach na swoich patykowatych nogach.

— Kris! — zawołała jedna. — Ty podobno dziewczyny szukasz. Patrz, sama na ciebie wpadła! *Wow!* — Zmierzyła mnie rozbawionym wzrokiem.

Spojrzałam na nich lodowato, odwróciłam się i ruszyłam w stronę molo. Już się nie śpieszyłam.

*

— Zamów mi jeszcze raz to pomarańczowe coś! — zawołałam, przekrzykując muzykę. — Waldek! — Szarpnęłam go za rękawek koszulki. — Zamów mi, proszę! — Machnęłam mu pustą szklanką przed samym nosem. — Hej! Zobacz! Mam pustą szklaneczkę! Hej!

— Zaraz, Bo! — też się rozdarł. — Czekam na barmana!

— Wal…dek! — Odbiło mi się. Fuj! — Wal…dek! — rozdarłam się — Wiesz, jak ja mam na imię?

— Co?

— Wiesz, jak ja mam na imię?! — wrzasnęłam głośniej, bo rozglądał się teraz na wszystkie strony, zamiast patrzeć na mnie.

— Co? — zapytał jeszcze raz i podniósł rękę z pustą szklaneczką. — Czekaj! Już idzie!

— Kto? — Wytrzeszczyłam oczy, ale jakoś obraz zaczął mi się rozmazywać, a obcasy zaczęły się wykrzywiać w różne strony i może dlatego trudno mi było ustać w jednym miejscu. Z całej siły złapałam blat baru i postanowiłam trzymać go bardzo mocno, na wypadek gdyby te moje obcasy chciały beze mnie dokądś pójść, ale na razie nie szły, a nawet się trochę uspokoiły.

— Wal…dek!

— Chodź. — wziął mnie za rękę z trudem oderwaną od blatu.

— Wal…dek! Wieszszsz, jak ja mam na imię?!

— Bo… — zaśmiał się, odstawił szklanki i pociągnął na środek sali, pomiędzy ludzi tańczących dość spazmatycznie w takt niezbyt lubianej przeze mnie piosenki.

Ciągnięta przez Waldka czułam się bezwolna, moje stopy szły same, obcasy same, kolana i uda też same. Spódnica sama, koszulka sama, rzęsy same, policzki same, tylko usta były wyjątkowo zdecydowane.

— Wal…dek! — podjęłam nową próbę przedstawienia się, ust już chyba też nie kontrolowałam. — Wieszszsz, jak ja mam na imię?! — wykrzyczałam mało zrozumiałym nawet dla mnie samej bełkotem.

— Nie! — odkrzyknął.

— Nie? — zdziwiłam się i natychmiast postanowiłam mu powiedzieć.

Nabrałam pełne płuca powietrza, uwzględniając oczywiście moc znajdujących się koło nas głośników, i rozdarłam się. Nie uwzględniłam tylko jednego. Nie uwzględniłam tego, że akurat teraz, akurat w tej chwili, akurat, gdy otwarłam usta, akurat, gdy nabrałam tego cholernego powietrza... Didżej przestał miksować i zrobiło się jakoś jaśniej niż poprzednio.

— Bogumiła! — rozdarłam się na cały głos w zupełnej ciszy i zamarłam. Miliony twarzy z milionami par oczu odwróciły się w moją stronę. Przestali rozmawiać, przestali się śmiać, przestali iść w stronę swoich stolików, w stronę baru. Barman też zastygł z głupią ściereczką w dłoni, a ja stałam, stałam na samym środku przytrzymywana przez Waldka, bo świat teraz zawirował mi przed oczami jeszcze bardziej albo jakoś inaczej. Minęło parę sekund, ktoś parsknął śmiechem, didżej popchnął płytę, zgrzytnęła kpiąco, spojrzałam na Waldka, on też nie patrzył na mnie tak jak dotychczas, w momencie spłynęło na mnie wściekłe gorąco. Odzyskałam wzrok i czucie na tyle, że wyrwałam rękę z Waldkowego uścisku, i nie zwracając uwagi na te cholernie głupie obcasy i plączącą się bez sensu spódnicę, wybiegłam, potykając się na schodach. Chłodna noc otrzeźwiła mnie do końca, a przynajmniej tak mi się wydawało. Rozglądnęłam się i poczułam ulgę, bo nie stwierdziłam żywego ducha na deptaku, dodałam gazu, pędząc na oślep w stronę bezpiecznej przystani, jaką niewątpliwie w tej chwili był mój wynajęty pokoik. I nieważne było, że moje buty nie nadają się do takiego biegu, nieważne, że o mało co skręciłabym kostkę, ważne było tylko jedno — uciec, zaszyć się gdzieś, zniknąć.

— Bo...! Poczekaj! — rozległo się za moimi wygiętymi w kabłąk plecami. — Bo!

— Daj mi spokój! — rozdarłam się przez łzy, które wylewały się z moich oczu strumieniami.

— Bo! — Nadal nie zwracałam uwagi na jego wołanie. — Poczekaj! Poczekaj, do cholery!

Wiedziałam, że mnie goni, i spróbuje zatrzymać, dlatego parłam do przodu, nie bacząc na to, co pod moimi nogami, na to, co wokół, na niego. Chciałam uciec jak najdalej i tylko ta myśl kotłowała się w mojej głowie i nic innego nie było w tej chwili ważne. Nagle poczułam szarpnięcie i naprężona koszulka mnie wyhamowała.

— Stój! — wykrztusił, dysząc trochę mniej niż ja. — No stój, dziewczyno! — dodał, obejmując mnie ramionami, które przytrzymały mnie całą swoją siłą.

W pierwszej chwili chciałam się wyrwać, ale jego ręce, które oplotły mnie teraz jak liny, nie pozwoliły na to. Przestałam się wyrywać, przestałam szarpać, wtuliłam się w niego mocno, czując tylko bicie naszych serc, właściwie tylko moje waliło jak młot, pulsowało wszędzie, docierało, aż pod samą szyję. I wtedy poczułam coś dziwnego, coś, czego nigdy dotąd nie czułam, mimo że przytulałam się nieraz do Rafała, ale „to" teraz było inne i poddałam się temu całkowicie, zastanawiając się, dlaczego czuję coś takiego. I odkryłam. Odkryłam, że w tych ramionach jestem bezpieczna, czułam, że już nic mi nie grozi, a nawet jakby, to one dadzą sobie radę z każdym potworem. Przy Rafale nigdy tego nie czułam, ale może dlatego, że Waldek nie jest kolegą z piaskownicy, jest mężczyzną, i te ramiona, które teraz mnie obejmują, są silnymi męskimi ramionami. Westchnęłam i to westchnienie też było jakieś inne niż do tej pory. Wyprostowałam się i spojrzałam zapłakanymi oczami. Zamknął mi je pocałunkiem, który mógłby trwać do końca świata i jeden dzień dłużej, jak mówi Jurek Owsiak. Do końca świata i jeszcze jeden dzień dłużej, powtórzyłam w myślach.

— Wejdziesz? — szepnęłam, dotykając bramki w płocie okalającym posesję, w której mieścił się mój niewielki wynajęty pokoik. — Wejdziesz? — powtórzyłam, bo nie odpowiedział.

— Chcesz? — zapytał, patrząc mi w oczy.

Kiwnęłam głową. Przeszliśmy przez ogród najciszej, jak tylko się dało, i trzymając się w ciemnościach za ręce, powoli pokonaliśmy schody. Na pięterku otworzyłam drzwi i nie zaświeciłam światła. Pociągnęłam go tylko i oboje wylądowaliśmy na łóżku zaplątani w stertę moich ciuchów. Na uniesionej lewej stopie Waldka w poświacie księżyca, który o tej porze zaglądał w te okna, dyndał, kiwając się wahadłowo na ramiączku, mój stary, wysłużony biustonosz, wielki jak namiot i wypłowiały od częstego prania.

— O kurczę — zachichotałam, przez chwilę wpatrując się w niego spode łba. To chyba nie jest dobre miejsce na moją bieliznę — stwierdziłam i postanowiłam wyrwać się z męskich ramion i rzucić się na tę jego nogę. — Au! — krzyknęłam, uderzając głową w kościste kolano.

— Sorry, Bogusiu! — jęknął Waldek, łapiąc mnie za rękę.

Zgromiłam go wzrokiem.

— Jestem Bo... — szepnęłam, trzymając się za głowę. — Nadal jestem Bo... — powtórzyłam, lekko się chwiejąc, bo łóżko pod moimi kolanami zachowywało się jak stara krypa na niewielkiej fali.

— Tak — odezwał się i spojrzał tymi swymi burymi oczami. — Wiem. Jesteś Bo...

Ześlizgnęłam się z kanapy, wlokąc za sobą dziwnie niekończące się nogi, a jak się już skończyły i dotknęły twardego gruntu, uklękłam, a następnie opadłam w poczuciu kompletnej bezsilności, wpatrując się bezmyślnie w to, co tkwiło na mojej podłodze, zapominając, po co właściwie spłynęłam na dół.

— Co robisz? — usłyszałam z góry.

— Nie wiem! — wydobyło się ze mnie.

— To wracaj... — Złapała mnie silna dłoń.

— Okej... — Spróbowałam się podnieść. — Okej — powtórzyłam i zaczęłam gramolić się na rozhuśtane morze. Widok, jaki zastałam, spotęgował to odczucie. Jak prawdziwy stęskniony marynarz odkryłam stały ląd i w dodatku ów ląd posiadał niezłą latarnię morską, która w poświacie księżyca błyszczała jak prawdziwa.

— *Wow*... — szepnęłam, na co latarnia drgnęła i zniknęła w ciemnościach. Zaczęłam jej poszukiwać, wytężając wzrok, ale bez skutku. Znalazłam tylko ląd, niewątpliwie należący do tej latarni, który wyciągając mi z ręki jakiś łaszek, nie wiem nawet jaki, bo tu księżyc już tak łatwo nie docierał, ponownie mnie objął, a ja poczułam, jak uchodzą ze mnie resztki sił i opadłam gotowa na wszystko. Gotowa zapomnieć o fałdkach na brzuchu, o biuście wielkości melona zamiast pestki cytryny, który zaraz zmieni swój kształt, wypuszczony z więzienia koronek i fiszbinów. O udach z paskudną pomarańczową skórką, że nie wspomnę o superjędrnych pośladkach. Opadłam w sam środek falującego morza. Zdążyłam tylko pomyśleć.

— Do końca świata i koniecznie, koniecznie jeszcze jeden dzień…

*

— Bo! Obudź się i zamknij drzwi! Muszę wracać do Ola!

— Mhm… — mruknęłam, poruszając palcami lewej ręki, które jakimś cudem miały siłę się poruszyć.

— Bogusiu, wstań, proszę, i zamknij drzwi! Ja wychodzę! Obudź się!

— Mhm…

— Idę!

— Mhm… — mruknęłam i zasnęłam.

Rozdział 5

Gdy otworzyłam oczy i spojrzałam w okno, zobaczyłam, że świat za nim bardzo się zmienił. Wczorajsze niebieskie niebo zastąpione zostało skorupą bladego, źle uformowanego, wyrobionego z ohydnej szarej mąki ciężkiego ciasta. Nie wróżyło nic dobrego…

Przeciągnęłam się i chciałam unieść głowę, ale szybko ją opuściłam, bo poczułam charakterystyczny silny ból towarzyszący na ogół tym, którym od czasu do czasu zdarzy się imprezować. Ponownie uniosłam powieki, które zamknęły się przed chwilą same, i stwierdziłam, zerkając na mój turkusowy zegarek, którego wskazówki były dzisiaj jakoś mało wyraźne, że jest prawie południe. Zerknęłam jeszcze raz w okno i w to paskudne ciasto za nim i po tym cudownie leniwym zerkaniu doszłam do wniosku, że nawet miła będzie taka odmiana, przerwa w opalaniu i w ogóle, i korzystając z ponurej, przeddeszczowej aury, naciągnęłam na siebie coś sztywnego, niemal deskowatego, co powinno być puszystą kołderką. Oczywiście zaraz na początku, w pierwszy wieczór mojego pobytu zapuściłam żurawia do środka poszewki, której zawartość stanowił stary, sprany koc, pamiętający młodość moich rodziców, w dodatku z granatowym napisem „PKP".

Pomijając żądania pęcherza, wystawiłam bose stopy i rozmarzyłam się, wspominając wydarzenia minionej nocy.

— Waldemar Szpyra — wyszeptałam, uśmiechając się do chmur za oknem przypominających swoim wyglądem kluchy i zaczęłam rozmyślać o wczorajszym spotkaniu, na które doszłam trochę spóźniona. Waldek mimo to czekał cierpliwie i nawet na mój widok nie robił żadnej cierpiącej miny, co czasami zauważałam u Rafała i u niektórych moich koleżanek. Usiedliśmy w cichym kąciku kawiarenki i czekaliśmy na zamówione cappuccino. Z tortu zrezygnowałam świadomie, nie dając się Waldkowi na niego namówić, bo namówił mnie już na lampkę słodkiego wina, które, jak wiadomo, zawiera już dość dużo kalorii. Popijając je małymi łyczkami, spoglądałam na rozbijające się miarowo o falochron białe grzywy albo na snujących się po plaży ludzi i rozmyślałam o Rafale i o powrocie do domu, na który w zaistniałej sytuacji miałam coraz to większą ochotę.

I nagle zachciało mi się ziewać. Zapewne to szum morza albo poprzednie napięcie, które powoli opadało, ustępując miejsca jakiemuś nostalgicznemu wręcz zamyśleniu, i wywołało ten niezbyt w tej chwili pożądany efekt. Waldek zaczął mi opowiadać o sobie, a ja starałam się dyskretnie powstrzymywać ziewanie.

Kelner zapalił świeczkę na naszym stole, wpatrzyłam się w jej migotanie, udając skupienie. Podniosłam łyżeczkę, która spadła na stół, poprawiłam spódnicę walającą się po ziemi... a Waldek opowiadał. Opowiadał o swoim nieudanym małżeństwie. Wpatrywałam się w jego rytmicznie poruszające się usta, w ruch grdyki przy przełykaniu śliny, w ciemny zarost wyraźnie odcinający się kolorem od reszty twarzy, bure oczy i przyszło mi do głowy, że w tej chwili najchętniej zdarłabym z siebie ciuchy i w ciszy walnęłabym się do łóżka, i jeszcze sobie popłakała. Popłakałabym nad sobą, nad głupim Rafałem, nad naszym związkiem, jeśli to, co było, jest godne tego miana, i w ogóle porozmyślałabym sobie, zamiast tkwić na niewygodnym krzesełku nad pustym kieliszkiem po winie.

— I została w tych Włoszech — dotarł do mnie jego głos.

— Aha... — mruknęłam z ustami wykręconymi chęcią ponownego ziewnięcia.

— I już nawet jęzorem miele po ichniemu. Na rozprawie wtrącała różne słowa, chyba chciała swoją znajomością włoskiego olśnić panią sędzię, ale ona się tak na nią patrzyła. — Pokręcił głową z wyraźnym grymasem na twarzy.

— Aha...

— I nawet własnego syna nie chciała zobaczyć. — Zapatrzył się w dal, mogłam ziewnąć. — A on tak za nią... tak płakał... — Znowu pokręcił głową i zamilkł.

— I dostałeś ten rozwód? — przerwałam milczenie.

— Tak. — Odwrócił głowę i spojrzał na mnie. — Bez problemu. — Wyprostował się i uśmieszek zwycięstwa zakwitł na jego twarzy. — Kasę z Włoch chciała przysyłać, ale ja nie chciałem, nie zarabiam źle. Obiecała mu na konto wpłacać, ale jeszcze nic nie przyszło. Zaraz po rozprawie wyjechała do tego swojego Pepperoni i ma już z nim nowego syna.

— Skąd wiesz?

Uśmiechnął się kpiąco.

— Wiem... Napisała mi, idiotka, że właśnie urodziła. Jak sądzisz, miałem jej pogratulować?!

— Eee... A dlaczego on jest pepperoni? — zapytałam, bo z całej opowieści najbardziej mnie zaintrygowało właśnie to, skojarzyło mi się z czymś smakowitym.

— Bo ten makaroniarz ma sieć pizzerii. — Odchylił się. — Pojechała na zarobek, tak jakby tu nie mogła pracować — prychnął. — Załatwiłem jej robotę, ale nie chciała, bo za mało płacili, myślała, że tam zarobi nie wiadomo ile. — Znowu spojrzał w kierunku morza, którego już prawie nie było widać. — Ciągle jej było za mało — mruknął. — Uparła się, chociaż prosiłem, wszyscy prosili, ale nie było siły. — Spojrzał na mnie i uśmiechnął się smutno. — Ja też myślałem o wyjeździe, ale nie chciałem stracić tego, co miałem. — Spuścił głowę i dodał bardzo cicho: — A i tak straciłem, a najwięcej mój syn.

— Aha...

Przejechał dłońmi po udach, jakby strzepywał z nich wspomnienia.

— Napijemy się jeszcze czegoś? — zapytał znienacka. — Masz na coś ochotę?

Miałam ochotę, miałam wielką ochotę na opuszczenie kawiarenki. Wyraźnie czułam, że mam już dość siedzenia na twardym krzesełku.

— Yyy... Może moglibyśmy... się gdzieś przejść?

— Po plaży?

Spojrzałam na ledwo widoczne fale i westchnęłam. Szkoda, że słońce już zaszło.

— Yyy... Nie bardzo... Ciemno już...

— To może pójdziemy... — Zamyślił się i po chwili spojrzał na mnie, unosząc jedną brew. — Gdzieś potańczyć? Widziałem dyskotekę! Chciałabyś? Zapomnielibyśmy o kłopotach, i ty, i ja. — Bure oczy nabrały blasku, ale może to od świecy. — Okej?

— No... — uśmiechnęłam się. — No... — pokiwałam głową. — Okej!

I w ten właśnie sposób znalazłam się przed drzwiami ceglanego budynku, z którego nie dochodził żaden odgłos jakiejkolwiek zabawy. Waldek otworzył wielkie i ciężkie metalowe drzwi, które zamknęły się za nami z hukiem, ogłaszającym wszystkim nasze przybycie. Skuliłam się trochę, nie przepadam za tak hałaśliwym wejściem, ale, ku mojej radości, nikogo nie zauważyłam. Znaleźliśmy się w słabo oświetlonym, pustym korytarzu, który zdawał się nie mieć końca. Uniosłam głowę i zobaczyłam na ścianach jakieś niewyraźne kształty, ale było za ciemno, żebym była w stanie określić, co to jest. Zrobiło mi się jakoś nieswojo.

— Jesteś pewien, że tu jest jakaś dyskoteka? — zapytałam szeptem.

— Mhm... — mruknął. — Schodzimy — wskazał mi jeszcze ciemniejsze schody.

— Nie wydaje mi się... Chyba się mylisz... — Stanęłam, z lękiem wpatrując się w ciemność przede mną. — Taka tu cisza...

— Chodź... — uśmiechnął się. — No chodź! — Wyciągnął rękę i oczy błysnęły mu w półmroku.

Wzdrygnęłam się i popatrzyłam na czarne schody, na Waldemara stojącego na ich szczycie i już się chciałam wycofać, gdy za moimi plecami skrzypnęły drzwi i z hukiem się zatrzasnęły. Do budynku ze śmiechem weszło rozbawione towarzystwo, ktoś zaświecił neonówki i zrobiło się całkiem sympatycznie. Z ceglanych ścian spojrzały na nas plakaty jakichś muzyków, w podziemiach, jakby za sprawą pstryczka-elektryczka, który w momencie zmienił moje nastawienie, ktoś uruchomił muzykę. Dobiegła nas rytmicznymi odgłosami perkusji.

Odetchnęłam. Waldek odwrócił się i zaczął schodzić razem z roześmianą grupą.

— Waldek! — zawołałam, bo schody wydały mi się bardzo strome, a moje obcasy — bardzo wysokie, ale on machnął tylko ręką nad głową i zsunął się po nich, prawie nie odrywając butów od dziurawych i krzywych cegieł.

— Uch! — westchnęłam i trzymając się liny, która w bardzo ruchomy sposób zastępowała tradycyjną poręcz, zeszłam powoli na dół i stanęłam przed następnymi wielkimi drzwiami przypominającymi wrota piekieł. Zanim je popchnęłam, napierając na nie z całej siły, sprawdziłam, czy nie są gorące. Nie były, więc z całym impetem trafiłam ramieniem w sam ich środek. Nie przewidziałam jednak, że piekielne drzwi mogą mieć dobrze naoliwione zawiasy i mogą nie być ciężkie.

— *Wow!* — zdążyło mi się wyrwać, zanim wpadłam do wielkiej sali pełnej ludzi i zanim jeszcze z całym impetem wylądowałam na czyichś plecach, zdecydowanie nie Waldkowych, i już chciałam zawołać „Sorry!", gdy ich właściciel obrócił się wściekły ze znajomym warkotem na ustach.

— Co, kurwa?! — i zamilkł z uniesionymi na wysokości klatki piersiowej rękami oblanymi drinkiem.

Muzyka nabrała mocy, a my staliśmy naprzeciw siebie bez słowa, bo w tym hałasie i tak nie było sensu cokolwiek mówić. Patrzyliśmy na siebie — on na mnie, a ja na jego uszy, w których miał kolczyki wielkości pięćdziesięciogroszówki. I zamiast wściekłości, która tkwiła we mnie jeszcze niedawno, zaczęłam się zastanawiać, jak będzie wyglądać jego ucho po ich wyjęciu. Czy tak jak moje, czy może się skurczy i pomarszczy, przypominając coś, czego nie można zobaczyć bez użycia lusterka.

I ta myśl wywołała śmiech. Dwie pomarszczone dziury na samym końcu jego i tak już wspaniale odstających uszu. Rafał, zdziwiony moją reakcją, pochylił się i krzycząc mi do ucha, zapytał niesłychanie subtelnie:

— I czego, kurde, ryjesz jak potłuczona?

— Nie „czego", tylko „z czego"! — wykrzyknęłam mu w twarz.

Uniósł brwi pytająco.

— Z twoich gwoździ w uszach! — wrzasnęłam, wskazując je palcem.

— Super, nie?! — podsunął mi jedno ucho pod nos.

— No... — odpowiedziałam, nie starając się powstrzymać pustego śmiechu, jaki mnie nagle opanował.

Idąc w stronę czekającego na mnie Waldka, zaczęłam się zastanawiać, co ja do tej pory widziałam w tym człowieku, ale jakoś nie mogłam znaleźć odpowiedzi na to pytanie, a po oglądnięciu całej postaci Rafała, który upodobnił się do „czarnej" Majki, odechciało mi się nawet komukolwiek go przedstawiać.

*

I tak leżałam sobie, rozmarzona, podziwiając kluchy za oknem, gdy od strony drzwi rozległo się delikatne puk, puk. Do tego wszystkiego rozdzwonił się telefon.

— Waldek! — mruknęłam i żołądek podjechał mi do gardła. Zerwałam się, mimo bólu, który mnie jeszcze nie opuścił, i złapałam dzwoniącego smartfona. — Hej, mama! — odezwałam się cicho i spanikowałam.

Waldek jest za drzwiami, a ja?! Zerknęłam w lustro. Włosy sterczały mi każdy w inną stronę, pod nieumytymi oczami tkwiły resztki zeschłego tuszu, tworząc maskę Zorro, do tego z pewnością nieświeży oddech i na dodatek cholernie zachciało mi się sikać.

— Chwileczkę! — krzyknęłam i pognałam z telefonem do łazienki. — Szybko, szybko, szybko… — szeptałam na klozecie, starając się dłonią dosięgnąć do kranu sterczącego z umywalki. Jedyne, co mogłam zrobić w tej chwili, to uformować jakąś fryzurę, mocząc sterczące kłaczki. Kropla w rękę i na włosy, kropla w rękę i pod okiem, kropla w rękę i na włosy.

— Bogusiu! Jesteś tam?! — zawołała mama uwięziona w telefonie.

Przełączyłam ją na głośnik i mruknęłam:

— Mhm…

— To ty, kochanie?

— Tak. To ja…

— Słabo cię słyszę! Czy ty może jeszcze śpisz?

— Nie śpię — powiedziałam głośniej, myśląc przy tym intensywnie o tym, co powinnam zrobić.

— Córeczko, czy ty się dobrze czujesz, że tyle śpisz?

— Nie śpię! — powtórzyłam głośniej i spuściłam wodę.

— A co tak szumi? Morze?

— Nie, wodę spuszczam! — Szybkie spojrzenie w lustro i stwierdzenie „mogłoby być lepiej".

— Nie jesteś na plaży? O tej porze?

— Nie. Jestem w pokoju. — Przeszłam do pokoju.

— Miałaś wdychać jod!

— Wdycham cały czas — powiedziałam, wciągając spodnie.

— Bogusiu, ja nadal nie wiem, czy ty wracasz dzisiaj, czy za tydzień.

— Co? — zapytałam i sięgnęłam po telefon.

— Mówię, że nie wiem, kiedy wracasz! — wrzasnęła mi do ucha, zapomniałam go przełączyć. — Czy dzisiaj, czy za tydzień!

— Za tydzień! — odpowiedziałam i spokojnie, z najbardziej uroczym uśmiechem, na jaki tylko było mnie w tej chwili stać, podeszłam do drzwi i nacisnęłam klamkę, ale ich nie otworzyłam. Były zamknięte na klucz, którego w nich nie było. Wpadłam w panikę! Gdzie klucz?!

— Nie ma! — wykrzyknęłam i rozglądnęłam się bezradnie. — Nie ma!

— Czego nie ma? — zapytała zaciekawiona mama.

— Klucza!

— Klucza? — zdziwiła się. — Jakiego klucza?

— Mojego, do drzwi!

— A gdzie jest?

— Żebym to ja wiedziała! — jęknęłam bliska płaczu.

— Może w... — zaczęła kombinować. — Może w torebce?! — wykrzyknęła zadowolona. — Ja zawsze chowam do torebki.

— Ale ja tu nie mam torebki!

— Nie masz? To co masz?

No jasne! Pognałam w kierunku stoliczka i wygięta jak austriacki paragraf, chociaż nie wiem dlaczego austriacki, a nie polski, próbowałam otworzyć szufladkę przy użyciu jednej ręki, z unieruchomioną brodą przytrzymującą smartfona z oczekującą odpowiedzi mamą w jego środku.

— Mam! — krzyknęłam tryumfalnie i ponownie podeszłam do drzwi.

Tym razem już mnie nic nie zaskoczy, pomyślałam, wkładając zdobycz do dziurki w zamku. Wciągnęłam brzuch, wstrzymałam oddech, nacisnęłam klamkę i szarpnęłam radośnie drzwi, za którymi zamiast właściciela burych oczu stała z miną królowej cierpiącej na migrenę, i to w ostrym jej stadium, właścicielka drewnianego koca z granatowym napisem „PKP".

— Pani Korzycka, pani jeszcze niegotowa? Już południe!

— Bogusiu, do czego ty masz być gotowa? — wpełzło w moje ucho.

— Zaraz będę — sapnęłam, przytrzymując drzwi, w które baba zaczęła wpychać się swym obfitym biustem.

— Bogusiu! Powiedz, do czego masz być gotowa! Halo!

— Za chwilkę... — zwróciłam się do baby i bezczelnie zostawiłam tylko szparkę przed jej nosem.

— Dlaczego nie chcesz powiedzieć mi teraz? — zapytała mama. — Czy ja zawsze muszę czekać?

— Już... — zaczęłam do słuchawki, a weszła baba.

— To yyy... nie do pani! — krzyknęłam.

— Bogusiu, do kogo ty tak brzydko krzyczysz?

— Mama, zadzwonię potem!

— Nie zgadzam się! — zbuntowała się. — U ciebie „potem" to jest czas nieokreślony, a ja chcę wiedzieć teraz — podkreśliła to słowo. — Teraz chcę wiedzieć, co ty tam robisz!

Przeszłam za wędrującą na środek pokoju babą, która zmieniając minę na cierpiącą inaczej, zamknęła okno i poprawiła firankę. Z namaszczeniem poukładała na niej fałdki.

— Wyprowadzam się — wyszeptałam do mamy nieco zachrypniętym głosem. Niepotrzebnie spałam przy otwartym oknie.

— Wyprowadzasz się? Z domu? Od nas?! — zawołała mama tragicznym głosem. — Córeczko! Czy ci u nas źle? Kochanie, dokąd ty chcesz się wyprowadzić i dlaczego?

— Nie wyprowadzam się!

— Nie rozumiem. To wyprowadzasz się czy nie?! — zawołała mama z dziurek w obudowie telefonu.

Baba omiotła pokój spojrzeniem.

— Nie, yyy... to znaczy tak... ale... Mówiłam pani, że zaraz będę gotowa! — uśmiechnęłam się do baby zwycięsko.

— Widzę — odpowiedziała i wyszła z pokoju, zamykając za sobą drzwi.

Pakowanie nie trwało długo, natomiast zastanawianie się, gdzie powinnam zostawić torbę, która ledwo się dopina, o wiele dłużej. Powinnam zostawić ją u baby, tak jak zaproponowała, czy może zanieść do Waldka, który jeszcze się nie odezwał.

— Ups! — zachichotałam. — Może nadal odsypia nocne szaleństwo?

Po dogłębnym przemyśleniu, które polegało na próbie podniesienia bagażu, zdecydowałam, że taki ciężar — nie wiem, jak dowlekę go do pociągu — pozostawię jednak u baby na parterze, pozbawiając go, na wszelki wypadek, rzeczy najbardziej dla mnie istotnych, czyli: chusty w kropki, którą kupiłam dla mamy, tej, co tak idealnie pasuje do jednej z dwóch spódnic z gumką, foczki, woreczka naturalnych koralików z wyprzedaży, muszli dla taty, w której słychać szum morza, lokówki, suszarki, prostownicy, rolki papieru toaletowego, potrójnego, bo nie lubię tych cienkich, przez które palec przelatuje, kosmetyczki, flakonika ulubionych perfum, ostatniego czystego ręcznika, całej paczki alwaysów, chociaż mam jeszcze czas i nie spodziewam się żadnej niespodzianki, pięciu jabłek, ogórka, dwóch jogurtów naturalnych, serka danio o smaku waniliowym, paczki salami z długim terminem przydatności, której jeszcze nie otworzyłam, i oczywiście sztućców, bez których żaden człowiek się nie obejdzie, chyba że zamówi sobie kurczaka z rożna. Reszta mogła pozostać.

Upchnęłam to wszystko z wielkim trudem w mojej ukochanej plażowej torbie i wybrałam się na długi spacer, który wyjątkowo nie zaczął się od zjedzenia gofra ze śmietaną. Ciastowate chmury rozpanoszyły się po całym niebie, nie pozostawiając ani skraweczka wczorajszego błękitnego nieba. Narzuciłam polar i spokojnie udałam się do Waldka z zamiarem postawienia go na nogi.

Weszłam do budynku, panowała w nim idealna, niezmącona żadnym odgłosem cisza i ciesząc się, że moje buty nie wydają żadnego stukotu, bo mlaskanie podeszwy o wykafelkowaną podłogę można uznać ledwie za szept, podeszłam pod drzwi. Za nimi również było cicho jak makiem zasiał. Zapukałam.

— Pani do kogo? — usłyszałam za sobą i oczywiście podskoczyłam zaskoczona.

— Ja, yyy… do Waldka! — wypuściłam z siebie niezbyt pewnym głosem.

Wysoka i bardzo szczupła, niemłoda już kobieta, dzierżąca w ręce teflonową patelnię sporych rozmiarów, spojrzała na mnie taksująco.

— Do Waldka? — zapytała, a mnie zdjęły wątpliwości.

Rozglądnęłam się po korytarzyku, który nadal wydał mi się znajomy, sprawdziłam kolor drzwi, które również wydały mi się znajome, i po tym rozglądaniu utwierdziłam się w przekonaniu, że dobrze trafiłam.

— Tak — kiwnęłam głową — do Waldemara.

Wzruszyła ramionami.

— Wyjechał rano.

— Wyjechał? — Zszokowała mnie ta wiadomość. — Jak?

Znowu wzruszyła ramionami.

— Normalnie. Spakował się i wyjechał.

— A Aleksander? Jego syn?
Spojrzała na mnie z politowaniem.
— Też wyjechał.
— Dziękuję — mruknęłam.

Rozdział 6

Wyszłam z budynku, szurając nogami, i udałam się na długi, bo trwający aż do wieczoru bezsensowny spacer, w którym oprócz torby — a w niej lokówki, prostownicy i suszarki — nie będzie mi nikt towarzyszył, ani teraz, ani przez następne sześć dni, które spędzę nad morzem, wdychając jod pełną piersią.

„Szczęśliwa" usiadłam na ławce i spojrzałam w stronę morza, które szumiało wściekle, zbierając swoje siły do zbliżającego się sztormu. Wiatr rozwiewał moje włosy, które w tej chwili jak najbardziej mógł sobie rozwiewać. Drobinki piasku, jakie udało mu się unieść, pilingowały moje schłodzone nogi, niewielkie kropelki równie niewielkiego deszczu opadały na moją nieobecną, bo zamyśloną twarz.

Przechodzący koło mnie opaleni i zadowoleni wakacjowicze przestali mnie interesować, natomiast zaczął mnie interesować mój pech, który towarzyszy mi od pewnego czasu. Sądząc po ostatnich wypadkach, pech albo brak szczęścia, co chyba jest równoznaczne, zdecydowanie mnie nie odstępuje.

Pierwszy pech to mój idiotyczny i chyba nie bardzo jednak potrzebny wyjazd nad to szare i paskudne teraz morze. Drugi, oczywiście połączony z tym pierwszym, to utrata Rafała, który pod wpływem Majki zrobił z siebie nie wiadomo co. Trzeci to Waldek, który po jednej nocy ze mną spakował się i uciekł, chociaż wcześniej miał inne plany. Reasumując, od pewnego czasu towarzyszy mi zwykły, najzwyklejszy pech. Zsunęłam się z ławki, zarzuciłam na ramię torbę i ruszyłam z tym swoim pechem w kierunku plaży, na której, przy otaczającej aurze, raczej niesprzyjającej przebywaniu nad brzegiem morza, prawie nie było ludzi.

Bez przeszkód przebyłam puste schody i równie łatwo dotarłam do samego brzegu, gdzie z sykiem, szumem i jęczeniem rozbijały się wzburzone, potężne fale.

I tak sobie wędrowałam, zmagając się z żywiołem w postaci upartego wiatru, który koniecznie chciał się mnie pozbyć z plaży, a któremu oficjalnie wypowiedziałam wojnę, nie posuwając się w stronę lądu nawet o metr, chyba że fala próbowała wydrzeć mi moje nogi lodowatą wodą.

Czekając na następny atak ze strony rozszalałego morza, zastanawiałam się, co ze mną jest nie tak. Dlaczego faceci zostawiają mnie, dlaczego wybierają inne i czy one są ładniejsze ode mnie, czy może milsze albo mądrzejsze. A może są po prostu szczuplejsze, zgrabniejsze, mają jędrne brzuchy i pośladki?

Nabrałam chłodnego powietrza i mimo wściekłego wiatru uniosłam głowę. W moją stronę zbliżała się wysoka kobieta w czarnym sportowym dresie. Biegła miarowo, więc raczej nie w celu rozrywkowym. Wyglądało mi to raczej na trening. Westchnęłam, ja bym chyba nie była w stanie się do czegoś takiego zmusić, zresztą nie dałabym rady, ale może to tylko kwestia wprawy? Ciekawe, czy ona też jest tak zdesperowana jak ja, czy może szczęśliwa? Zbliżała się dość szybko, ażeby po chwili przebiec koło mnie z uśmiechem na twarzy.

Chociaż jedna zadowolona, pomyślałam, oglądając się za nią. Bo szczupła i zgrabna, co zauważyłam, jakby na potwierdzenie poprzednich myśli, i ponownie westchnęłam. Nie to co ja…

I w tym momencie przypomniały mi się bure oczy patrzące na mnie z niemym zachwytem poprzedniej nocy. Patrzyły i co? Wydobyłam z torby telefon, żeby sprawdzić, czy nie dzwonił, bo przy tak wściekłym wyciu morza mogłam tego nie usłyszeć, albo czy może napisał jakiegoś wyjaśniającego SMS-a, ale nic nie znalazłam.

Wcisnęłam telefon do kieszeni polaru i odpuściłam morzu, bo zmarzłam. Odeszłam trochę od brzegu, aby usiąść bokiem do wiatru na wypłukanym do białości starym drewnie, którego spory jeszcze kawałek tkwił obok wyjścia, opierając się o schodki jednym z nadłamanych konarów.

Wyciągnęłam przed siebie nogi i sięgnęłam do torby. Grzebiąc chwilkę, wydobyłam z niej paczkę salami z długim terminem przydatności do spożycia, którą, z braku innych możliwości, rozerwałam zębami. I nadal zamyślona, wkładając do ust zlepione plasterki, wpatrywałam się w białe grzywy coraz to większych fal.

— Można?! — zawołał ktoś nade mną.

— Proszę! — kiwnęłam głową i wyskubałam następne trzy niechcące się rozlepić plasterki.

Powoli wsunęłam je w usta i zaczęłam miarowo przeżuwać, niespecjalnie zachwycając się ich smakiem. Przeżuwałam tak jak krowa, bezmyślnie patrząc w dal, i wtedy przyszło mi do głowy, że powinnam tak jak ona zaryczeć „Muuu", bo ten ryk pasował wręcz idealnie do mojej sytuacji. Zerknęłam ukradkiem na siedzącego koło mnie „ktosia" i stwierdziłam, że to ta zadowolona kobieta, która minęła mnie przed chwilą. Tym lepiej, pomyślałam, ale to chyba nie miało znaczenia, kto koło mnie siedzi, bo i tak miałam nieprzepartą chęć na ten krowi ryk. Właściwie to mogłabym się rozpłakać, mogłabym komuś dać w pysk, chociaż to nie w moim stylu, ale w tej właśnie chwili mogłam i chciałam wydać z siebie odgłos cierpiącego zwierzęcia. Zwykłej rudej krowy przywiązanej paskudnym łańcuchem do sterczącego z ziemi palika, pośród soczyście zielonej łąki. Ryk zwierzęcia, które wszyscy zostawili z jej myślami, odczuciami i sama nie wiem z czym jeszcze…

Cierpliwie, żeby się przygotować do roli, przeżułam ostatni kawałeczek i po jego połknięciu wzięłam głęboki oddech.

— Muuuu! — rozdarłam się, zadzierając wysoko brodę. — Muuuu! — powtórzyłam głośniej, ale nie udało mi się przekrzyczeć morza.

Zerknęłam ukradkiem na sąsiadkę. Tkwiła w niezmienionej pozycji z równie niezmienioną miną wyrażającą obojętność dla moich ryków. To w takim razie jeszcze raz, bo trochę pomogło.

— Muuuu! — Znowu zadarłam brodę, a z ust stworzyłam nastroszony lejek. — Muuuu! — wydałam z siebie przeraźliwy ryk i zamilkłam.

Tym razem osoba siedząca koło mnie parsknęła śmiechem.

— Niezłe! — krzyknęła i odwróciła się w moją stronę. — Proszę się mną nie przejmować, jeśli ma pani jeszcze ochotę na „muuu", to bardzo proszę! — wykrzyczała i wskazała głową szumiące wściekle morze. — Jedyna okazja!

— Myśli pani?! — Też krzyknęłam, bo inaczej nie dało się rozmawiać. — Trochę mi pomogło!

Pokiwała głową ze zrozumieniem.

— Skoro pomaga... — Uśmiechnęła się pobłażliwie i zwróciła się twarzą w stronę morza.

Ponownie nabrałam powietrza i ryknęłam z całej siły, modulując głos na różne sposoby.

— Muuuuu!

Z tego muczenia trochę mnie zatkało, ale było tak fajnie, że ryknęłabym jeszcze raz, gdyby nie wibracje telefonu w mojej kieszeni. Pośpiesznie sięgnęłam po niego i już chciałam krzyknąć „*Yes!*", ale nie zrobiłam tego. Spuściłam głowę, nie chciałam już nawet ryczeć. Sięgnęłam po ostatni, niezlepiony już z żadnym innym plasterek kwaskowatej kiełbasy i powoli wsunęłam go do ust. Zaskrzypiało mi między zębami, nawet nie zauważyłam, że był oblepiony kilkoma ziarenkami piasku. Co mnie teraz obchodzi, że wystawili fakturę — pomyślałam, patrząc w ekran telefonu, i rozgryzłam kolejne ziarenko piasku o niezbyt dobrym smaku niezbyt dobrego salami. Co mnie obchodzi…

Kobieta siedząca obok mnie nagle odwróciła się w moją stronę. Jej szczuplutkie kolana dotknęły moich. Zerknęłam na nią, ale nogi nie odsunęłam. Wpatrywała się we mnie z uśmiechem i wyraźną sympatią, ale odezwała się dopiero po chwili, przekrzykując odgłosy przelewającej się potęgi wzburzonej wody:

— Gudrun jestem! — krzyknęła. — Mogę ci jakoś pomóc?!

Spojrzałam na nią zdziwiona. Czy to aż tak widać?

— Dzięki, ale się nie da! Jestem Bogumiła! — zawołałam.

— O! Mamy coś wspólnego! — ucieszyła się.

Mimo wiatru, który teraz postanowił poukładać mi długą grzywkę dokładnie na moich oczach, spojrzałam na nią pytająco. Niby co my mamy wspólnego? Zaśmiała się.

— Obie nosimy prastare imiona! — wyjaśniła. — Piękne!

Nic nie odpowiedziałam, bo wietrzysko coraz bardziej nie pozwalało nam mówić.

Zamilkłyśmy obie. Zapatrzona w dal z powrotem zaczęłam myśleć o tym, co mnie spotyka, ale szybko zrezygnowałam, bo w moje myśli wdzierało się tajemnicze imię mojej „drzewnej" sąsiadki.

Gudrun… Gudrun… Gudrun… szeptało tak nieznośnie, że zaczęłam sobie wyobrażać, jak by to było, gdyby moi rodzice dali mi tak na imię, bo przecież mogli się wysilić, a nie iść na łatwiznę. Gudrun…

Wyciągając łapkę, przedstawiałabym się Gudrun Korzycka, a nie Bogumiła Korzycka. Już widzę koleżanki, jak wołają do mnie: „Gudrun, podaj mi pieczątkę!" albo „Gudrun, podaj mi arkusz rozliczeniowy!" albo Nieczaja, który wzywa mnie do siebie po podwyżkę.

Zmrużyłam oczy, bo akurat teraz, jak zobaczyłam tę całą sytuację, wiatr dmuchnął mi w twarz drobinkami piasku. Westchnęłam. Może lepiej sobie wyobrażać z zamkniętymi oczami. Jeszcze raz... Widzę go, widzę, jak wymawia moje imię z szacunkiem: „Pani Gudrun...", bo do tej pory rozdziera się, jakbym była głucha. „Korzycka!!!" — woła z wściekłą miną i dodaje: — „Znowu się pani pomyliła!".

A tak... stanąłby w tym swoim fartuszku roboczym i zaprosił dłonią, uśmiechając się obleśnie: „Proszę do mojego gabinetu" — i ja bym wtedy wstała, uniosła głowę i spokojnie weszła do jego kiczowatego kantorka.

Spojrzałam na właścicielkę tak wspaniałego imienia jak na osobę z innego świata.

— Chętnie bym się zamieniła! — krzyknęłam, ale mnie nie zrozumiała. — Imię! — wykrzyknęłam, wskazując na nią palcem. Uśmiechnęła się, ale nic nie odpowiedziała.

Przygotowałam torbę do dalszej podróży i wstałam, chcąc opuścić konarek czy raczej to coś, co kiedyś było drzewem. Gudrun też wstała.

— Do widzenia! — Machnęłam jej ręką i uchwycona w szpony wiatru zaczęłam wędrować w stronę lądu. — Jestem nieszczęśliwa, to fakt — mruknęłam do siebie — ale to nie znaczy, że muszę być głodna — wyszeptałam przy ostatnim schodku. — Nie muszę... — dodałam i szurając lodowatymi nogami, skierowałam się w stronę Rubensa. Zapiekanka o tej porze powinna mi dobrze zrobić.

— Cześć — ledwo wymamrotałam na widok jego głupio zadowolonej miny. — Jedną poproszę…

— Witam! Odchudzasz się? — zapytał, odwracając się w kierunku lodówki, z której wyciągnął dwie długie bułki i bez słowa włożył je do opiekacza. — Nie rób mi tego!

— Nie odchudzam się — mruknęłam i spojrzałam najbardziej lodowato, jak potrafię. — Ty, Rubens! Jedną zamawiałam!

Roześmiał się i poruszył wkurzająco brwiami. Przedtem wydawało mi się to śmieszne, ale dzisiaj… zacisnęłam zęby. Jeśli jeszcze raz poruszy tymi wypłowiałymi brwiami, to nie ręczę za siebie.

— Cieszę się, że się nie odchudzasz! — roześmiał się i docisnął drzwiczki opiekacza. — Chociaż jedna!

Patrzyłam na ten opiekacz i na niego i usta znowu wykrzywiły mi się jak u Roberta De Niro. Chyba ten grymas wejdzie mi w krew. Ale on tego nie zauważył.

— Przemyślałaś sobie? — zapytał, nadal się uśmiechając.

— Co? — Spojrzałam na niego z wyraźną pogardą, ale tego też nie zauważył.

— Moją propozycję? — Znowu poruszył wypłowiałymi szczotkami. — Wyskoczymy gdzieś wieczorem? — Lekko pochylony oparł się dłońmi o ladę i podrzucając rudą czupryną, wskazał budynek obok. — Nad tą knajpką mam pokoik! — wyszeptał dwuznacznie i uruchomił te swoje szczotki po raz trzeci, chyba tylko po to, żeby mnie do końca wyprowadzić z równowagi.

Poczułam, jak zagotowuje się we mnie krew, jak oczy robią się kamienno-lodowate, jak pięści zaciskają się mimowolnie, jak nadchodzi coś, nad czym na ogół panuję, ale tym razem nie wiem, czy chcę. Następny palant, który chciałby ze mną spędzić jedną noc, następny, który myśli, że ja chętnie bym „to" z nim zrobiła.

Cudowny zapach grzejących się zapiekanek nie był w stanie mnie powstrzymać, zacisnęłam pieści mocniej, wystawiłam nieco żuchwę i wszystko, co się we mnie nagromadziło, z wielką przyjemnością wylałam wprost na tę jego obrzydliwie rudą czuprynę, robiąc mu okropną awanturę. Darłam się, syczałam i tłukłam dłonią w biedną ladę, aż podskakiwały butelki z sosami.

— Czy tobie się wydaje! — Buch. — Yyy, że ja, co ja jestem?! — Buch. — Że ty tutaj tak sobie, a ja z tej strony, to niby, eee... że ci może wolno, bo ja nic?! Kompletnie nic?! — Buch, buch. — Niby, yyy... nie czuję? — I w tym momencie troszkę się zaplątałam, bo te cholerne zapiekanki zaczęły pachnieć jeszcze mocniej i ślina napłynęła mi do ust. — I że niby jak nie chcę dwóch, to nie mogę?! — Rozdarłam się nie na temat, ale szybko zawróciłam, dodając jeszcze z poprzedniego to, czego nie dokończyłam: — Bo ty? Nie on? Nie Rafał? Tylko ja! Ja sama! Nie wolno mi?! Pantofel jestem? Stary kapeć? — Przestałam tłuc niewinną ladę i sapiąc ze zdenerwowania, zaczęłam intensywnie i z nikłym rezultatem układać powywracane butle z musztardą, ketchupem, sosem czosnkowym i... zerknęłam na nalepkę na butelce sosu o nieznanej mi nazwie. Spłoszony Rubens rozglądał się na wszystkie strony z głupią miną. Klient, który podszedł z chęcią zamówienia buły z pieczarkami, oddalił się w pośpiechu.

Przystopowałam trochę i tę chwilkę mojego milczenia rudzielec skwapliwie wykorzystał na zadanie mi idiotycznego pytania:

— Ty, o co ci chodzi?

— Jak to o co? — zapiszczałam cienko, bo ślina nie pozwoliła mi na nic więcej, przełknęłam ją szybko. — O wszystko! — Wzięłam oddech i wrzasnęłam z nową siłą: — Co ty mi tu?! Ty, ty...! Że niby co, kurczę! — Z tego zacietrzewienia nie mogłam się wygadać, oddychałam ciężko i patrzyłam się na niego tak, że sama bym się przestraszyła. — Dawaj te zapiekanki! — rozkazałam resztką tchu. Czułam, że zaraz się rozkleję, a on, jak tylko zaczęłam się drzeć, odsunął się od lady, co zauważyłam z pewną satysfakcją. Chyba nie spodziewał się takiego ataku z mojej strony.

— Nie wrzeszcz tak! Sorry! Kurde! Nie wiedziałem, że jesteś taka zakonnica! Kurde!

— Ja zakonnica?! — wrzasnęłam, przechylając się przez ladę. — Ja?!

— Nie no... Sorry! Fajna jesteś. — Próbował mnie uspokoić, machając mi wielkimi łapami przed nosem.

— Dawaj te zapiekanki! — wrzasnęłam po raz drugi, bo stał jak kołek, a mnie już wystarczyło awantury. — Z sosem czosnkowym! — dodałam jeszcze groźnie. — I na wynos!

— Okej, okej. Tylko wyluzuj!

— Zapiekanki! — warknęłam i z przyjemnością patrzyłam, jak ręce mu się trzęsą przy pakowaniu.

Poprawiłam torbę, która mimo braku paczki salami nie zmieniła swojej objętości i wagi, porwałam gorący pakunek, który dostałam na koszt firmy, i jakby nieco uspokojona oddaliłam się w kierunku parku, w którym brzęczała cicho kręcąca się w kółeczko karuzela.

Usiadłam na ławeczce i odpakowałam folię. Zapach jak na filmach rysunkowych uniósł się delikatnym dymkiem w moją stronę. Wciągnęłam go głęboko i się zachwyciłam. Poemat... Boski poemat... Rozczuliłam się i wbijając zęby w gorącą bułę, wyszeptałam, cytując kogoś, ale w tej chwili nie pamiętałam kogo, bo słowa, tego kogoś, wydały mi się teraz idealne.

— Jak ja jem, to świat wokół mnie zamiera.

I zamarł. Wraz z rozwarciem szczęk łzy potoczyły się po moich policzkach jak armatnie kule i walnęły z ich siłą wprost w moje uda, zostawiając na getrach mokre, okrągłe plamy. A ja gryzłam, żułam, połykałam i płakałam. Wiatr szalał po parku, a ja gryzłam, żułam, połykałam i płakałam, czasem odgarniając tylko włosy z oczu i zapiekanki.

Ludzie spacerowali, a ja przeżuwałam w spokoju kęs za kęsem ze wzrokiem utkwionym w mrowisko tuż przy samym krawężniku. Małe mróweczki poruszały się tam i z powrotem jak moje szczęki. Skończyłam zapiekankę, wytarłam usta chusteczką i przy użyciu tej samej chusteczki wydmuchałam zatkany nos. Sięgnęłam do kieszeni po telefon i nieodmiennie stwierdziłam, że brak jakichkolwiek wiadomości. Zwykłe, puste, wielkie nic. Westchnęłam i postanowiłam, wyciągając wnioski z „mrówczych" obserwacji, zrobić wielkie porządki w swoim życiu. Weszłam w kontakty i w pierwszej kolejności skasowałam Majkę, potem Rafała i numery koleżanek, które dzwonią tylko wtedy, gdy jestem im do czegoś potrzebna.

— Do widzenia — mruczałam, pykając palcem, aż doszłam do Waldemar Szpyra, i tu zdecydowany dotąd palec drgnął i zatrzymał się na chwilę. Poczułam się taka samotna, taka okrooopnie samotna, że łza ponownie zakręciła się w moim oku. Tak bardzo chciałabym się teraz komuś wyżalić, wypłakać, że chyba mogłabym w tym momencie z tego okropnego żalu popaść w natychmiastową depresję, o której ostatnio czytałam w dwa razy kupionej gazecie. Przetarłam oczy, rozglądnęłam się i pociągnęłam nosem, i chociaż nie mogłam powiedzieć mamie o wszystkim, co mnie tu, nad morzem, spotkało, wystukałam do niej.

— Halo — usłyszałam i trochę się uspokoiłam, nawet uśmiechnęłam mimowolnie.

— Hej, mama, co robisz?

— Bogusiu, ja teraz nie mogę, bo przyszli państwo Fijałkiewiczowie i muszę się nimi zająć. Zadzwoń później albo ja zadzwonię, jak oni pójdą, dobrze?

— Tak — odpowiedziałam, kiwając głową. — A tata?

— Tata? — zdziwiła się, jakbym pytała nie wiadomo o kogo. — Tata też jest zajęty! — roześmiała się głośno, jakby nie do mnie. — Pa, kochanie — dodała i wyłączyła się bez jakichkolwiek skrupułów.

Westchnęłam, patrząc w pusty i ciemny ekran, i zrobiło mi się jeszcze ciężej na duszy. Wszyscy się dobrze bawią, tylko ja tu jestem sama jak palec. Mój humor pogarszał się z każdą minutą, tym bardziej że poranne ciasto na niebie, zamiast się przetrzeć, zaczęło się zagęszczać i groziło mi całkowite zmoknięcie, jeśli zaraz nie ruszę swojego tyłka z ławki. Spakowałam to, co zdążyłam wyłożyć z torby, i rozglądnęłam się za koszem na śmieci w celu pozbycia się papierowej tacki po zapiekance, ale nie znalazłam żadnego, co wydało mi się dziwne. Wstałam z wygodnej ławeczki, poprawiłam bluzę i rozżalona poszurałam w stronę mojego pokoju, który mógł już zostać przygotowany. Jak na ssaka przystało, spokojne przeżuwanie zdecydowanie mnie uspokoiło i zastanowiło, dlaczego ludzie w celu uwolnienia się od stresu stosują „gnioty", międląc je rękami, zamiast kupić sobie lateksową kurę lub imitację hamburgera i popiskując cicho, w miarę żucia, pogryzać je na ważnych stresujący zebraniach lub przed egzaminem albo na przystanku robić pi, pi, zerkając na zegarek i licząc spóźnienie autobusu, który ma nas dowieźć do pracy. Pi, pi… relaksujące, ciche pi, pi, pi.

Zwinięta przed wiatrem zacinającym mi prosto w oczy, zawinięta w polar, w wydeptanych adidasach, które złośliwie rozchlapywały deszcz z chodnika na wszystkie strony, pędziłam jak wiatr w stronę budynku, w którym mam za chwilę znowu zamieszkać. W stronę wielkiej torby, ciężkiej jak diabli, którą, nie wiem jak, przytargałam z dworca.

Zamyślona pomykałam pomiędzy ludźmi niespieszącymi się donikąd, ludźmi uzbrojonymi w peleryny, parasole i gumowce. Starałam się omijać ciężkie krople spadające prosto na mnie, starałam się omijać kałuże, które potworzyły się momentalnie w zagłębieniach trotuaru, starałam się omijać rozbrykane dzieci, psy uwięzione na smyczach, plączące się wokół nóg właścicieli niezmiennie oglądających te same pamiątki i poczułam się niepotrzebna, niekochana, zdradzona, oszukana, zapomniana. Skręciłam z głównego pasażu w boczną uliczkę i zziajana, mimo że lało teraz jak z cebra, stanęłam na samym środku chodnika.

— No... Lej sobie! — krzyknęłam w stronę nieba, zadzierając głowę i dostałam wielką kroplą prosto w oko. — Ty też! — rozdarłam się, wycierając i tak już mokre oczy, z których łzy, zaschnięte na chwilę w parku, przez całą drogę znowu płynęły prawie nieprzerwanie, zasłaniając mi deszczowy, niewyraźny świat. Nie było sensu biec dalej, odsapnęłam trochę i postanowiłam przebrnąć te parę metrów, jakie mi pozostały, w pełnym wody spokoju, szurając nogami jak dziecko w samym środku kałuż. Właściwie to już mogłabym wracać do domu, do mojego pokoiku, do mojego komputera, do pracy. Przynajmniej coś konkretnego. Spokojne, poukładane życie bez wzlotów i upadków, bez emocji, bez rozczarowań.

— Miau... — rozległo się gdzieś w krzakach.

Stanęłam i zaczęłam nasłuchiwać.

— Miau... — cieniutki głosik wyraźnie kogoś nawoływał.

— Kici, kici — wyszeptałam odruchowo, odsuwając zmokniętą dłonią jeszcze bardziej zmokniętą grzywkę. — Kici, kici...

— Miau...

— Kici, kici?

— Miau...

Wpatrywałam się w krzaki, w wysokie trawy, których nikt jeszcze w tym roku nie skosił, w budynek, na który do tej pory nie zwróciłam uwagi, mimo że swym wyglądem przerażał. Nadawał się do rozbiórki, strasząc przechodniów pustymi otworami okiennymi i obwisłymi smętnie drzwiami na ledwo trzymającym się, przerdzewiałym zawiasie.

I gdzieś w tym gąszczu ukryte było coś, co wydawało z siebie ten smutny, wołający o pomoc głos.

— Miau...

— Kici, kici... — zawołałam jeszcze raz, ale trawy nie drgnęły i miauczenie ucichło.

Za to deszcz robił swoje, to znaczy padał i padał, uparcie mocząc mnie dokładnie tyle, ile mu się w tej chwili zachciało, a sądząc z ciężaru moich ubrań, wyraźnie chciało mu się bardzo. Z mojej głowy ściekały strumienie jak z rynny, z pleców staczały się rzeki słodkiej wody, z adidasów, które do tej pory idealnie współpracowały z moimi stopami, wylewały się spienione wodospady, ale mimo to stałam tam z torbą na ramieniu i czekałam na następne miau, które pomogłoby mi zlokalizować owego, jak przypuszczam, bardzo nieszczęśliwego osobnika.

— Hej! Kocie! Jesteś tam?! — zawołałam w stronę wybujałych traw, ale nadal nikt się nie ukazał. Spróbowałam jeszcze raz: — Hej! Kici, kici, tygrysie, jesteś tam? Bo jak cię nie ma, to sobie idę! Zimno mi!

To „coś" ukryte wśród traw nie odezwało się mimo moich nawoływań.

— A psik! — kichnęłam. — Nie to nie! — powiedziałam głośno i wyjęłam z kieszeni telefon, w którym nadal nie było dla mnie żadnej wiadomości.

*

Zmoknięta, z całkowitą obojętnością wędrowałam za trajkoczącą babą:

— Tędy, tędy, pani Korzycka, nie do góry, zejdziemy na dół, bo doszliśmy z mężem do wniosku, że tu będzie pani wygodniej. Wie pani, poddasze to zawsze poddasze…

Fajnie, pomyślałam sobie, oglądając katakumby, przez które wiodła mnie teraz. Piwnica to zawsze jakaś część pałacu.

— Proszę! — otwarła przede mną stare drzwi z prehistoryczną klamką i tkwiącym w niej kluczem pamiętającym panowanie królów na naszych ziemiach. Rozpłynęła się w uśmiechu: — Proszę! Tu będzie pani o wiele wygodniej niż na górze. Tu jest łazienka! — odsłoniła radośnie kawałeczek folii wiszącej na patyku chyba ze starej miotły. Moim oczom ukazało się pomieszczenie nie bardzo zasługujące na miano łazienki, chyba że nowa ceramika przymocowana do cementu wystarczy za to określenie.

— Aha — mruknęłam obojętnie.

— To do kiedy pani zostaje? — zapytała wpatrzona w piwniczne okienko z niekłamanym uwielbieniem, wyraźnie siląc się na obojętność, którą chciała przykryć emanującą z jej oczu zachłanność.

— Do jutra — mruknęłam i usiadłam na jednym z dwóch drewnianych krzeseł, przy starym, obdrapanym stoliczku nakrytym dla kamuflażu równie starą i zużytą, ale wyprasowaną na blachę serwetką.

— Policzę pani taniej… — uśmiechnęła się chytrze i usiadła na drugim. — To jak?

— No… — mruknęłam zrezygnowana, gotowa zgodzić się na wszystko, byleby tylko pozbyć się jej z tego pomieszczenia. — No… Do piątku… — westchnęłam.

Zaszeleściły kwitki, pieniądze i nareszcie mogłam się pozbyć zarówno baby, jak i odzieży, która przeszkadzała mi w takim samym stopniu jak właścicielka „uroczego" piwnicznego pomieszczenia. Zwinęłam się w kłębuszek pod takim samym jak poprzedni drewnianym kocykiem z napisem „PKP" i zerknęłam po raz nie wiadomo który w pustą skrzynkę odbiorczą, licząc chociaż na ten jeden SMS. Niekoniecznie długi jak tasiemiec albo jakieś inne długie zwierzę, na przykład żyrafa z tą jej kilometrową szyją albo trąba ze słoniem, która też jest dość długa. Mógłby być krótki, miły albo jakikolwiek, bo tak się nie powinno postępować. Wyjechać tak bez słowa. Ja bym nie potrafiła. Jak można pójść ze mną do łóżka i zaraz zniknąć. Napisałabym, gdybym nie mogła zadzwonić. Napisałabym. Oczy wpatrzone w piwniczne okienko znowu zrobiły się wilgotne. Powinien się wytłumaczyć, dlaczego wyjechał, chociaż mnie namówił na pozostanie, że może to nie jego wina, że on chciał, ale…

— A skąd wiem, że chciał? — zawyłam spod poszewki. — Może wcale nie chciał? Może klasyczne: *Good bye, my love!*

Po tym wybuchu opanowałam się trochę i pomyślałam, że tak właściwie to faceci są dziwni i chyba ich nie rozumiem. Waldek wydawał się normalny, a i tak mnie zaskoczył, Rafał jest wiadomo jaki i jeszcze na dodatek Rubens, idiota szukający letniej przygody.

— Już nigdy więcej nie dam się nabrać żadnemu facetowi! — wykrzyknęłam w stronę okienka. — Nigdy, przenigdy, bo faceci nie są mi do niczego potrzebni! Ani jeden, ani drugi! Żaden! — wymamrotałam, starając się poukładać kamienną poduszkę, ale tarmoszenie nic nie dało ani jej, ani mnie. Zerknęłam jeszcze raz w pusty ekran telefonu i odkładając go na krzesełko służące w tej chwili za stoliczek, zasnęłam ukołysana miarowym bulgotem wody z rynny.

Rozdział 7

Chciałam obudzić się radosna niczym skowronek w środku lata, choć zdecydowanie mam inne gabaryty niż ten ptaszek, ale tak się niestety nie stało, co w sposób zasadniczy obrazuje moje samopoczucie, ale to, co w tym momencie czułam, nie przeszkodziło mi w szybkim ubieraniu się i równie szybkim opuszczeniu nowego pomieszczenia, które nie bardzo spełniało moje marzenie sprzed tygodnia. Pomogło jednak w podjęciu decyzji, że najwyższy czas, abym zajęła się sobą, i tylko sobą, i wydała to, co przysłał mi tata, na siebie. Na siebie, no i na bilet powrotny.

Nastawiona buntowniczo zerknęłam w piwniczne okienko, w którym według prognozy mojej gospodyni powinno już gościć słońce, i ze zdziwieniem stwierdziłam, że gości co najwyżej na mokrej trawie na wysokości moich oczu. Wprawdzie markotne jakieś, ale jest. Zerknęłam również w telefon, bo śpiąc, mogłam nie usłyszeć dźwięku nadchodzącego SMS-a, ale oczywiście go tam nie było, więc wyszłam, zatrzaskując drzwi, i skierowałam swoje kroki na główny pasaż w tej niewielkiej nadmorskiej mieścinie.

Przy pierwszym stoisku z pamiątkami wyszukałam spośród setek prawie jednakowych pocztówki, po które wybrałam się uzbrojona w niepotrzebny parasol. Niebo nad morzem przetarło się, ukazując idealnie gładziutki błękit, a ciasto z chmur wyglądało tak, jakby je ktoś uciął nożem dokładnie nad samym lądem. Do tego zadziwiającego obrazka dołączyło zachodzące wspaniale pomarańczowe słońce.

Po przebudzeniu postanowiłam robić wszystko nie tak jak dotychczas i dlatego szybko wybrałam pocztówki i nie włożyłam ich do torby, w której być może przeleżałyby aż do mojego powrotu do domu, tylko pomyślałam, że je od razu wypiszę i wyślę, żeby dotarły do adresatów jeszcze przede mną. Z zakupami w ręce udałam się od razu do kawiarenki, gdzie wypisując pocztówki, chciałam wypić kawę bez dodatków, bo jak zmieniać złe nawyki, to od razu wszystkie.

Zrezygnowałam z obiadu świadomie na rzecz czarnej jak smoła kawy z niewielką ilością cukru dodanego jedynie tylko dla podniesienia jej walorów smakowych.

— Kawę, yyy… z ekspresu — poprosiłam kelnerkę i usiadłam przy ostatnim wolnym stoliczku w zatłoczonej o tej porze kawiarence.

— Czarną czy białą? — zapytała.

— Yyy… — zastanowiłam się, bo z przyzwyczajenia

chciałam powiedzieć, że białą. — Czarną — odpowiedziałam zdecydowanie.

— Czy coś jeszcze? — Kelnerka uśmiechnęła się służbowo.

— Yyy… Nie — odpowiedziałam stanowczo, chociaż wchodząc, musiałam przejść obok lady chłodzącej różne rodzaje tortów i ciastek.

— Mamy dobre torty — rzuciła, zbierając brudne naczynia.

Zerknęłam w stronę lady.

— Eee…

Zatrzymała się, choć wyraźnie już chciała odejść.

— A… są może jakieś, yyy, mniejsze kawałki czy tylko takie? — Pokazałam jej rozmiar uprzednio zjadanej przeze mnie porcji.

— Zobaczę…. — uśmiechnęła się znowu i odeszła, a ja westchnęłam i zawiesiłam torbę na krześle, kładąc przed sobą pocztówki. Kelnerka przyniosła zamówienie, uśmiechnęłam się do niej i do tortu i powróciłam do mojego twórczego zajęcia.

— Szmira — mruknęłam pod nosem, oglądając to, co spłodziłam. — Przecież stać mnie na więcej.

Wzięłam następną.

— Przepraszam! Można?

Zwrócił się ktoś chyba do mnie, bo na wykręconym misternie z metalowych prętów oparciu stojącego koło mnie krzesła w kolorze zbliżonym do białego ujrzałam kobiecą dłoń. Uniosłam głowę.

— Gudrun! Yyy… Można… Chwileczkę… Już… Tylko pozbieram…

Ze zwykłej uprzejmości rzuciłam się na swoje skarby i widocznie zrobiłam to za ostro. Zamiast w pocztówki moja ręka trafiła w filiżankę z kawą, która ewidentnie miała w nosie to, co udało mi się napisać, i chlupnęła wystygłą brązową cieczą w sam środek moich artystycznie popisanych pozdrowień.

— O kurczę! — Pośpiesznie sięgnęłam po serwetki. — No by to wszystko...! — zawołałam z rozpaczą w głosie, bo plamy się powiększały, a kartki traciły swój wygląd i wartość.

— Spokojnie. — Usłyszałam głos kobiety, która nie znając mojego dzisiejszego humoru, odważyła się przysiąść do mojego stolika i jeszcze starała się mi pomóc. — Do kogo piszesz? — zapytała, ustawiając leżącą na jednym boku filiżankę, po czym usiadła na krzesełku i obserwując moje nerwowe ruchy, roześmiała się perliście.

Gdzieś wyczytałam to zdanie i bardzo mi się ono spodobało. „Roześmiała się perliście" — jak Gudrun w tej chwili i tym śmiechem zwróciła na siebie i nasz kawowy bałagan ogólną uwagę, chociaż ja w tej chwili wolałabym zniknąć w stercie bladobrązowych serwetek, przemoczonych i smętnie porzuconych na spodeczku pomiędzy pozostałościami po torciku czekoladowym.

— Fajne niebo, widziałaś?! — zawołała znowu trochę za głośno jak na mój gust i wskazała palcem gdzieś wysoko za moimi plecami.

Obróciłam się nie wiadomo po co, bo przecież przed chwilą mnie samą zachwyciło.

— No...

— Nie widziałam takiego jeszcze! A ty?

— Yyy... Nie.

— Ciekawe, czy jutro będzie ładnie. — Przesunęła suche pocztówki na te wilgotne. Spojrzałam z przerażeniem. Teraz wszystkie już będą kawowe. — Wybierasz się na plażę?

Wzruszyłam ramionami.

— Nie zależy mi.

— To po co tu przyjechałaś?

— Żeby... yyy... schudnąć — mruknęłam cicho i zaraz pożałowałam swojej idiotycznej szczerości. Gudrun spojrzała wymownie na talerzyk po torcie czekoladowym.

— Jesteś tu sama czy z rodziną? — Wlepiła we mnie ciemne, brązowe oczy, czarne jak smoła loczki opadły, sprężynując nieco. Poprawiła je nonszalanckim ruchem, co niewiele dało.

— Sama — odpowiedziałam. — Nie mam rodziny, to znaczy mam, ale nie swoją. Kurczę! To znaczy mam swoją, ale... no wiesz... — Nadal się we mnie wpatrywała, ale nieznacznie uniosła lewą brew. — Kurczę! — zirytowałam się. — Rozumiesz?!

— Nie — odpowiedziała spokojnie.

— No, mam rodzinę, nie jestem sierotą, ale nie mam faceta! — wydusiłam z siebie z taką miną, jakbym była ziemniakiem przeciskanym przez praskę.

— Przecież widziałam cię z takim wysokim przystojniakiem. — Spojrzała niedowierzająco.

— Widziałaś? — zdziwiłam się. — Kiedy?

— Myślałam nawet, że to twój ślubny, bo tak sobie spacerowaliście razem. Wyglądaliście jak para. Ten mały, tak mi się wydawało, taki podobny do ciebie... — Uśmiechnęła się i wymownie dotknęła swoich policzków.

— Pomyłka — mruknęłam. — Wielka pomyłka — dodałam, mając nadzieję, że wyczuje, o co mi chodzi.

— Sorry — spoważniała, dotykając mojej dłoni.

Po moich plecach przeszły dreszcze.

— Mhm... — mruknęłam i do oczu napłynęły mi łzy.

— Sorry — wyszeptała. — Nie wiedziałam...

Tym dotykiem, spojrzeniem sprawiła, że postanowiłam opowiedzieć jej swoją historię. No po prostu musiałam! Słuchała w milczeniu. Przy Rafale, który zostawił mnie dla Majki albo którego ona mi sprzątnęła sprzed nosa, łzy, które zdążyły podeschnąć, pojawiły się znowu. Gudrun przesiadła się na krzesełko obok mnie i objęła matczynym ruchem, pozwalając im wypłynąć. Przytuliłam się do niej, wycierając oczy ostatnimi serwetkami. Poczułam ulgę, że nareszcie znalazłam kogoś, kto wysłuchał mnie z uwagą i bez zbędnego komentarza.

— Uch... — westchnęłam i spojrzałam na Gudrun, która kręcąc głową z niedowierzaniem, podsumowała to, co jej opowiedziałam, słowami, które mnie też cisnęły się na usta, ale z jakiegoś powodu nie miałam ochoty ich głośno wymawiać.

Upiła łyk kawy, którą w tym czasie zamówiła, i prawie krzyknęła:

— A to dupek!

— No... — Pokiwałam głową. — Ale który?

— Każdy! — wykrzyknęła zdecydowanie.

— No... — Pokiwałam głową.

— Daj sobie spokój z facetami! — Machnęła ręką. — Szkoda twoich nerwów!

— No... — szepnęłam i ostentacyjnie wydmuchałam nos, jakby usunięcie jego zawartości mogło coś zmienić. — Ale to nie koniec moich problemów...

— Nie?

— Nie... Och! Gudrun... — jęknęłam, z przyjemnością wymawiając jej imię. — Widzisz... — zawahałam się. Nie wiem, czy powinnam jej mówić o swoich kompleksach, ale gdy tak mnie obejmowała, gdy tak siedziałam obok niej, czując jej ciepło i jakiś ładny zapach, który moje nozdrza wciągały z przyjemnością, westchnęłam i wyszeptałam: — Bo ja jestem gruba, brzydka i mam idiotyczne imię... — I pomimo braku serwetek rozpłakałam się i ponownie w nią wtuliłam. W dodatku zrobiłam to w samym środku kawiarenki, która była okolona szybami do ziemi i tkwiła na najbardziej uczęszczanym przez ludzi szlaku. Ludzi, którzy postanowili spędzić swoje urlopy w tej niewielkiej nadmorskiej miejscowości.

Tkwiła mianowicie przy samym wejściu na molo, przy niezliczonej liczbie budek z pamiątkami, przy stojakach z pocztówkami i klapkami, przy sama już nie wiem czym, bo się pogubiłam, a łzy nie pozwalały mi wyraźnie dostrzec, co jeszcze tam stoi. Gudrun odsunęła się odrobinę i obrzuciła mnie taksującym spojrzeniem.

— Przesadzasz — wyszeptała, spoglądając na mnie z czułym uśmiechem kobiety starszej ode mnie i zdecydowanie bardziej doświadczonej.

— No... — Przetarłam załzawione oczy. — Chyba nie...

— Przesadzasz, kochanie... — Odsunęła mi grzywkę z czoła. — Jesteś ładna i oni dlatego, ale nie powinnaś się przejmować. W ogóle facetami się nie przejmuj, bez nich można żyć, i to całkiem dobrze. Jesteś silna — pogłaskała mnie po ręce — i dasz sobie radę. — Wyprostowała się. — Jak musisz schudnąć, to ci pomogę — powiedziała tak zdecydowanie, że łzy wyschły mi w momencie.

— Naprawdę?

— Aha! — zawołała. — Możliwe, że u ciebie to stres.

— Stres?

— No... — Uniosła brwi. — Zajadasz go. — Szturchnęła palcem talerzyk po torcie. — A są inne sposoby odreagowania stresu. Ja codziennie biegam przynajmniej dwie godziny. Rano, brzegiem — uświadomiła mi.

— Z nerwów?

— Przede wszystkim, żeby mieć dobrą figurę, a bieganie pomaga i na to, i na to. Jeśli mogę — zerknęła. — Nie obrazisz się? — Bardzo intensywnie pokręciłam głową. — Zrezygnuj z tego. — Talerzyk znalazł się na samym brzeżku stołu, przytrzymałam go z obawy o jego żywot. — Bo to źródło wszystkich chorób, zawałów, wylewów i przede wszystkim niepotrzebnej otyłości. — Ponownie zmierzyła mnie wzrokiem. Wciągnęłam brzuch. — Faktycznie powinnaś trochę zrzucić. — Skrzywiła się nieznacznie.

Spuściłam głowę.

— Wiem. Staram się...

— Żartujesz?! — krzyknęła znowu trochę za głośno. — Chcesz schudnąć, siedząc na plaży! Opychając się salami?

Spojrzałam na nią spode łba i sięgnęłam po ostatnią deskę ratunku:

— Bo u mnie to chyba tarczyca, wdycham jod.

Spojrzała na moją szyję i zaśmiała się pod nosem.

— Lekarz ci tak powiedział? — zapytała rozbawiona.

— Dopiero mam zrobić badania — odpowiedziałam poważnie.

— Aha... — Pokiwała głową, tym razem zdecydowanie z kpiącym uśmieszkiem. Przez chwilę wydawało mi się, że nie traktuje moich słów poważnie.

— Nie rozumiem. — Spojrzałam w te jej ciemnobrązowe oczy.

Nie odpowiedziała, zerknęła na zegarek i wstała. Znowu miałam okazję podziwiać jej jędrne uda i całkiem płaski brzuch.

— Jutro, dzisiaj już nie mam czasu, ale jutro... — Uśmiechnęła się z wyższością. — Spotkamy się tu i powiem ci, co masz jeść!

— Ale ja... yyy... już różne diety... — Spojrzałam błagalnie.

— Nie wytłumaczę ci tego teraz. Widocznie nie były dla ciebie dobre. — Pochyliła się i cmoknęła mnie w policzek. — Pa, do jutra...

— Pa — szepnęłam, dotykając policzka. — Pa — dodałam, patrząc, jak jej zgrabna sylwetka znika w tłumie.

— Podać coś jeszcze? — zapytała kelnerka i wzięła paskudny talerzyk. Spojrzałam na nią wzrokiem bazyliszka.

— Nie. Dziękuję — odpowiedziałam i w tym momencie zdałam sobie sprawę, że nie wiem, o której godzinie mam tu jutro być. Ponownie rzuciłam się na pocztówki, jednym ruchem zgarnęłam wszystko na bezładną kupkę i zsunęłam do torby, po czym zerwałam się od stolika z jedną myślą — dogonić Gudrun! Krzesło zgrzytnęło niemiłosiernie, o mały włos by się wywróciło, złapałam je w ostatniej chwili, przepraszając tych, co siedzieli za moimi plecami.

— Poproszę rachunek — wykrzyknęłam przy ekspresie do kawy z oczami utkwionym w kelnerce, która mnie obsługiwała. — Może pani? — jęknęłam, patrząc, jak rozmawia sobie spokojnie z koleżanką. Oczywiście nie wiedziała, jak bardzo zależy mi na czasie, na każdej sekundzie, bo to ja musiałam dogonić Gudrun, a nie ona. — Proszę... — zaskomlałam jak pies. — Śpieszy mi się... — prawie już zawyłam, naciągając szyję do granic wytrzymałości.

Spojrzała na mnie, na stolik, przy którym przed chwilą siedziałam, i przeczytała z karteczki:

— Dwa razy espresso i torcik.

— Nie! Jedna kawa i torcik!

— Do stolika podawałam dwa espresso i torcik! — Spojrzała na mnie, jakbym chciała coś wyłudzić.

— Yyy... Tak. — Kiwnęłam potulnie głową.

Podsunęła mi rachunek pod nos, to znaczy raczej pod rękę, w której powinnam już dawno trzymać turkusowy portfelik, który nadal mi się nie znudził, ale go nie trzymałam. Tkwił sobie spokojnie gdzieś w torbie, bo tam go wrzuciłam po zakupie pocztówek, które teraz zasłaniały jego miejsce pobytu.

— Uch... — westchnęłam i ku zdziwieniu chyba wszystkich w kawiarence wysypałam zawartość torby na podłogę. — Jest! — wykrzyknęłam z ulgą, machając nim nad ladą. — Dziękuję. — Uśmiechnęłam się do kelnerki po zapłaceniu i z tym samym uśmiechem wrzuciłam wymięte i poplamione pocztówki do kosza. Nadmorskich pozdrowień nie będzie.

Nie dogoniłam Gudrun, dogoniłam tylko sklep spożywczy, bo mój brzuch domagał się mimo wszystko czegoś konkretnego. Trudno jest żyć samym torcikiem.

Wychodząc ze sklepu z reklamówką wypchaną zdrową żywnością, bo słowa Gudrun uzmysłowiły mi, że oprócz jodu, który przy każdym wdechu jest uzupełniany w moim organizmie, muszę jednak spojrzeć inaczej na to, co zjadam.

— Zero torcików i innych przysmaków — wyszeptałam pod nosem i zerknęłam w niebo.

Ciasto powróciło i już zaczynało z tego placka kapać dość intensywnie. Dobrze, że jednak wzięłam parasol, uśmiechnęłam się. Rozłożyłam go i spojrzałam zwycięsko na tych, którzy w tej chwili nie mieli ani parasola, ani peleryny, ani nawet reklamówki na głowie. Płaczące niebo wyraźnie z nich zakpiło, wylewając z siebie nagle strumienie lodowatej wody. Szłam powoli, bo nie miałam się do czego śpieszyć. Sałatę, która zaglądała do mnie z wypchanej reklamówki, będę chrupać przy malutkim telewizorze, który przyniósł mi mąż baby, całkiem sympatyczny starszy pan. Do sałaty oczywiście ogórek, cebulę, parówki, cztery jogurty, w tym z ziarnami zbóż, kefiry, bo mają mało kalorii, biały chudy ser, który zawsze mnie zatyka i muszę popijać jak gęś. Odchudzone mleko, ale nie do końca, bo to najchudsze podobno nie jest zdrowe, i jajka, które zjem po ugotowaniu ich na twardo, bo też mają mało kalorii. Do tego ciemny chleb, pokrojony w dość grube kromeczki, i cztery bułeczki dyniowe, moje ulubione, bez których nie wyobrażam sobie życia. I coś malutkiego, co pozwoli mi przetrwać na tych jarzynkach, bo już na pewno nie pójdę na gofra, na czekoladowy torcik, zapiekankę i łososia. Wciągnęłam powietrze... Na łososia pójdę!

Wędrowałam sobie powoli, deszcz bębnił w napięty materiał parasola, kałuże tworzyły się w oczach, strumienie niosły drobne śmieci, resztki przekwitłych kwiatów i drobinki piasku, które tutaj były praktycznie wszędzie, tak jak kurz i pył w moim mieście, za którym w tym momencie trochę zatęskniłam. I zatęskniłam za czymś jeszcze. Za...

— Bez sensu — pokręciłam głową. Bez sensu, ale zatęskniłam za burymi oczami. — Kurczę! — mruknęłam. — Chyba upadłam na głowę!

Wyjęłam smartfona i choć wiedziałam, że w skrzynce odbiorczej nic nie znajdę, uruchomiłam go. Ekran rozbłysnął, informując mnie, że mam dwa SMS-y. Żołądek podjechał mi do gardła, stanęłam, przytrzymując brodą parasol. Dotknęłam ikonki z głupim uśmieszkiem, ale nic mi się nie otworzyło. Jeszcze raz i nic! Zaczęłam wściekle pykać w ekran i nic!

Przełożyłam parasol, przełożyłam telefon, ogrzanymi palcami udało mi się wreszcie go uruchomić i wpatrzyłam się w ekran. Gdyby nie to, że już stałam, stanęłabym jak wryta. SMS był od Waldemara i po przeczytaniu tych pięciu słów nie wiedziałam, co powinnam zrobić, bo dosłownie wbiły mnie w ziemię. Przeczytałam je jeszcze raz: „Cześć! Musiłem wyjechać, sorry, nagle".

— Przecież wiem! — krzyknęłam, nie panując nad sobą, i otworzyłam drugą wiadomość. „Bądź jutro wcześniej, bo Nieczaj jest wściekły. Polecą głowy" i żółty uśmieszek. — Jak mam być wcześniej, skoro przebywam na urlopie?! — warknęłam trochę ciszej niż na widok tego, co napisał mi Waldek.

Za moimi plecami rozległ się rozdzierający koci głos.

— Miau!

Odwróciłam się szybko i zobaczyłam coś bardzo mokrego, malutkiego i w dodatku bardzo w paseczki.

— Kici, kici — szepnęłam.

To zmoknięte coś stanęło w miejscu, spojrzało na mnie, na mój parasol i przerażone zrobiło szybki zwrot. Pognało jak szalone przez wysoką i mokrą trawę, przez krzaki i jak zdążyłam zauważyć, wsunęło się do piwnicy opuszczonego domu. Odłożyłam torbę, złożyłam parasol i ukryłam się za wielkim i grubym pniem starego drzewa. Po co? Nie wiem. Zrobiłam to jakoś odruchowo.

Odrzuciłam na bok grzywkę, bo akurat teraz raczyła sobie opaść i zasłaniać mi spojrzenie w dziurę po piwnicznym okienku, w której powinien ukazać się malutki pyszczek, ale się nie ukazywał, a ja stałam i stałam. Torba pełna pyszności, na które już miałam straszną ochotę, leżała, moknąc, i ja też mokłam, chociaż poprzednie przemoknięte ciuchy nie wyschły mi jeszcze całkowicie.

— Kocie... — szepnęłam, nie poruszając nawet paluszkiem u nogi. — Wyłaź, kocie... Wyłaź, bo ja moknę... — Westchnęłam i zdałam sobie sprawę, że jak tak dalej pójdzie, to nie będę miała w czym chodzić, chyba że włożę kostium kąpielowy i polar, co może byłoby nawet atrakcyjne, pod warunkiem że jakimś cudem, chociaż w cuda nie wierzę, spadnie ze mnie od razu dziesięć kilo. Na nogi też nie wiem, co wdzieję, bo adaśki są nadal wilgotne w tej piwnicy z superokienkiem, a trampki, z których zakupu byłam bardzo dumna, bo na topie i kolor ekstra i w ogóle, właśnie mi przemokły.

Kotka nadal nie było, chyba ten malutki kawałek świata zbyt go przeraził. Najciszej, jak potrafię, wróciłam do torby, wyjęłam parówkę i już chciałam się w nią wgryźć, gdy przyszło mi do głowy, że kot może też chciałby się w nią wgryźć tak jak ja.

Urwałam kawałek i podeszłam do dziury, szukając miejsca, w którym mogłabym ten skarb położyć. Ostrożnie stanęłam na brzegu i zaglądnęłam do środka. Wnętrze nie wyglądało ciekawie, mimo ciemności zauważyłam walające się tam szczątki starych mebli i jakieś porzucone szmaty, ale to z samego brzegu, bo dalej już nic nie widziałam, było zdecydowanie za ciemno. Doleciał mnie tylko intensywny i bardzo niemiły zapach stęchlizny. Biedne zwierzątko, pomyślałam, w takim miejscu spędzać dzieciństwo! Pochyliłam się jeszcze bardziej, przytrzymując się sypiącego się muru.

— O! Kurczę! — zdążyłam krzyknąć i wylądowałam na jedynej suchej części mojego ciała. Kawałek muru został mi w ręce. — Paskudny kocie! — zawołałam, podnosząc się z błota. — Po co miauczysz, skoro nie chcesz wyjść! — dodałam wściekła. — Siedź sobie w tym smrodzie i błocie, ja nie zamierzam. Jak nie chcesz iść ze mną, to nie!

Wygrzebałam się z paskudnej dziury pełnej rozmoczonej ziemi bardzo zła, nie wiedziałam tylko, czy na siebie, czy na kota, bo przemierzając skokami metry mokrej trawy, czułam, jak błoto z moich getrów na wysokości tyłka spływa sobie powoli w miejsce pod kolanem, przecina je zgrabnie na pół i płynie leniwym potoczkiem przez łydkę aż do kostki i z pewnością wpływa niezauważalnie, bo już się zagrzało, w moje wspaniałe malinowe trampki.

Wepchnęłam resztkę zimnej parówki do ust i dzięki temu nie rozdarłam się ze złości na całą ulicę. Przeżuwając jak wielbłąd, schyliłam się po torbę i poskładaną parasolkę, której nie było sensu już rozkładać. Te parę kroków dzielące mnie od mojej piwnicy mogłam przebyć spokojnie w stanie przemoknięcia, w jakim się obecnie znalazłam, bo i tak nic by tego już nie zmieniło.

*

Wykąpana, w ostatniej czyściutkiej piżamce z przyjemnością wskoczyłam pod twardy jak deska kocyk z granatowym napisem „PKP" i spojrzałam po raz czwarty na treść SMS-ów, jakie dostałam od Waldka i od koleżanki z pracy. Wpatrując się w literki jak w magiczne robaczki, nie byłam w stanie odgadnąć, po co zostały napisane i czy powinnam na nie odpisać, czy raczej nie. Oczywiście chodziło mi przede wszystkim o SMS od Waldemara, bo ten drugi nie wzbudzał we mnie żadnego niepokoju. Dziewczynom coś się na pewno pomyliło.

— Jutro zadzwonię i wszystko bez problemu wyjaśnię. Spoko. — Wzruszyłam ramionami. — Nie ma tematu, nie ma paniki, wszystko pod kontrolą, jak mawia mój ojciec. Ale ten drugi SMS... „Musiałem wyjechać", to rozumiem, ale nie do końca, bo kto musi tak nagle, jakby się paliło?

— Dlaczego ja o nic go nie zapytałam? — Spojrzałam w okienko. — Nawet nie wiem, gdzie mieszka. — Okienko nie podzielało moich emocji i nawet się nie skrzywiło. — Ani co robi, to znaczy gdzie pracuje! — Kapnęło w parapet. — Wiedziałam, że mi nie pomożesz. Nikt mi nie pomoże — szepnęłam w stronę okienka i naciągnęłam koc „deskę" na tyle, na ile się dało, odłożyłam telefon i zamknęłam oczy. — Ojejku! Znowu łzy mi ciekną — szepnęłam i wytarłam dłonią policzek i czubek nosa, na którego samym koniuszku zatrzymała się jedna z pierwszych kropel.

*

Podobno sen jest bardzo zdrowy, tak słyszałam, ale czy sen przerwany rozdzierającym serce miauczeniem też jest zdrowy? Chyba nie. Zerwałam się rozbudzona i za moim piwnicznym okienkiem, w promieniach słonecznych, zobaczyłam to samo bezradne kocie dziecko, tylko jakby trochę podsuszone. Narzuciłam wilgotny polar, stopy wsunęłam w mokre trampki i wyszłam.

— Miau... miau... miau! — dochodziło zza domu.

Serce ścisnęło mi się albo raczej zamieniło w siekany kotlecik, bo wyobraziłam sobie, co ten futrzany osobnik musi przeżywać w tej swojej niepewności jutra, bez opoki, jaką jest mama. Przygięłam nieco nogi, pochyliłam się i nastawiłam dłonie, starając się stawiać stopy prawie bezszelestnie. Mokra trawa tłumiła wszystkie odgłosy, jedynie chropowata ściana, do której się przytuliłam, drapała opalony naskórek, ale czego się nie robi dla ratowania zwierzęcia. A zwierzę miauczało nadal rozpaczliwie i tę rozpacz widać było gołym okiem przesłoniętym nieco idiotyczną grzywką, której chyba pozbędę po powrocie do domu. Zdecydowanie się pozbędę.

— Mam cię! — wykrzyknęłam, rzucając się długim susem w kierunku zaskoczonego kotka, który przestraszony moim okrzykiem skoczył pomiędzy wybujałe pokrzywy i pognał co sił pomiędzy nimi w kierunku opuszczonego domu. — Poczekaj! — zawołałam, podciągając spodenki mojej ostatniej czystej piżamy. — Poczekaj! Nie uciekaj! Chcę ci pomóc!

Nie zdążyłam. Malutkie futerko w malutkie paseczki wsunęło się do zatęchłej dziury.

— Uch… — westchnęłam i nie zważając na błoto, pokrzywy i niebezpieczeństwo zawalenia, pojechałam na tyłku w głąb, w ciemność, śmierdzące szmaty i połamane krzesła. — Fuj — stęknęłam i powoli zbliżyłam się do przerażonego nie mniej niż ja, skulonego w kąciku osobnika z ostrymi zębami dzikiego zwierzęcia. — Mam cię — wyszeptałam, przytulając przerażone zwierzątko do siebie z całej siły, bo zwierzątko nie chciało być wcale przytulane i wbijało swoje malutkie pazurki na wysokości mojej piersi, przykrytej cieniutką materią bawełnianej koszulki, z całej siły pragnienia ucieczki do dalszej części spleśniałej dziury pod walącą się chałupą. — Nie wyrywaj się — mruknęłam podczas próby wydostania się na światło dzienne bez użycia rąk. — Ćśśś…

Przez nikogo niezauważeni, ociekając wodą i błotem, znaleźliśmy się w piwnicy o nieco lepszym standardzie.

— Muszę ci kupić kocie żarcie, wiesz, kocie? — wyszeptałam do malutkiego uszka. — A wiesz może, gdzie znajdę weterynarza, bo twoje futerko samo się rusza, a ja chyba chcę tylko ciebie, a nie tysiąca pcheł? — I zadowolona z polowania zwieńczonego sukcesem w postaci kota zerknęłam w okienko. Mokra jak co rano trawa błyszczała zachwycająco w promieniach letniego słońca. Przez chwilę zapatrzyłam się w delikatne liście pokrzyw, które jeszcze przed momentem tak mnie zdenerwowały, zaznaczając swoje istnienie tysiącem swędzących, palących jak ogień, czerwonych bąbli na całym moim ciele, potem spojrzałam w niebo usiane poduszeczkami wesołych chmurek i ten widok sprowokował mnie do działania.

— Dzień dobry! — zawołałam radośnie, jak przystało na wypoczętą osobę. — Bogumiła Korzycka — przedstawiłam się na wszelki wypadek, jakby Nieczaj nie poznał mnie po głosie.

— Dzień dobry… — mruknął jakoś niewyraźnie.

— Ja w sprawie urlopu! — zaćwierkałam radośnie.

— Chwileczkę… — coś zaszeleściło. — Nie czaję tak z rana… Jakiego urlopu?

— Mojego, szefie! — wykrzyknęłam jeszcze bardziej zadowolona. Nastąpiła cisza, w pierwszej chwili pomyślałam, że przerwało połączenie i zerknęłam w ekran, ale nie, połączenie trwało nadal. — Halo?! — zawołałam.

— Pani Korzycka — stęknął — pani wie, która jest godzina?

— Yyy… Nie!

— Trzecia trzydzieści dwie… — wyszeptał z naciskiem na każde słowo. — Po cholerę pani do mnie dzwoni o trzeciej trzydzieści dwie, skoro pani jest na urlopie — sapnął. — Do widzenia.

— Do… — chciałam odpowiedzieć, ale nie dokończyłam, rozmowy już nie było. Sprawdziłam godzinę na ekranie telefonu. — Kurczę, znowu spieprzyłam… — wyszeptałam z niedowierzaniem.

Było tak wcześnie, że mogłam jeszcze zasnąć, ale nie udało mi się, mimo usilnych starań z mojej strony. Nie pomogło wpatrywanie się w ścianę i w okienko, nie pomogła wyobraźnia i odtwarzany przez nią obraz fal rozbijających się o falochron ani obraz zachodzącego słońca, bo to wszystko zamiast przywoływać mi na myśl coś zdecydowanie miłego i uspokajającego, kojarzyło mi się z kimś miłym i cholernie wkurzającym. Z kimś, kto nie napisał już nic więcej, bo oczywiście sprawdzałam nadal i nadal nie wiedziałam, czy powinnam coś odpisać. Cały czas brzmiały mi w uszach słowa Gudrun: „Dupek, dupek, du...pek".

*

— Aaa... — przeciągnęłam się z przyjemnością, która jednak nie trwała długo. Moje rozwarte na całą szerokość szczęki opadły równie szybko, jak się rozwarły. Pomiędzy zębami poczułam coś, co przed sekundą zaledwie ćwiczyło skoki po futerku mojego nowego współlokatora. W moich ustach, przygnieciona zębami, tkwiła pchła...

Otrząsnęłam się z obrzydzenia i w tym momencie wypowiedziałam tym małym stworzeniom, tworzącym wielką armię, równie wielką wojnę. Zapomniałam o spotkaniu z Gudrun, bo zapałałam żądzą mordu. I z tą zbrodnią w oczach wpatrzyłam się w prążkowane futerko.

— Widzisz — powiedziałam z miną zdobywcy. — Już nie będą cię żarły.

Liczba upolowanych lokatorów była imponująca, chociaż domyślałam się, że to jeszcze nie jest cała armia przebywająca na tym malutkim Waterloo.

— Okej. — Pogłaskałam mały łebek i uśmiechnęłam się do pary oczek, które śledziły każdy mój ruch i miały dziwnie znajomy kolor. Były po prostu bure… — I te już ze mną zostaną — mruknęłam, wciągając dżinsy. — Choćby nie wiem co…

Rozdział 8

Gdzie ja mam znaleźć Gudrun? Gdzie się umówiłyśmy? Gdzie miałam być i o której? Biegnąc po deptaku w kierunku kawiarenki, cały czas zadawałam sobie te pytania i było mi coraz to goręcej, bo słońce, zadowolone i uśmiechnięte, świeciło z taką siłą, że wilgotne ciuchy, które zmuszona byłam włożyć, schły w okamgnieniu. Gorzej z butami, ale to nie problem, bo biegać po plaży mogę boso. Zobaczyłam ją przy ostatnim zejściu koło kawiarenki. Stała dumnie wyprostowana i jakby zła, ale może mi się tylko tak wydawało, bo moja uparta grzywka, z którą walczyłam dobre pół godziny, zasłaniała mi świat jak zawsze.

— Cześć — wysapałam na jej widok i pochylona, bo troszkę zabrakło mi tchu, dodałam szeptem: — Uch... uch... uch... Spóźniłam się?

— Trochę — bąknęła z pogardą i ostentacyjnie zerknęła na zegarek.

— Uch… uch… Nie mówiłaś… Nie wiedziałam… Mam kota… Ma pchły… Nie wiesz, gdzie weterynarz?

— Co?! — Spojrzała na mnie, jakbym urwała się z zeszłorocznej choinki.

— Uch… Mam kota!

Wykrzywiła się i wzruszyła ramionami.

— Nie lubię kotów…

Nie wiedziałam, czy żartuje, czy mówi serio.

— Yyy… jesteś zła? Na mnie?

— Nie na ciebie. — Tym razem z obojętnością drgnęły jej ramiona. — Też zostałam wystawiona.

— Też? — zdziwiłam się zaskoczona.

— A co? — wykrzywiła się. — Masz monopol?!

— No… tak myślałam.

— To głupio myślałaś. — Mlasnęła językiem. — Przyjaciółka miała wczoraj przyjechać — wyjaśniła, zakładając nogę na poręcz przy schodach, i nie zwracając uwagi na plażowiczów z plażowymi bambetlami, dotknęła rękami palców stopy. Zmieniła nogę i dodała na wydechu: — Dlatego się śpieszyłam — odwróciła się w kierunku schodów i sfrunęła po nich z lekkością motyla.

— Poczekaj! — zawołałam i spróbowałam tak jak ona.

Plaża powoli wypełniała się ręcznikami i osobnikami, którzy chcieli powrócić z urlopów w hebanowym kolorze, pogoda sprzyjała bardziej im niż mnie, a Gudrun — oddalona ode mnie o długość pomiędzy falochronami — biegła lekko jak łania i w pewnym momencie zrzuciła z siebie koszulkę, którą zgrabnie, nie przerywając biegu, owinęła w pasie. Też miałam na to ochotę, ale powstrzymały mnie miliony oczu.

— Gudrun! — zawołałam i wierzchem dłoni otarłam pot z lodowatego czoła. Moje ciało odmówiło posłuszeństwa obezwładniającym je bólem. Nie chcę już biegać — coś zbuntowało się w środku mnie — i nie chcę już być chuda — jęknęło to coś zupełnie pozbawione w tej chwili sił do dalszego życia.

— Gu...drun! — ryknęłam.

Zatrzymała się, ale nie zawróciła. Resztkami sił dobiegłam do niej jak paralityk, nogi zawijały mi się w jakieś nie do opanowania esy-floresy, ręce zwisały bezwładnie, głowa, gdyby mogła, to potoczyłaby się prosto w fale.

— Uch... uch... Dlaczego tak pędzisz, jak wiatr? — wyszeptałam, ledwie dysząc.

— Sorry... — mruknęła, wzruszyła ramionami i odpłynęła lekkim truchcikiem.

Walnęłam tyłkiem w piach, aż zabolało, choć wydawało mi się, że tę część mojego ciała mam wyjątkowo miękką. Było mi idealnie wszystko jedno, czy moje szanowne cztery litery będą w tej chwili czerwone, czy zrobią się sine. I tak ich nikt nie będzie oglądał.

— Ty chyba jesteś niepoważna! — Usłyszałam nagle nad sobą wściekły głos mojej trenerki. — Jak chcesz zrzucić te swoje wałeczki? Na siedząco? — Kopnęła lekko moją ukochaną plażową torbę. — Masz tu jakąś kaloryczną przekąskę? Po co w ogóle ją wzięłaś? Ona też jest za gruba?

— Nie — mruknęłam, nie zaszczycając jej spojrzeniem.

Nie spodziewałam się, że jest taka sama jak moje koleżanki. Myślałam, że tym razem znalazłam kogoś, kto zrozumie moje problemy. W każdym razie tak to na początku wyglądało. Znowu się pomyliłam...

— Wstawaj! — rozkazał cień na moich kolanach. — Nie można się poddawać! — dodał, łapiąc mnie za ramię dłonią jak kleszcze.

— Nie chcę już. — Podrzuciłam ramieniem, wpatrując się tępo w horyzont. — Pić mi się tylko chce... — mruknęłam.

Cień się zmaterializował i Gudrun usiadła obok mnie. Podała mi butelkę wody mineralnej, z której poprzednio korzystała. Zawahałam się.

— Pij — mruknęła. — Nie jestem chora.

— Dzięki — wyszeptałam, bo zrobiło mi się głupio.

— Ty w ogóle nie masz kondycji — stwierdziła spokojnie i usiadła po turecku.

Wzruszyłam ramionami.

— Dobra, nie będziemy już dzisiaj biegać. — Uniosła się z piasku, jakby wstawała z krzesła. Strzepnęła dłońmi z pośladków jego resztki i klepnęła mnie mocno w plecy. — Wstawaj!

— Zaraz — mruknęłam i dopiłam wodę.

Poszłyśmy brzegiem w stronę kawiarenki, która była bardzo, bardzo daleko jak na mój gust. O wiele za daleko, chociaż przybliżała się w miarę szybko. Tak jak szybko przebierała nogami Gudrun, a ja z ponownym sapaniem próbowałam nadążyć za nią.

Nagle przestałam dostrzegać ludzi siedzących na ręcznikach i tych wędrujących brzegiem, tak jakby ich na tej plaży nie było. Płuca pracowały jak kowalskie miechy, a serce waliło jak afrykański bęben. Gudrun zrównała się ze mną i trochę zwolniła.

— Muszę ci jeszcze powiedzieć, co masz jeść.

— Mhm...

— Pójdziemy po coś dla ciebie.

Z obojętnością kiwnęłam głową, nie chciało mi się nawet mówić. Na schodkach, do których dotarłam resztką sił, Gudrun objęła mnie przyjacielsko ramieniem.

— Skąd jesteś?

— Z Katowic — odpowiedziałam szeptem, zaskoczona prostotą, z jaką zadała to pytanie. — A… ty?

— Z Krakowa. Prawie z Krakowa — poprawiła się. — Właściwie to z Olkusza, ale wolę Kraków, lepiej brzmi.

— No… Jasne…

Spojrzałam na nią ukradkiem. Jak ona to robi, że dowiaduje się wszystkiego tak zwyczajnie, prosto z mostu, prawie w biegu. Ja przecież mogłam też tak zapytać. Tak jak ona, tak po prostu: „Skąd jesteś?", a mnie to zupełnie nie przyszło do głowy, ale czy przyszło mi do głowy, że on zniknie tak nagle? Bo „musił"? Koniec i kropka.

Po moim chwilowym zaledwie, ale bardzo koniecznym odpoczynku, objęte jak para przyjaciółek, przeszłyśmy cały deptak, lawirując pomiędzy ludźmi, i dopiero na samym końcu rozdzieliły nas betonowe słupki. Dalej szybkim krokiem wędrowałyśmy już osobno, nie zatrzymując się nigdzie. Minęłyśmy ostatni stragan i skręciłyśmy w jakąś boczną uliczkę, potem w następną i w jeszcze jedną, aż znalazłyśmy się na moście, a w oddali zobaczyłam port. Zaraz za mostem znowu skręciłyśmy w małą uliczkę i w następną, i w jakieś ruiny. Znalazłyśmy się na osiedlu domków jednorodzinnych, przed furtką z domofonem, na który Gudrun nacisnęła krótko trzy razy. Pyk, pyk, pyk.

— Kogo tam… — warknęło ze skrzyneczki ludzkim głosem.

— Gudrun — odpowiedziała śpiewnie.

Skrzyneczka zawarczała i Gudrun popchnęła bramkę. Weszłam za nią i już chciałam się skierować w stronę schodków prowadzących do drzwi wejściowych, jak uchyliły się garażowe i moim oczom ukazał się facet podobny do obecnej wersji Rafała, z tą tylko różnicą, że jego ktoś jeszcze bardziej napompował. Spojrzałam na niego i zanotowałam w myślach spodnie moro na potężnych udach, czarną koszulkę i mimo upału jeszcze czarniejsze wojskowe buty. Koszulka opinała jego napakowany tors i ręce, w których chyba nie chciałabym się znaleźć, nawet w najczulszym uścisku.

— Właź — mruknął, obrzucając nas byczym spojrzeniem spod gęstych brwi. — Ty też — dodał, wskazując moją osobę szybkim ruchem niewielkiej w stosunku do tułowia i szyi głowy.

Brama z cichym pomrukiem zasunęła się za nami. Stanęłam na wszelki wypadek w samym kąciku garażu. Gudrun pewnie poszła za nim. Przez nie do końca domknięte drzwi do dalszych pomieszczeń doleciało mnie jakieś dziwne trzaskanie szafek, ale nie byłam pewna, czy to rzeczywiście są szafki, pewne było tylko to, że ten suchy trzask przerywał niezbyt cichą rozmowę, która dotyczyła mojej osoby. Nadstawiłam uszu.

— Kogoś mi tu, kurwa, przywlekła! Mówiłem ci, kurwa, żadnych takich.

Poczułam, że się pocę na karku.

— Spoko… — odezwała się Gudrun.

— Co, kurwa, spoko?! — warknął napakowany.

— No… — Szelest. — Ona… — Szelest. — Spoko… — Trzask.

To o mnie! Jęknęłam przerażona i nogi zrobiły mi się jak z waty. Ostrożnie odwróciłam głowę. Garażowa brama była szczelnie zamknięta, ale na jej środku tkwiła klamka. Odetchnęłam. W razie czego istnieje szansa na szybką ucieczkę, pomyślałam na widok klamki i troszkę się uspokoiłam.

— Ty, kurwa, wczorajsza jesteś? — odezwał się znowu Superman i znowu coś złowrogo zaszeleściło. — Nie widziałaś, kurwa, jak patrzały wytrzeszcza?

O kurczę, zdenerwowałam się. Ten facet ma omamy, nic nie wytrzeszczałam, patrzyłam tylko na niego. Po co wygląda jak Rambo?

— Spoko, daj i znikam.

Ja też, byle prędzej.

— No...

Zaszurało i w drzwiach stanęła moja nowa znajoma z wypełnioną po brzegi reklamówką przeciętnej wielkości. Za nią, zasłaniając całym ciałem światło w drzwiach, zjawił się Rambo z ogoloną głową i krzaczastymi, czarnymi jak smoła brwiami. Teraz kropelki potu wypełzły mi nad górną wargę.

— Chodź! — dotknęła mojego ramienia.

Wyszłyśmy przez uchylającą się powoli bramę, zanim ta zdążyła otworzyć się do końca, i szybko zaczęłyśmy przemierzać niewielki odcinek chodnika, jaki dzielił nas do bramki.

Poczułam na sobie wzrok tego gościa i nie wytrzymałam, odwróciłam głowę na tyle, żeby tylko sprawdzić, czy nie idzie za nami. Nie szedł, stał jak najemnik ze skrzyżowanymi na piersiach rękami i z szeroko rozstawionymi nogami. Przyspieszyłam i za bramką popędziłam przed siebie, byle dalej. Brr... Otrząsnęłam się mimowolnie. Nawet gdyby chciał mnie widzieć, oby nie, to i tak nie przyjdę tu już nigdy więcej.

— Hej, mała, dokąd tak pędzisz?! — usłyszałam wołanie.

Zatrzymałam się przy żywopłocie, który skutecznie mnie zasłaniał. Wolałam już nie być widziana przez tego przerażającego człowieka. Gudrun zrównała się ze mną i zaczęła grzebać w reklamówce opartej o zgięte kolano.

— Dla ciebie. — Podała mi pięć batonów w brzydkim szarym papierku.

— Co to jest? — zaciekawiłam się.

— Nie będziesz taka głodna — wyjaśniła.

— Yyy... Dzięki — mruknęłam, zabierając jej ten ciężar.

Roześmiała się

— Nie dzięki, tylko stówa!

— Co?

— Stówa dla mnie! Zapłaciłam!

— A ja, yyy, to zamawiałam?

— Nie wkurzaj mnie! Chcesz schudnąć?!

— No...

— To schudniesz... Stówa! — poruszyła palcami. — I tak masz tanio! Jeden wieczorem zamiast kolacji i dwie szklanki wody. Nie zapomnij, bo się nie odetkasz. — Roześmiała się tak jak wtedy, gdy ją poznałam, perliście, potrząsając przy tym pełną reklamówką jeszcze czegoś.

Chciałam zapytać, czy ma batoniki dla wszystkich grubasów w naszej miejscowości, ale zapomniałam, bo zaczęła mi tłumaczyć, co powinnam jeść, a czego nie, i z tej jej instrukcji wyszło, że muszę znowu zrobić zakupy, bo tylko część produktów miałam, ale nawet nie w takiej ilości, w jakiej powinnam mieć, a część nadawała się do wyrzucenia, bo nie powinnam tych produktów nawet oglądać, a co dopiero spożywać. Z chlebem i bułeczkami nie było problemu, bo mogę nimi nakarmić łabędzie albo mewy, ale parówek, które dopiero kupiłam, nie miałam komu dać, bo przecież mój malutki kotek nie pochłonie całej paczki, a nie poznałam jeszcze żadnego głodnego psa, więc chyba jednak będę zmuszona je zjeść. Nie wyrzucę ich przecież tak po prostu do śmieci.

I znowu wracałyśmy przez ruiny, przez most. Znowu zobaczyłam w oddali port, znowu weszłyśmy w jakieś uliczki. Z tego wszystkiego zapomniałam o kocie, któremu zostawiłam tylko trochę jedzenia, i — co sobie teraz skojarzyłam, bo zaschło mi w gardle — nie dałam nic do picia.

— Ja muszę — machnęłam ręką w stronę miasta — yyy... tam...

— Okej! Ja też znikam. — Odwróciła się i machnęła otwartą dłonią nad głową. — Do jutra, mała!

Trochę mnie wkurzyła tą małą.

— A, yyy... co robisz po południu?! — zawołałam za nią. — To znaczy... raczej wieczorem, ale nie tak całkiem późno, tak około szóstej?!

Zatrzymała się, obróciła i spojrzała z wyraźnym zastanowieniem na twarzy.

— Właściwie... — wzruszyła ramionami — nic.

— To może... mhm... byśmy gdzieś razem, jakbyś chciała, bo ja tak właściwie to tu nikogo nie znam, tylko ciebie.

— Okej — kiwnęła głową. — Tam gdzie rano? — uśmiechnęła się szeroko.

— Okej! — Kiwnęłam głową, uśmiechnęłam się i weszłam do najbliższego sklepu. Porwałam koszyk, wypełniłam go po brzegi i z pełnym, ciężkim jak sto diabłów, podeszłam do kasy.

— Przepraszam — odezwałam się do kasjerki — wie pani może, gdzie znajdę weterynarza?

— Tutaj, u nas?

— Mhm — pokiwałam głową.

— Tu… — zastanowiła się — tu chyba nie ma. Wiem, że w sąsiedniej miejscowości jest, bo kuzyn wołał, jak mu się krowa cieliła, ale tu, u nas, to chyba nie. — Zamyśliła się. — Niech się pani taksówkarzy zapyta. — Wskazała mi okno. — Oni wszystko wiedzą… Ooo! — Wychyliła się lekko. — Tamtego w czarnej czapce. — Wskazała mi palcem faceta opartego o beżowego mercedesa i się rozpromieniła, prostując plecy. — To mój wujek — wyjaśniła dumnie. — On na pewno będzie wiedział.

— Dzięki. — Uśmiechnęłam się i wpakowałam zakupy do torby, zadowolona, że wzięłam ją ze sobą. Z ciężarem na ramieniu, przechylona nieco w jedną stronę, podeszłam do wujka kasjerki.

— Yyy… Przepraszam! Szukam weterynarza, nie wie pan, gdzie go znajdę?

Facet bez słowa oderwał się od samochodu, obszedł maskę i stanął z drugiej strony, przy swoich drzwiach.

— Proszę wsiadać, zawiozę.

— A to daleko?

— Niee-e — odpowiedział.

Wraz z torbą wypełnioną hektolitrami wody, z charakterystycznym odgłosem bul, bul umościłam się na tylnym siedzeniu i zatrzasnęłam drzwi. Wujek się skrzywił.

— Przepraszam — wyszeptałam, poprawiając torbę na kolanach. Silnik zamruczał i ruszyliśmy. Możliwe, że tam, dokąd teraz jadę, znajdę fachową pomoc, osobę, która na pewno posiada jakiś środek przeciw pchłom, jakiegoś mordercę tych paskudnych pasożytów, które żywią się krwią mojego niewinnego zwierzęcia. Już sama myśl, że nie będę musiała spożywać tych wyjątkowo ruchliwych i obrzydliwych stworzeń, wywołała u mnie falę dobrego humoru.

Jechałam, podziwiając otaczający mnie świat, letnie kwiaty rosnące w ogródkach przy domach, pola, na których kwitły ziemniaki, rosła kukurydza, dojrzewało zboże. Podziwiałam czerwone maki, krzaki dzikich róż i dumnie spoglądające słoneczniki. I z tego zadowolenia uśmiechnęłam się do swojego odbicia w szybie, ale zauważyłam bociana majestatycznie wędrującego po polu w poszukiwaniu czegoś dobrego dla swoich dzieci i to mi przypomniało, że moja mama od wczoraj do mnie nie zadzwoniła. Zdenerwowałam się i zaczęłam przeszukiwać torbę, co bardzo mi utrudniały rozpychające się w niej butelki z wodą, które namiętnie wpychały się we wszystkie wolne miejsca, jakie udało mi się stworzyć w poszukiwaniu telefonu.

— Jest! — wykrzyknęłam.

Auto zatrzymało się nagle, prawie uderzyłam czołem w podgłówek.

— Gdzie?! — zapytał wujek kasjerki, zaglądając przez szybę do czyjegoś ogródka.

— Co gdzie? — też zapytałam i spojrzałam w tę samą stronę co on.

— Gdzie jest weterynarz?

— Nie wiem.

Zirytował się.

— Krzyknęła pani, że jest!

— Telefon — jęknęłam pokornie, pokazując mu sprzęt w pokrowcu.

— Aaa... — pokręcił głową i wrzucił jedynkę.

Ruszyliśmy w dalszą podróż, a ja postanowiłam najpierw zrobić porządek w torbie, a do mamy zadzwonić później. Ostrożnie wyjęłam butelki i odłożyłam je na siedzenie. Potem zaczęłam wyciągać resztę, uważając, żeby nic się nie wylało ani nie wysypało. Ze szczególną ostrożnością wyjęłam najdroższe z zakupów, batoniki w paskudnym opakowaniu bez napisów. Niemiły zapach rozszedł się po kabinie. Szybko wcisnęłam batoniki do woreczka i zawiązałam go szczelnie. Zapach czy — szczerze mówiąc — smród pobył jeszcze chwilkę i zniknął prawie tak szybko, jak się rozpanoszył. Spojrzałam z obrzydzeniem na pełen woreczek i usta mi się wykrzywiły z obrzydzenia. Nie mam na te batoniki ochoty, pomyślałam, wrzucając je na dno, i zaczęłam dopakowywać resztę. Na samą górę włożyłam pomidory, uważając, żeby się nie pogniotły, i już mogłam powrócić do kontemplowania obrazów za oknem. Samochód kołysał, zgrabnie omijając ubytki w wiejskiej drodze. Zamknęłam oczy i wyobraziłam sobie, że jestem w Wenecji i płynę gondolą z przystojnym gondolierem śpiewającym coś bardzo włoskiego.

— O sooole miiiooo... — zaśpiewałam cichutko, ale zaraz mi się przypomniała moja ostatnia morska wycieczka i jej skutki i szybko zrezygnowałam z gondoli, chociaż może w niej nie miałabym takich sensacji.

— Proszę pani! Jesteśmy! Weterynarz! — Głos wujka ściągnął mnie na ziemię.

— Yyy... Gdzie?

— Tam stoi. — Wskazał palcem gospodarstwo i stojącego pośrodku podwórza mężczyznę w wielkich gumowcach i długim zielonym fartuchu. I chociaż była pełnia lata, to skojarzył mi się ten pan ze Świętym Mikołajem. Jego włosy i broda były tak samo białe jak u tego, który wpada z prezentami przez komin, z tą tylko różnicą, że ten, na którego patrzyłam, wycierał ręce ogromną, zakrwawioną szmatą sięgającą jego kolan.

— Okej! — wykrzyknęłam i jednym pociągnięciem otworzyłam drzwi. Pomidory, które dopiero schowałam do torby, potoczyły się, jakby też chciały ze mną iść. — Zostawiam torbę, bo zaraz wracamy. — Popchnęłam je zdecydowanie, wystawiłam obie nogi i pomknęłam radośnie w stronę weterynarza, bo taksówka zatrzymała się dość daleko. Jak się domyślam z powodu błota, które mimo grzejącego słońca w cieniu potężnych drzew jeszcze całkowicie nie wyschło.

— Halo! — zawołałam, zatrzymując się w ostatniej chwili nad kałużą. — Przepraszam! Czy pan jest weterynarzem?

Mężczyzna spojrzał na mnie dziwnie, jakbym pytała o słonia, stojąc pod jego brzuchem, i przerwał znęcanie się nad własnymi palcami.

— Podobno, a o co chodzi?

— O pchły — oznajmiłam pewnym głosem i się uśmiechnęłam.

— Potrzebuje pani pcheł czy raczej chce mi je pani sprzedać? — Spojrzał z zainteresowaniem.

— Nie chcę pcheł! — wykrzyknęłam i marszcząc brwi, z obrzydzeniem wykrzywiłam usta.

— Aha! — powiedział spokojnie i poprawił okrągłe okulary. — Czyli chce mi pani sprzedać pchły — stwierdził, spojrzał na swoje ręce i spokojnie powrócił do poprzedniej czynności.

— Nie — zdenerwowałam się. — Czy ja wyglądam jak sprzedawca pcheł?

Siwa głowa drgnęła i wesołe oczy powoli przesunęły się po mojej postaci.

— Nie — stwierdził zdecydowanie, kręcąc głową.

— No właśnie...

— To o co chodzi, bo nie rozumiem?

— O kota! To znaczy — wyprostowałam się i swoje myśli — o małego kotka, znajdę, sierotę! Złapałam go! Miauczał, ale ma pchły, które po nim skaczą!

— Pchły zawsze skaczą — mruknął spokojnie weterynarz.

— Ale one tak sobie do woli i nawet jedną zjadłam! — Otrząsnęłam się na wspomnienie tego paskudnego zdarzenia.

— I? — zapytał zaciekawiony, jakbym opowiadała o wspaniałym daniu.

— I chciałabym się, yyy... ich pozbyć, bo to bardzo niemiłe, jak nie można swobodnie ziewać! — powiedziałam dobitniej, żeby mu uzmysłowić swoje paskudne przeżycie. — Ja nie lubię i mój kot też nie, a musimy!

Pan w gumowcach i zielonym fartuchu, z nadal niezbyt czystymi rękami, które ponownie przestał wycierać szmatą, patrzył na mnie teraz w zupełnym bezruchu. Nie wiem, co jeszcze powinnam powiedzieć. Czy to, co powiedziałam, nie wystarczy?

— A pani skąd do mnie przyjechała? — odezwał się wreszcie, zerkając na taksówkę.

— Z... yyy... zzz... stamtąd! — Machnęłam dłonią w stronę morza.

— To proszę tam wrócić, bo ja się nie zajmuję małymi zwierzętami. — Spuścił głowę i powrócił do wycierania rąk. — Przy Słowackiego mój syn prowadzi przychodnię weterynaryjną i on pani pomoże. Słowackiego siedemnaście, w podwórzu, taksówkarz powinien wiedzieć — dodał i spojrzał wymownie.

— Dzięki — szepnęłam i zacisnęłam usta. — Do widzenia.

Z niekłamaną odrazą popatrzyłam w stronę opalającego się taksówkarza. Następny do odstrzału! Uniosłam lekko głowę i powoli podeszłam w stronę uchylonych drzwi beżowego mercedesa, wsiadłam i z przyjemnością je zatrzasnęłam. Kierowca zrobił to samo, tylko delikatniej. Oczy w tylnym lusterku spojrzały z wściekłością. Wzruszyłam ramionami, żałując, że mój wzrok nie zabija, bo w tej chwili ta moc miałaby uzasadnienie. Kasjerkę też bym nim obdarzyła z ochotą, chociaż nie należę do osób pamiętliwych i mściwych, to w tej chwili myślałam tak intensywnie nad zemstą, że postanowiłam nie zapłacić za ten kurs.

Już nie chciało mi się podziwiać okolicy, nie zastanawiałam się nad dojrzewaniem zboża, nad nabierającą rumieńców jarzębiną, nad pełnią lata i ostatnimi dniami mojego urlopu spędzanego prawie samotnie. Skupiłam się na drodze powrotnej w najbardziej realistyczny sposób, w jaki się tylko da.

— Yyy... Ile jestem winna za wycieczkę? — zapytałam na samym środku nadmorskiej miejscowości, przy ulicy Słowackiego, dwie przecznice od mojej piwnicy, w odległości, którą przebyłabym piechotą na luzie, wracając spokojnie z zakupami. Dodałam jeszcze, bo nie mogłam się powstrzymać: — Niekoniecznie na własne życzenie!

Wujek kasjerki nie zareagował na moją uwagę i skasował, jak na moje obecne możliwości finansowe, zawrotną kwotę. W uroczym turkusowym portfeliku znajdowało się już bardzo niewiele, a to, co pozostało na moim koncie, powinno tam tkwić nienaruszone aż do zakupu biletu powrotnego. Jedyną przyjemność, jaką sobie sprawiłam tuż po zapłaceniu za wyjazd na wieś, było ponowne zatrzaśnięcie z całej siły drzwi beżowego, wypielęgnowanego mercedesa.

— Ups! — krzyknęłam na wszelki wypadek. Każdemu może się coś wysunąć z ręki, nieprawdaż?

Weszłam w bramę i odnalazłam drzwi do gabinetu weterynaryjnego. Cicho wsunęłam się do pustej poczekalni i grzecznie przycupnęłam na najbliższym krzesełku. Podziwiając tabele żywienia psów, zastanawiałam się, czy tu też wywołują pacjentów.

— Proszę! — zawołał ktoś z pokoju obok.

Nacisnęłam klamkę i wsunęłam głowę w szparę w drzwiach.

— Proszę — odezwał się ten sam męski głos, choć jego właściciela nie było widać. — Proszę wejść, ja zaraz... — głos się oddalił.

Weszłam i się rozglądnęłam. Nigdy jeszcze nie byłam w takim miejscu.

— Proszę postawić zwierzaka na stole! — zawołał głos z oddali. — Ja już idę!

Okej, pomyślałam i usiadłam na krzesełku obok biurka.

— Dzień dobry! — powiedział właściciel głosu z oddali, zjawiając się w drzwiach, a ja ujrzałam młodszą wersję Mikołaja, o wiele ciekawszą, lekko zaledwie szpakowatą, w równie zielonym fartuchu.

— Dzień dobry — uśmiechnęłam się. — Ja bez zwierzaka — dopowiedziałam, widząc, jak się rozgląda.

— Aha! — Zrezygnował z rozglądania się i spojrzał na mnie. — W czym mogę pomóc, bo ja, jak pani mogła zauważyć — ręka omiotła ściany pełne zdjęć kotów i psów — leczę zwierzęta.

— Tak! Wiem! Ja w sprawie kota, a raczej pcheł na nim żerujących — powiedziałam dość głośno.

— Aha — uśmiechnął się filmowo, a ja westchnęłam. — To do mnie. Ile kot ma lat? Ile waży?

— Yyy... nie wiem — powiedziałam zgodnie z prawdą. — Dopiero go adoptowałam. Bardzo miauczał, wie pan, tak — wydałam z siebie przeraźliwy odgłos, żeby dokładnie zobrazować sytuację. — Ale nie wiem, czy dobrze zrobiłam, bo może jego mama jeszcze przyjdzie, ale był bardzo głodny i zmoknięty, bo to się stało teraz, podczas tego deszczu, co był, ale już wcześniej miauczał w dziurze pod tym strasznym domem, pod tą ruiną przy Grottgera, wie pan gdzie? — Kiwnął głową, że wie, co pozwoliło mi mówić dalej: — Jak można w środku miasta trzymać takie straszydło! — zadałam pytanie, chociaż nie spodziewałam się, że weterynarz mi na nie odpowie. Uśmiechnął się tylko i kiwnięciem głowy zgodził się ze mną. Zrobiło mi się przyjemnie, że jednak mam rację. — Przynajmniej koty mają gdzie się rodzić i miauczeć, tylko czemu z głodu — dodałam i zamilkłam.

— No tak... — powiedział i podszedł do szafki, otworzył ją i zaczął wpatrywać się w kolorowe opakowania. — Czyli jest malutki — mruknął do jej wnętrza i nagle zerknął w moją stronę. — Jaki jest duży? Zwykły dachowiec?

— Yyy... taki. — Ułożyłam dłonie tak, jakbym nadal trzymała kotka.

— Niemożliwe. — Przystojniak spojrzał niedowierzająco.

— No... tu jeszcze trochę zwisało — dodałam pośpiesznie. — I główka tu — wskazałam brodą.

— To zmienia... — Sięgnął do drugiej szafki. — To będzie dobre — ucieszył się i podszedł do biurka. — Tym środkiem proszę raz posypać i proszę uważać na oczy, jego i swoje. Zaraz po zaaplikowaniu ręce wymyć, bo to trucizna, a najlepiej, jakby pani z nim przyszła — powiedział, trzymając opakowanie pudru na wysokości moich oczu. — Moglibyśmy mniej więcej określić jego wiek. Założyć książeczkę.

— Książeczkę?

— Tak — kiwnął głową — szczepień. Pani jako właścicielka zawsze powinna mieć ją ze sobą podczas następnych wizyt kontrolnych.

— A co, yyy... powinien jeszcze kotek mieć?

— Jedzenie. — Uśmiechnął się tak, że wcale nie chciałam opuścić tego miejsca za szybko.

— To wiem, ale... co powinnam mu jeszcze kupić? — zapytałam, mając nadzieję na dłuższy wykład.

— Miski — odpowiedział z tajemniczą miną. — Na jedzenie, na picie.

— I coś jeszcze? Czeka nas długa podróż pociągiem.

— Pani nie jest stąd? — zapytał zaciekawiony, a ja przez moment pomyślałam o przeprowadzce nad morze.

— Nie — pokręciłam głową. — Z drugiego końca Polski.

— Szkoda — powiedział, patrząc mi w oczy.

Westchnęłam i chciałam powiedzieć, że ja też żałuję.

— Yyy... Dlaczego?

Roześmiał się, podszedł do szafki i domknął jej drzwiczki

— Miałaby pani lekarza dla zwierzaka!

— Aha! No tak! Oczywiście... Panie doktorze?

— Taaak? — Odwrócił się, podszedł do biurka i przysiadł na jego brzegu.

— To powinnam coś yyy... — Spojrzałam na kiwającą się delikatnie bosą stopę w skórzanych sandałach i rękę ze złotą obrączką, która spoczęła na kolanie tuż na wysokości moich oczu. — Na tę drogę, żeby bezpiecznie... — westchnęłam mimowolnie.

— Doradzą pani w zoologicznym, dwa domy dalej — odpowiedział, wyprostował się i nie przestając kiwać nogą, sięgnął po papiery leżące w korytku na biurku. Zaczął je przeglądać i w ten sposób dał mi do zrozumienia, że wizyta jest skończona. Nie pozostało mi nic innego, jak tylko zapłacić za proszek i opuścić to miejsce. Już chciałam wstać, ale narzuciłam tylko ciężką torbę na ramię. Przypomniało mi się, że nie zadałam jeszcze jednego pytania.

— A jak hm... właściwie po czym yyy... mogę poznać, że hm... on, ten kot, nie jest albo jest dziewczynką? — Poczułam, że się trochę plączę. — To znaczy, no, wie pan, yyy... kotką lub kotkiem?

Pochylił się, zniżył głos prawie do szeptu i bardzo powoli z tajemniczą miną zapytał:

— A jak pani sądzi?

Zrobiło mi się gorąco. Jego przystojna twarz była zdecydowanie za blisko.

— Yyy... no właśnie, bo ja... nie bardzo wiem jak i dlatego pytam, bo pan na pewno wie — wydusiłam.

— Wiem — powiedział bardzo pewnie i nie zmienił pozycji. Poruszyłam się na twardym krzesełku, aby mu dać do zrozumienia, że ja nadal nie. — Trzeba sprawdzić.

— Sprawdzić? — szepnęłam. — Jak?

— Zwyczajnie — zaśmiał się i wstał. Obszedł biurko dookoła i położył na nim trzymane wcześniej papiery. — Trzeba sprawdzić, czy pani kotek ma jądra, bo jak ich nie ma, to... — Rozłożył ręce. — Nie jest kotem!

— Proszę? — Poczułam, że się czerwienię. — Aha...

Znowu się roześmiał

— Już powinno być widać.

— Aha...

Zapłaciłam, porwałam torbę, podziękowałam i wyszłam szybko, czując na sobie jego rozbawione spojrzenie. Powinnam się sama domyślić, a nie głupio pytać.

Jeszcze trochę zmieszana weszłam z impetem do zoologicznego i pierwsze, co ujrzałam, to słoik z całą bandą pluszowych myszy. Wgapiałam się w ten słoik, gdy do lady podeszła dziewczynka i zadała pytanie, na które reaguję prawie alergicznie.

— Co podać?

— Chciałam myszkę — odpowiedziałam, nie spuszczając wzroku ze słoika, bo jedna z tych futerkowych podróbek wpadła mi w oko. Była zdecydowanie najładniejsza w stadzie.

— Którą? — zapytała dziewczynka.

— Tę. — Uśmiechnęłam się do niej.

— Dwa pięćdziesiąt — powiedziała i w oczekiwaniu na pieniądze wyciągnęła otwartą dłoń. Na ten widok, który też działa na mnie denerwująco, pomyślałam, że zaraz zacznę się drapać.

— Ja jeszcze potrzebuję... — Zamyśliłam się na sekundę w poszukiwaniu odpowiedniego słowa. — Potrzebuję wyprawkę! — wypuściłam z siebie zadowolona. — Dla kotka! — dodałam, żeby nie pomyślała, że dla innego zwierzaka.

— Ma...ma...! — dziewczynka rozdarła się jak policyjny kogut w czasie akcji. Szkoda, że nie uprzedziła, zasłoniłabym uszy.

Matka dziewczynki zjawiła się wraz z przepysznym zapachem gotującej się zupy jarzynowej. Przełknęłam ślinkę.

— Idź — powiedziała do dziewczynki i zwróciła się do mnie: — Tak, słucham.

— Yyy... chciałam kotka — powiedziałam i zdałam sobie sprawę, że mówię głupstwa z powodu idiotycznego zapachu.

— Którego kotka? — zapytała, szeleszcząc miniaturowym woreczkiem, który nie bardzo chciał się rozwarstwić i pomieścić w swoim brzuchu wybraną przeze mnie mysz. Podeszła do metalowej klatki, którą dopiero teraz zauważyłam. Zza więziennych krat spoglądały na mnie trzy pary oczu, czwarta spała zwinięta w czarny kłębuszek.

— To znaczy nie, ja już mam kotka! Chcę wyprawkę! Dla mojego! — powiedziałam szybko wpatrzona w tych uwięzionych za niewinność.

Przemknęło mi przez myśl, że mama by się załamała, gdybym jej przywiozła pięć kotów, bo chętnie wzięłabym je wszystkie, były takie śliczne i bezbronne i w dodatku zamiast się bawić, jak na dzieci przystało, tkwiły osowiałe w paskudnej klatce.

*

Objuczona jak osioł, a raczej oślica, zdziwiona, że wystarczyło mi pieniędzy, dotarłam bez przeszkód do mojej „ekskluzywnej" piwnicy.

— Ciekawe, jak mam z tymi tobołami wejść przez takie małe drzwi — mruknęłam, wciągając zakupy. — Kici, kici… — zawołałam niezbyt głośno, żeby tak jak to zdarzało mi się wcześniej — nie przestraszyć zwierzaka. — Kotku! Zobacz, co dla ciebie mam! Kupiłam ci coś ładnego! Zobacz! — Zaczęłam go szukać, bo przecież każdy lubi dostawać prezenty. Zaglądnęłam do szafy, pod łóżko, do torby z ciuchami, pod poduszkę, pod kołdrę, do szufladki na spodzie szafy, pod obskurny dywanik obok łóżka i… skończyły się miejsca, w których mały kot mógłby się schować. Zmęczona i głodna usiadłam na łóżku i zrobiło mi się bardzo, bardzo przykro. Tak przykro, że gdzieś to przykro ścisnęło w samym środku, a potem zakręciło i nie wiem dlaczego, sprowokowało łzy. — Dlaczego sobie poszedłeś, kocie? — mruknęłam, ostatkiem sił powstrzymując te cholerne łzy przed wypłynięciem. — Nie mogłeś poczekać? Nie mogłeś? — pokręciłam głową i wypłynęły. — Dlaczego ty też mnie zostawiłeś? — Wytarłam wierzchem dłoni wilgotniejący nos.

Skuliłam się na łóżku i odechciało mi się wszystkiego. Pomidory powoli wychyliły się z przekrzywionej torby, i zaczęły spadać jeden po drugim na podłogę, przeganiając się w wyścigu do drzwi. Małe, czerwone, napakowane pestkami kulki miały w sobie więcej wesołości niż ja. Patrzyłam na nie z zazdrością, a one spokojnie zatrzymały się tuż koło prezentów dla kotka.

— Pójdę oddać — szepnęłam. — Przynajmniej odzyskam kasę — pocieszyłam się niezbyt ciekawie i spuściłam nogi, bo leżące na podłodze pomidory nie dawały mi spokoju. — Jak ja na tym przeżyję! — jęknęłam załamana, rozpakowując resztę zakupów. — Przecież tego nie można porównać z niczym, co do tej pory lubiłam... Dlaczego inni mogą, a ja nie?! Dlaczego mam jeść trawę jak królik?! Dlaczego nie mogę gofra, ciastek, czekolady, kiełbasy, boczku, masła, bułeczek, skoro tak okropnie je lubię?! Dlaczego?! — Łzy znowu pojawiły się w kącikach oczu. Złapałam ze złością pomidora i sałatę. — Bogusiu... — wykrzywiłam się, udając mamę. — Zjedz obiadek... Bogusiu... — nacisnęłam klamkę — zjedz placuszek z truskawkami...

Drzwi zaskrzypiały dziwnie, popchnęłam je lekko.

— Miau...

— Kotku! — krzyknęłam, jednym ruchem wrzuciłam jarzyny do umywalki i porwałam na ręce swojego ślicznego kotka, nie zważając na paskudne pchły. — Jesteś...

— wyszeptałam w miękkie futerko. — Przepraszam, że cię zamknęłam, przepraszam…

Szczęśliwa ostrożnie wypuściłam zwierzaka na podłogę, niech sobie pooglądа swoje nowe rzeczy, i zaczęłam się zastanawiać, jak to się mogło stać, że zamknęłam kotka w łazience, chociaż na ogół nie zamykam tych drzwi. Nakładając kocie jedzenie do nowych kocich misek, usłyszałam kroki na schodach. Odłożyłam puszkę i gwałtownym szarpnięciem otworzyłam drzwi. Wyszłam na niewielki korytarzyk, szczelnie je za sobą zamykając.

— Pani do mnie? — Uśmiechnęłam się najwspanialej, jak potrafię do „przymurowanej" na ostatnim stopniu baby.

— Eee… Tak!

— Słucham. — Niezbyt naturalny uśmiech nadal tkwił na mojej twarzy.

Baba uniosła nieco głowę, a ja wyjątkowo spokojnie czekałam na to, co ma mi do powiedzenia.

— Pani ma zapchlonego i brudnego kota w pokoju! — oznajmiła wyniośle.

— A skąd pani wie? — zapytałam niewinnie.

— Proszę się go pozbyć! Mój wnuk ma alergię na koty!

— Yyy… W piwnicy?

— Wszędzie!

— To proszę mu yyy… dać wapno! Najlepiej rozpuszczalne! — dodałam szybko i nie czekając na to, co baba ma mi jeszcze do powiedzenia, zniknęłam za drzwiami, za którymi wypuściłam powietrze i skurczona nieco, uśmiechnęłam się, i wykonując odpowiedni gest, wyszeptałam: — *Yes! Yes! Yes!*

Że też nigdy wcześniej nie przyszło mi do głowy, że i ja mam prawo się zbuntować? Nie przypuszczałam, że powiedzenie czasami „nie" może sprawić mówiącemu tyle przyjemności i zadowolenia. Taki drobiazg, a zadziałał jak tabliczka czekolady. Z przyjemnością zabrałam się do rozpakowywania wszystkich nabytych dzisiaj skarbów. Zasłałam łóżko, wyprostowałam dywanik i otworzyłam na oścież okienko, które było na tyle wysoko, że kotek nie był w stanie przez nie uciec, chociaż może i nie miał zamiaru. Śledził moje poczynania z wielkim zainteresowaniem swoimi malutkimi burymi oczkami.

Z zapałem wbiłam widelec w przygotowaną własnymi rękami dietetyczną porcję obiadową, którą zżarłam w całości, bo inaczej nie mogę nazwać wciskania na siłę zielonych liści sałaty, dwóch pomidorów i jednej kromki „wiórzastego" chleba, który tylko dzięki kefirowi jako tako przepchnął się przez mój przełyk. Po skończeniu tego smakowitego posiłku nadal byłam głodna, a świeżo otwarta kocia puszka, pełna mięska w smakowitym sosie, pachniała na cały pokój nieporównywalnie lepiej niż to zielone paskudztwo uśmiechające się do mnie wywiniętymi liśćmi ze stoliczka pod niedomalowaną ścianą.

*

— Cześć — powiedziałam do siedzącej na murku Gudrun.

Zmierzyła mnie wzrokiem.

— A ty co?

— Yyy... nie rozumiem.

— W coś ty się znowu ubrała? W tym chcesz biegać?

— Biegać? — Zaskoczyła mnie.

— Chciałaś! — Wstała z murka i z rękami na biodrach pomajtała się na wszystkie strony na wyprostowanych nogach.

— Yyy... Nie...

Zlustrowała mnie bez skrępowania.

— W tych kropeczkach wyglądasz jak letnia wersja bombki choinkowej — zaśmiała się perliście, uznając to porównanie za dobry kawał. — Chodź. — Machnęła dłonią. — Muszę się przebrać. — Odwróciła się i nie czekając na mnie, pobiegła truchcikiem po pasażu.

— Uff!— sapnęłam, poprawiłam torbę i chcąc nie chcąc, podążyłam za nią, a niełatwo było za nią nadążyć w sandałkach na koturnie, wprawdzie niewielkim, ale jednak, podczas gdy ona była w adidasach, i to, jak zauważyłam, oryginalnych. Ja w spódnicy prawie do ziemi, krępującej moje ruchy, ona w króciutkich, wygodnych, czarnych getrach, ja w biustonoszu na bardzo elastycznych ramiączkach, ona w sportowym o trzy rozmiary mniejszym. No i oczywiście moja torba plażowa, pustawa, ale duża, podczas gdy ona z bajerancką torebeczką zapiętą wokół pasa. Jedyne, co miałyśmy takie samo, to przeciwsłoneczne okulary. Dobrze, że już nie ma upału, pomyślałam, patrząc przez nie w stronę słońca „zawieszonego" na niebie jeszcze dość wysoko, ale niegrzejącego już tak bardzo, do którego litościwie dołączył się przemiły wiaterek i tylko dzięki niemu na moje czoło nie wypełzły krople potu, które z pewnością kapałyby ze mnie obficie, gdyby pogoń za Gudrun odbywała się dwie godziny wcześniej.

— Daleko jeszcze? — wysapałam, gdy tylko znalazłam się w miarę blisko.

— Nie — odpowiedziała i przyhamowała tak ostro, że prawie na niej wylądowałam. W ostatniej chwili wystawiłam dłoń i oparłam się lekko o jej plecy.

— Yyy... sorry — jęknęłam.

Jęknęłam, bo drgnęła, jakby ją zabolało, i jęknęłam na widok tego, co zobaczyłam. Gudrun z tajemniczym uśmieszkiem na niezmęczonej tym swoim szybkim truchcikiem twarzy uchyliła bramkę do ogrodu i przemknęła przez nią, nie zmieniając tempa. Dotarła aż do schodów, a ja oczywiście za nią, z tą tylko różnicą, że na samym początku ścieżki stanęłam jak wryta.

— *Wow!* — wykrzyknęłam głośno. — *Wow!* — powtórzyłam ciszej.

Jak okiem sięgnąć, cały ogród tonął w różowych różach kwitnących tak obficie, że mimo dość dużych obszarów króciutko skoszonej trawy najzieleńszej pod słońcem stwarzał wrażenie różowego. Bajkowo różowego. Koloru, który kiedyś był moim ulubionym.

Westchnęłam, przypominając sobie, że w moim życiu kiedyś wszystko było różowe... Nawet lody truskawkowe, które wybierałam z powodu ich koloru, a nie smaku, bo nie przepadam za truskawkowymi do dziś, ale wtedy były jedynymi, jakie jadłam.

W tym ogrodzie, tak jak kiedyś w moim życiu, róż też opanował wszystko. Nawet, jak zauważyłam, stary biały dom tkwiący nieśmiało pośrodku, jakby chciał być niewidoczny, jakby się wstydził, że nie jest różowy, chociaż wśród różanych wybujałych krzaków tak jakby trochę był.

— Hej! Co cię tak przymurowało?! — zawołała moja wróżka.

— *Wow...!* Te róże... — Rozglądnęłam się z zachwytem.

— Ekstra, nie?! Za domem są jeszcze lepsze. Chodź! — Machnęła jak na wróżkę dość prozaicznie ręką i zbiegła ze schodów w stronę kamiennej ścieżki pomiędzy różami a idealnie przystrzyżonym trawnikiem, który właśnie był podlewany na dwie strony dziwnym poruszającym się zraszaczem. Na jego widok też chciałam krzyknąć „*wow!*", ale zdusiłam tę chęć, wgapiając się tylko w jego wędrówkę. Przeszłyśmy na tyły i tu już spokojnie mogłam zawołać „*wow!*".

— Wiedziałam! — zaśmiała się głośno. — Pooglądałaś? — zapytała, patrząc z drwiną w moją pełną zachwytu twarz.

— Tak... — szepnęłam, starając się opanować, ale wrażenie wspaniałości pozostało.

— To teraz idziemy do środka. Tam będziesz mogła spokojnie dalej wydawać z siebie ten swój okrzyk! — Parsknęła śmiechem i pociągnęła mnie w stronę przeszklonych drzwi uzbrojonych w kraty, z pozoru filigranowe, choć — jak się domyślam — takie nie były i tylko sprawiały takie wrażenie. Były oczywiście w kwiatowy wzór.

— Ach! — westchnęłam głośno i zachłysnęłam się różanym zapachem, który przywitał nas w progu. Celowo zmieniłam okrzyk, nie chciałam narażać się na kpinę, chociaż „*wow!*" jest mocniejsze od „ach!". — *Wow!* — wyrwało mi się jednak po jego przekroczeniu. — Jakie schody... — jęknęłam.

Gudrun uniosła brwi, ale się nie odezwała, bo chyba każdemu wyrwałoby się takie „*wow*" na widok podobnego wnętrza.

— Pooglądaj sobie — szepnęła mi do ucha i puściła moją dłoń.

Nieśmiało przeszłam przez hol i skierowałam się w stronę promieni słonecznych, kładących się długą smugą na ciemnej podłodze. Stanęłam w szerokich, dwuskrzydłowych, ciemnych drzwiach i zobaczyłam salon wypełniony słońcem po same brzegi, oczywiście jeśli salon może mieć brzegi.

— *Wow*... — wyszeptałam po raz kolejny, bo pokój był wspaniały i tonął w różach.

Białe meble wyraźnie odcinały się od beżowych ścian i ciemnej podłogi, którą wyścielał bardzo puszysty brudnoróżowy dywan w kształcie kwiatu w pełnym rozkwicie.

Materiałem w róże obite były kanapy, zasłony obficie zwisające z białych karniszy też były w takie same róże, tylko o rozmiar mniejsze. Poduszki, które bezwiednie zaczęłam liczyć, rozłożone na białych fotelach obitych oliwkowym aksamitem, również miały ten sam wzór.

— *Wow*... — wyszeptałam, prawie nie poruszając wargami.

I jakby tych róż nadal było mało, na białych stolikach stały przezroczyste wazony wypełnione nie czym innym, jak tylko różami w różnych różanych odcieniach. Od bledziutkich, prawie białych, aż do prawie malinowych. Od tych róż zakręciło mi się w głowie.

— Gudrun?! — zawołałam niezbyt głośno, bo nie wiedziałam, gdzie zniknęła, a bałam się poruszyć, żeby ten wspaniały obraz, jaki miałam przed sobą, nie zniknął tak jak ona.

— Jestem u góry — odezwała się. — Schodami i na prawo...

Podeszłam do schodów w amerykańskim stylu i wyobraziłam sobie, jak spływam z nich we wspaniałej, długiej, turkusowej sukni, której spódnica miękką kaskadą połyskującego materiału opływa każdy z nich, a na dole, z niecierpliwością i zachwytem na twarzy, czeka ten jedyny, którego nie posiadam i w najbliższym czasie chyba nie będę posiadać, co stwierdziłam z niezbyt ładnym grymasem.

— Chyba za dużo filmów oglądam — mruknęłam pod nosem i powoli zaczęłam się wspinać. — W prawo... — szepnęłam, opierając się dłonią o ciemnobrązową poręcz.

— Wchodź! — zawołała Gudrun. Popchnęłam drzwi i zobaczyłam ją stojącą na środku pokoju jedynie w stringach. — Klapnij, ja zaraz będę gotowa!

— Okej. — Kiwnęłam głową i usiadłam nieśmiało na malutkim taboreciku przy toaletce. Zwróciłam twarz w kierunku okna, nagość zawsze mnie krępowała.

— Jak ci się tu podoba? — zagadnęła.

— Yyy... Super! Te róże w ogrodzie, te w salonie i...

— Ciotka ma na nie ciapa! — przerwała mi.

— Co ma? — Odwróciłam się dość gwałtownie.

Wzruszyła ramionami i palcem stuknęła w skroń.

— Mhm... — mruknęłam.

— Wiesz, ciap to taka nieszkodliwa szajba — wyjaśniła i znowu wzruszyła ramionami. — I dlatego muszę się tymi różami zajmować.

— Dlaczego musisz?

— W zamian za mieszkanie... Rozumiesz? Pilnuję jak Cerber.

— Jak kto?

— Nie wiesz? Cerber!

— Aaa... — Pokiwałam głową.

— Dalej jesteś w dołku? — Stanęła koło mnie wciąż nieubrana.

— Trochę.

Wyciągnęła do mnie rękę z zaciśniętą pięścią.

— Weź to, przejdzie ci.

— Co to jest? — zapytałam zdziwiona, widząc na mojej dłoni kolorową tabletkę.

— Coś na dobry humor. — Odpłynęła w kierunku otwartej szafy. — Możesz sobie pozwiedzać, jeśli chcesz — powiedziała obojętnie i nonszalancko rzuciła na łóżko białe spodnie. — Łazienkę sobie zobacz! — wskazała palcem drzwi. — Tam jest! Kubeczek na umywalce, jak musisz popić!

— Okej — mruknęłam i wstałam, bo chyba wolę oglądać łazienkę niż Gudrun w stroju Ewy.

— Zostaw torbę! Nikt ci nie ukradnie! — roześmiała się jak zawsze perliście. — Jesteśmy same!

Popchnęłam następne drzwi i weszłam do tego, co Gudrun określiła jako łazienkę, i znowu wydobyło się ze mnie to *wow!*

— Bajer, nie? — odezwała się tuż za mną, nadal tylko w stringach, i położyła mi rękę na ramieniu. Jej drobny biust dotknął mojej łopatki. Zerknęłam na nią, patrzyła z takim samym podziwem jak ja, mimo że tutaj mieszka, więc chyba korzysta z tego przybytku.

— Kąpałaś się w tej wannie? — zapytałam cicho, wpatrzona w wannę wielkości średniego basenu.

— Mhm...

— I...?

— Nieźle... — Wzruszyła ramionami.

— Nieźle?! — wykrzyknęłam.

— Chciałabyś? — Uniosła jedną brew.

— Yyy... Mogłabym?

— No... — Podeszła i odkręciła złoty kurek, z którego popłynęła szeroka struga gorącej wody, po czym obeszła to cudo i wzięła do ręki wielką różową butlę. Powoli odkręciła korek i cieniutką strużką wlała do wody różowy płyn.

Piana stworzyła się w momencie, a zapach, oczywiście różany, rozszedł się po całej łazience.

— *Wow!* — westchnęłam bezwiednie.

— Zapalić ci świece?

— No... — Kiwnęłam szybko głową, grzywka opadła mi na oko.

Gudrun się uśmiechnęła, podeszła do drzwi balkonowych i zasłoniła je roletami. Dopiero teraz świece rozbłysły romantycznym blaskiem.

— Przyjemnej kąpieli — szepnęła i wyszła, pozostawiając niedomknięte drzwi.

Cichutko docisnęłam je do końca i powoli zdjęłam z siebie spódnicę, z której do tej pory byłam bardzo zadowolona. Może Gudrun ma rację, mówiąc, że wyglądam w niej jak bombka choinkowa?

— Na pewno tak wyglądam — szepnęłam do kropek na krzesełku i lustra na ścianie.

Woda sobie płynęła, a ja nawet nie zauważyłam, kiedy wypełniła całą wannę, bo oczywiście musiałam skorzystać, oprócz wanny, z klozetu, który nie stał na podłodze, tylko wisiał na ścianie, i z bidetu. Nawet miłe uczucie… Potem odkryłam podświetlane lustro, w którym widać bardzo dokładnie, przede wszystkim to, czego należało się pozbyć jak najszybciej z mojej twarzy. I dopiero po tych wszystkich zabiegach mogłam zanurzyć się w kąpieli.

— Uch — szepnęłam, wkładając do ukropu stopę, bo gorącej wody nalało się tyle, że ja się ledwo zmieściłam. O dolaniu zimnej nie było już mowy, bo szkoda by było, żeby ta cudowna, pachnąca różami piana odpłynęła bezpowrotnie do kanalizacji. Potem to już sobie może, ale najpierw ja się w niej wymoczę, pomyślałam, przymykając powieki ze szczęścia, jakie teraz opływało całe moje ciało aż po samą szyję.

— Fuuu! — Dmuchnęłam w pianę podpływającą do mojej brody. — Fuuu… — Dmuchnęłam jeszcze raz, żeby odpłynęła dalej.

I pomyśleć, że właścicielka tej łazienki, gdziekolwiek teraz przebywa, może z takiego szczęścia korzystać codziennie. Rozmarzyłam się, otulona zapachem przenikającym mnie na wskroś, a lekkość, z jaką unosiłam się w wodzie, wprowadziła mnie w świat marzeń.

— No i jak ci się podoba? — Usłyszałam nagle głos Gudrun, który nie powinien zadawać mi takiego pytania.

Zaskoczona otworzyłam oczy i zobaczyłam moją trenerkę bez jakiegokolwiek skrawka ubrania, nawet stringów, które poprzednio miała na sobie.

— Ha, ha, ha — zaśmiałam się, nie czując poprzedniego skrępowania. Ciało Gudrun wydało mi się jeszcze ładniejsze niż poprzednio. — Super!

— Posuń się — rozkazała i nie czekając na moją odpowiedź, wsunęła się do wanny. Bez słowa sięgnęła po gąbkę, chyba prawdziwą, bo nie różową, i namydliła ją różowym mydłem w kształcie róży, którego do tej pory, pogrożona w marzeniach, nie zauważyłam. Jej szybkie i zdecydowane ruchy, jej szczupłe, opalone palce obejmujące z taką siłą sporą myjkę spowodowały, że poddałam się bez oporów.

— Odwróć się! — wyszeptała, uśmiechnęła się uśmiechem kogoś bardzo pewnego siebie i ścisnęła gąbkę, z której wysunęło się spienione mydło, a ja znowu idiotycznie zachichotałam i posłusznie wykonałam polecenie, bo w jej głosie było coś, co nie pozwoliło mi się zbuntować, a w dodatku widok tej wielkiej namydlonej gąbki podziałał na mnie jak afrodyzjak. Zamknęłam oczy i poczułam na moim ciele delikatne ruchy. W prawie całkowitej ciszy, w zapachu róż i topiących się waniliowych świec gąbka sunęła powolutku, miękkimi, kolistymi ruchami po moim ciele. Od szyi, wzdłuż kręgosłupa na wysokości łopatek, potem niżej, aż dotarła do pasa i nadal się nie zatrzymywała. Zjechała pod poziom wody na tyle, na ile jej pozwalała moja siedząca pozycja. Kurczę, jak mi dobrze, zdołałam pomyśleć i wczuwając się w ten masaż, odleciałam wraz z westchnieniem, jakie wydobyło się mimowolnie z moich ust i nawet nie zauważyłam, że gąbkę zastąpiły dłonie, które jakimś cudem dotknęły delikatnie moich piersi, a ja zamiast krzyknąć „Nie!", nie zrobiłam nic. Wciąż się nie ruszając, pomyślałam tylko, że skoro mi tak dobrze, to chyba jestem lesbijką i może dlatego tak nie wychodzi mi z facetami, ale po chwili, której nie starałam się przerwać, jak przez mgłę dotarły do mnie znajome słowa, choć wypowiedziane nie tym głosem co poprzednio.

— Masz piękne piersi…

W pierwszej chwili zachichotałam, ale po sekundzie skojarzyłam jednak, że coś jest nie tak.

— Kurczę! — wykrzyknęłam i zerwałam się energicznie. Gudrun, zaskoczona moim niespodziewanym posunięciem, wpadła z grymasem przerażenia foczym ślizgiem w pustkę wodną, jaką wytworzyłam, wstając tak szybko. — Kurczę! — wykrzyknęłam na widok jej wygibasów. — Sorry! Gudrun! Ale nie jestem, yyy… no wiesz! Jestem, no… Yyy! Sorry! Yyy… Jesteś super i w ogóle, i gdybym… Przez chwilę wydawało mi się, że może, ale… no, kurczę! — nabrałam powietrza. — Wolę facetów!!! — wykrzyknęłam, bezradnie machając rękami, i wyskoczyłam z wanny, nie zważając na mój strój albo raczej jego brak, na wodę, którą porwałam ze sobą, robiąc wielką kałużę na błyszczących kaflach. Na szczęście udało mi się uniknąć świec i, jak przypuszczam, gorącego, bolesnego zderzenia i zdziwioną moim zachowaniem Gudrun. — A szczególnie jednego, który nie wiem, gdzie mieszka, ale to nic, bo może kiedyś go jeszcze spotkam! — dodałam, w popłochu nadal bezskutecznie poszukując ręcznika. — Uch! Bo powinnam zapytać wtedy, kiedy zapytać powinnam, ale tego nie zrobiłam i sorry! Dopiero ty mi niedawno to uświadomiłaś… — Znowu przerwałam, bo ręcznika nigdzie nie było, a ja stałam dalej jak kołek i kapała ze mnie woda. — Uch! Ale to przecież nie ma nic wspólnego… bo i tak cię lubię, więc jak zechcesz, to ja zaraz po… no i na kawę, jakbyś chciała, to też możemy… — mówiąc to wszystko, nie wiedziałam, czy powinnam zakryć piersi, czy raczej podbrzusze i z tego mojego niezdecydowania machałam rękami jak holenderski wiatrak. Wreszcie opanowałam się trochę, odwróciłam bokiem i z braku ręcznika porwałam bombkową spódnicę i starałam się ją włożyć, choć przez pokryte resztkami piany mokre ciało ta próba graniczyła z cudem. Szarpałam się ze złośliwą spódnicą, która przylepiała się, gdzie tylko mogła, i nie chciała się w żaden sposób odlepić, zwijając się w rulony, co wybitnie utrudniało zrealizowanie mojego zamiaru, a do tego jeszcze skupiłam się na zachowaniu jako takiej równowagi i całkowicie pochłonięta rozplątywaniem usłyszałam tylko, że Gudrun również opuszcza wannę, ale w tej chwili to i tak nie miało znaczenia, bo jedynym, co miało w tej chwili znaczenie, było odzianie w cokolwiek mojego mokrego i nadal nagiego ciała, które zdecydowanie nagie być nie powinno, a niestety było i miałam tego pełną świadomość, czego wynikiem były moje niezbyt skoordynowane ruchy, niedające zamierzonego pierwotnie efektu.

— Proszę. — Ujrzałam dłoń trzymającą różowy ręcznik, również pachnący różami, od których zaczęło mi już być niedobrze.

— Dzięki — wyszeptałam, nie patrząc jej w oczy, i z pochyloną głową zaczęłam się pośpiesznie, byle jak wycierać.

Zrolowana spódnica, której i tak nie miałam szans włożyć, opadła smętnie na podłogę w postaci kropkowanej, zmoczonej gdzieniegdzie szmatki. Chciałam dosięgnąć czubkami palców do majtek i biustonosza spokojnie spoczywających na taboreciku pod lustrem, ale Gudrun mnie ubiegła, zgarniając wszystko jedną ręką.

Niedokładnie zakryta ręcznikiem wyciągnęłam po nie rękę.

— Yyy... Możesz mi to oddać? *Please!* — jęknęłam prosząco.

Naga i mokra Gudrun podeszła w milczeniu wpatrzona w moje oczy z mocą hipnotyzera i obezwładniła mnie tym spojrzeniem na tyle, że nawet się nie zorientowałam, że zamiast majtek, które powinny wylądować na moim tyłku, jej usta wylądowały na moich. Przemknęło mi przez głowę, że ona całuje jak facet!!

— Słodziutka jesteś, wiesz? — szepnęła, odsuwając się ode mnie na długość ramienia spoczywającego jeszcze przed chwilą na mojej szyi. — Bardzo — oblizała zachłannie wargi.

— Kurczę! Ja nie chcę! — wykrzyknęłam, głośno łapiąc oddech, odepchnęłam ją i rzuciłam się na swoje porozrzucane ciuchy. Z towarzyszącym mi nieznośnym perlistym śmiechem, z całej siły wycierając dłonią usta, wybiegłam z łazienki, która już nie była bajkowa.

Rozdygotanymi rękami wciągnęłam figi, biustonosz zapięłam byle jak i w tym momencie w drzwiach ukazała się Gudrun w jedwabnym czarnym szlafroku. Bez słowa, z rękami splecionymi na piersi obserwowała moje zmagania z upartą odzieżą.

— Nie idź... — wyszeptała.

— Co? — zapytałam nieładnie.

— Nie idź... — powtórzyła głośniej. — Przepraszam... Myślałam, że chcesz... — Podeszła bliżej.

Odsunęłam się na bezpieczną odległość i sięgnęłam po spódnicę, która dała się już odrolować. Szybko włożyłam koszulkę, wzrokiem zlokalizowałam ukochaną torbę, bo z tego wszystkiego zapomniałam, gdzie ją odłożyłam. Podeszłam, podniosłam ją z podłogi, narzuciłam na ramię i się wyprostowałam.

— Dlaczego tak myślałaś? — zapytałam, mrużąc oczy.

— Bo opowiadałaś, że ci z facetami nie wychodzi... — wzruszyła ramionami — a jesteś... — Zamyśliła się z enigmatycznym uśmiechem.

— Jaka jestem?! — prawie wykrzyknęłam, oczekując jakichś niemiłych uwag pod swoim adresem.

— Jesteś taka... — Obejrzała mnie łapczywie.

— No jaka? — Zniecierpliwiłam się. — Jaka, kurczę, według ciebie jestem? — Zdenerwowało mnie to spojrzenie.

— Cholernie apetyczna — wyszeptała powoli i namiętnie, patrząc mi przy tym głęboko w oczy.

Zamurowało mnie.

— Ja? — wyszeptałam z niedowierzaniem.

— Mhm...

— Masz rację — roześmiałam się ironicznie — jestem apetyczna jak dobrze wypieczona drożdżówka — dodałam, poprawiłam torbę i odwróciłam się w stronę półotwartych drzwi z widokiem na schody.

— Spotkamy się jutro? — zapytała. — Na bieganie?

— Nie wiem, może — szepnęłam i wyszłam z pokoju.

— Zatrzaśnij drzwi. — Usłyszałam za sobą.

Nie odezwałam się, bo to, co usłyszałam, do końca wyprowadziło mnie z równowagi. Zbiegłam po schodach, stwierdzając, że jedyne, co mi wyszło z mojej bajki, która zaczęła się za bramką do ogrodu tego dziwnego domu, to spływająca za mną długa, kropkowana spódnica, w której wyglądam jak choinkowa bombka w samym środku lata. I dlatego z przyjemnością, tak jak prosiła, zatrzasnęłam za sobą drzwi wejściowe z hukiem godnym armatniego wystrzału, który prawdopodobnie usłyszeli nawet w porcie.

— Uff! — odetchnęłam na ostatnim zewnętrznym stopniu i spojrzałam na ogród pełen słońca.

Nadal był zachwycający. Pomyślałam, że mogłabym sobie strzelić focie na pamiątkę, ale z dreszczem na plecach i grymasem obrzydzenia na twarzy szybko z tego zrezygnowałam.

Taka pamiątka znad morza nie jest mi potrzebna, bo i tak to wydarzenie pozostanie we mnie już na zawsze i jak już znalazłam się za płotem, stwierdziłam z satysfakcją, że jednak miałam przed laty rację. Co jak co, ale róż zdecydowanie nie jest moim kolorem. I po tym stwierdzeniu spokojnie ruszyłam pustą ulicą, starając się przybrać obojętną minę albo nawet zadowoloną, choć byłam tak wzburzona, że w pierwszej chwili nie bardzo mi to wychodziło, ale z ostatnimi ciepłymi promieniami zachodzącego słońca, w których skąpana była cicha, boczna uliczka, powoli się uspokajałam i już pewnym krokiem wkroczyłam na deptak zapełniony jak zawsze ludźmi, których na szczęście nie znałam i nie miałam zamiaru poznać zarówno w najbliższym, jak i najdalszym czasie.

Z przyjemnością i ulgą wtopiłam się w tłum, ciesząc się z anonimowości, choć wydawało mi się, że mam na twarzy wypisane ostatnie przeżycia i ktoś idący naprzeciw może je zauważyć i obdarzyć mnie karygodnym spojrzeniem. Nikt taki jednak nie zatrzymał się przede mną i nie spojrzał na mnie z oburzeniem ani nie wskazał na mnie palcem, więc uniosłam opuszczoną nieco głowę i odetchnęłam z ulgą, tak jak mój skurczony do tej pory żołądek.

— Bogusiu! — zaburczał przymilnie. — Jestem pusty i nadal twój! Grzecznie strawiłem sałatę i pomidorki i jestem cholernie głodny! Hallo!!! Czy ty mnie słyszysz? Bogusiu…

— Okej — mruknęłam i przyspieszyłam, aby spełnić jego prośbę. — Grunt to mieć cel w życiu. — Uśmiechnęłam się, lawirując pomiędzy betonowymi słupkami, bo mój cel był już blisko.

— Cześć — mruknęłam w stronę znajomej postaci odwróconej plecami i z przyjemnością wciągnęłam znajomy zapach. — Nastaw mi, proszę, dwie, bo muszę odreagować stres! — dodałam, wgrzebując się na jedyny barowy stołek, jaki był w tej dziupli produkującej moje ulubione pyszności.

Zapiekanki są cudowne, tym cudowniejsze, że nie jadłam ich już parę dni, i jak zawsze to, co w tej chwili wypełniało moje nozdrza i mózg, wywołało nadprodukcję śliny, którą połknęłam z przyjemnością na samą myśl, że zaraz pochłonę coś tak pysznego, aczkolwiek zdradzonego przeze mnie nie do końca z własnej woli.

— Proszę? — Rubens się odwrócił.

— Yyy… — jęknęłam na widok kogoś całkiem innego, choć bardzo podobnego. — Chciałam, myślałam, że pan to yyy… Rubens — wydukałam.

— Rubens? — Spojrzał na mnie zdziwiony. — A… — zajarzył nagle. — Karol! Mój syn! — zaśmiał się. — Nie wiedziałem, że w tym sezonie jest takim artystą! Kto by pomyślał. — Pokręcił głową z niedowierzaniem i powtórzył, otwierając lodówkę: — Rubens, mówi pani?

— Tak— potwierdziłam i poczułam się jak zdrajca, ale czy to moja wina, że tak mi się przedstawił?

— Ile tych zapiekanek?

— Dwie — odpowiedziałam.

— To z panią Karol był wczoraj? — zapytał z uprzejmym uśmiechem.

— Yyy... nie?!

— Nie? — Spojrzał podejrzliwie, jakbym kłamała.

— Nie — odpowiedziałam, patrząc mu w oczy.

— Szkoda... — westchnął i nastawił piecyk.

Zmarszczyłam brwi, nie rozumiejąc, co ma na myśli, ale po dzisiejszych przeżyciach postanowiłam nie zagłębiać się w temat, bo mogłabym usłyszeć coś, co jeszcze bardziej namąciłoby mi w i tak już dość zakręconej głowie. Gudrun mi na jakiś czas wystarczyła, bo na pewno pobiła wszystkie moje dotychczasowe wakacyjne doświadczenia. No, może oprócz jednego...

Siedziałam zamyślona, tata Karola-Rubensa też się nie odzywał obrócony tyłem, zajęty wycieraniem stanowiska pracy, co przyjęłam z wielką ulgą, bo z tak pustym brzuchem rozmowy nie zawsze są ciekawe, przynajmniej w moim wykonaniu. Bezwiednie machałam nogami, uderzając miarowo koturnem buta w nóżki stołka, wpatrzona w światełko za zapieczoną szybą, która niewątpliwie prosiła się o wyszorowanie. Czekałam cierpliwie, aż piec odezwie się znajomym głosem dzwoneczka, informując, że moje zapiekanki są już gotowe.

— Hejka! — szepnął ktoś, obdarzając mnie okropnie niemiłym, nieświeżym oddechem.

Odwróciłam głowę i ujrzałam bardzo zmęczonego życiem Rubensa.

— Hejka... — odpowiedziałam. — Fajnie wyglądasz!

— Wiedziałem, że ci się spodobam... — uśmiechnął się boleśnie.

— No... — zachichotałam, choć nie powinnam, bo wyglądał tak, jakby go ktoś pogryzł i wypluł. — Wyglądasz super!

Rubens uśmiechnął się i skrzywił prawie w tym samym momencie. Jedną ręką złapał się za głowę, drugą wyciągnął w stronę lady po butelkę wody mineralnej.

— Kurde... — wyszeptał, odkręcając korek. — Fajnie było, tylko dlaczego tak suszy?

Na ladę wjechały dwie największe zapiekanki. Zapomniałam powiedzieć, że dwie, ale małe.

— Kurde! — jęknął Rubens i odwrócił głowę. — Ty to zjesz?

— Postanowiłam schudnąć. — Zamrugałam niewinnie oczami i znowu idiotycznie zachichotałam.

Parsknął śmiechem i złapał się za głowę, co nie przeszkadzało jego oczom omieść moją osobę taksującym wzrokiem, który przez chwilę zatrzymał się na wysokości największego uwypuklenia mojej koszulki.

— Nie rób tego! Dlaczego chcesz się męczyć?! Jest OK!

— Raczej yyy... chcę się przestać męczyć.

Zmarszczył rude brwi. Kurczę, on jednak fajnie to robi.

— Nie rozumiem.

Wzruszyłam ramionami, nie chciało mi się tłumaczyć. Przysunęłam do siebie zapiekanki i w jedną, mimo jej temperatury, wbiłam zęby z wielką przyjemnością, tym większą, że miała być już przedostatnią.

— Ja właściwie... — Mniam, mniam, mniam. — Przyszłam z tobą pogadać... — Mniam, mniam, mniam. — Bo... — Mniam, mniam. — Ja już... — Mniam, mniam, mniam. — W piątek wracam do... — mniam — domu. — Długi jak nitka ser przylepił mi się do brody, złapałam go palcami i z chichotem wepchnęłam do ust. — Ale... Kurczę, jakie to dobre! Moglibyśmy... — Mniam, mniam. — Jeszcze gdzieś... — Znowu ten ser. Tym razem owinęłam go sobie najpierw wokół palca i dopiero serowy pierścionek wepchnęłam do ust, oblizując palec bardzo dokładnie. — Tylko tak wiesz, bez jakichkolwiek, tylko tak... — przerwałam gryzienie i sięgnęłam po serwetki tkwiące na ladzie w zwykłym porcelanowym kubeczku z uszkiem. — Rozumiesz?

Rubens, a właściwie Karol, bez słowa, z uśmieszkiem obserwował moje zmagania z serwetką, która jak zawsze nie chciała opuścić kubka bez walki.

— Jutro mam wolne, chyba — powiedział głośno i wymownie zerknął w stronę ojca stojącego w objęciach kotarki na zaplecze.

— Jutro to ty do hurtowni jedziesz! — odezwał się senior rodu i opuścił swoje miejsce.

Zachichotałam bez sensu. Rubens popatrzył na mnie podejrzliwie.

— Brałaś coś? — zapytał szeptem spod tych ruszających się ciągle brwi.

— Brałam — roześmiałam się i poczułam, że spadam ze stołka.

Przytrzymał mnie.

— Co brałaś?

— Nie wiem, znajoma mi dała takie coś na dobry humor — odchyliłam się i narysowałam kółeczko na otwartej dłoni. — Takie żółte, małe i z obrazkiem, wiesz, co to?

— Mhm… — mruknął i upił łyk. — Co robisz jutro? — zapytał i zaczął bawić się butelką z resztką wody.

— Nie wiem. Pójdę na plażę, opalę się jeszcze trochę, potem coś zjem i może znowu wrócę na plażę…

Skrzywił się i odstawił butelkę.

— Może chcesz jechać ze mną?

— Gdzie? — zainteresowałam się.

— Do Gdańska.

— Po bułki?

Parsknął i znowu się skrzywił.

— Niepoważna jesteś?!

— A po co?

— Jak pojedziesz, to zobaczysz… — Poruszył tymi swoimi wyblakłymi szczotkami i znowu mnie rozśmieszył. — To jak? Jedziesz?

— Jadę — zdecydowałam się w momencie i umówiłam na jutrzejszy poranek. Ostatecznie nie muszę ciągle wdychać tego jodu na samym brzegu morza, mogę go też wdychać, jadąc autem.

*

Jeszcze dwa zakręty, jedne niezamknięte na klucz drzwi, krzywe piwniczne schody i już moja dziupla. Klucz, który po drodze wyłowiłam w torbie, trzymałam już w pogotowiu i zaraz pod drzwiami wetknęłam go w dziurkę przeznaczoną do tego celu i poczułam opór. Poruszałam nim, ale nie chciał wejść bardziej.

— Kurczę — szepnęłam i opuściłam ręce. — Cholerny papierek! — jęknęłam i poruszając ustami, zdusiłam pchające się na nie przekleństwo. Odłożyłam torbę i zerknęłam do dziurki. Tkwił tam sobie rewelacyjnie, bezbłędnie wręcz dociśnięty, nie przez babę, tylko przeze mnie. — Kto pod kim, ten sam w nie… — szepnęłam nad torbą, w której zaczęłam grzebać w poszukiwaniu narzędzia do usunięcia blokady zrobionej własnymi rękami, ale nie znalazłam nic nadającego się do tego celu. Rozglądnęłam się po dalszej, ciemnej i ponurej części piwnicy, ale i tam nie znalazłam nic pomimo wytrzeszczania oczu. Nie pozostawało mi nic innego, jak tylko pójść po jakieś narzędzie na górę. Wzdrygnęłam się na samą myśl, że będę zmuszona przyznać się do zastawionej pułapki, bo jak inaczej można wytłumaczyć papier w zamku. — To nie będzie miłe — powiedziałam z westchnieniem i zostawiając torbę pod drzwiami, weszłam na schody z nieukrywaną niechęcią, a moje sunące powoli nogi były w tej chwili tak ciężkie, jakby były odlane z ołowiu.

Raz, dwa, trzy, odliczałam stopnie, jakby od ich liczby zależało moje życie, jakbym szła w katorżniczych łańcuchach na ścięcie. Nawet wydawało mi się, że słyszę ich pobrzękiwanie na każdym stopniu. Załamana tą wędrówką stanęłam pod drzwiami właścicieli budynku i nieśmiało zapukałam. Usłyszałam zbliżające się kroki, drzwi się otworzyły, a ja przywołałam na twarz najgrzeczniejszy z uśmiechów.

— Dzień dobry! — powiedziałam do starszego pana, który stanął na progu zdziwiony nie mniej niż ja.

— Żony nie ma… — mruknął z okularami i gazetą w ręce.

— Ja do pana! — wykrzyknęłam radośnie, wywołując jeszcze większe zdziwienie na jego twarzy.

— Coś się stało?

— Nie… To znaczy tak!

— Już idę — jęknął i się odwrócił. Poszurał pantoflami w stronę stolika, odłożył to, co miał w ręce, i zgasił telewizor.

— Nie, nie! Proszę nie wyłączać! Ja tylko yyy… potrzebuję śrubokrętu albo jakichś kleszczy!

— Do czego? — Spojrzał badawczo.

— Do… do… — Nie chciałam się przyznać do psoty, ale jakoś musiałam wytłumaczyć, o co mi chodzi. Nabrałam powietrza i zaczęłam, wspomagając się intensywnie gestykulacją: — Jak wyciągałam klucz z torebki, właściwie z torby, bo to nie jest torebka… Wie pan, eee, taka duża, na plażę, ale tam mam wszystko, nie tylko portfel — zaśmiałam się nerwowo — to do niego mi się chyba jakoś przyczepił yyy… choć nie wiem jak. Ten, no — zamachnęłam ręką — i wlazł, i zatkał… — dodałam z ulgą, że mam już to wyznanie za sobą. — I nie mogę wejść — dokończyłam już spokojniej.

— Kto wlazł? — Zainteresował się. — I gdzie wlazł?

— Papierek wlazł — poinformowałam go i zachichotałam.

— Gdzie papierek wlazł? Do toalety?

— Nie! — zachichotałam.

— A gdzie? — Zgromił mnie wzrokiem.

— Do dziurki od klucza!

— Aha… — powiedział i zamiast rzucić się w stronę jakichś narzędzi, odwrócił się i poczłapał w kierunku biurka stojącego pod samym oknem, tak skutecznie zawalonego papierzyskami, że nawet na biurko nie wyglądało, raczej na stertę rzuconej bezładnie makulatury, która lada chwila zacznie się papierowym strumieniem zsypywać na podłogę. Czekałam na ten wodospad w napięciu, ale się nie doczekałam, bo starszy pan przytrzymał wszystko jedną ręką, drugą otworzył szufladkę i wyjął z niej sporych rozmiarów spinacz.

— Proszę. — Podał mi odgięte po drodze biurowe narzędzie. — Jak pani nie wyciągnie, to poszukamy czegoś innego. — Uśmiechnął się i zamknął mi drzwi przed nosem.

— Aloha! — mruknęłam, schodząc na dół.

Spinacz, który swą świetność już dawno miał za sobą i ze wstydu pokrył się rdzą, zdał egzamin na szóstkę z plusem. Wydłubałam papierek, który nie stawiał aż takiego oporu, jak na początku się zapowiadało, podarł się wprawdzie na dużo drobniutkich części, ale opuścił dziurkę i klucz zmieścił się w całości, tak jak powinien i tak jak powinien odemknął drzwi, przez które, zanim zdążyłam zareagować, wyskoczyła futrzana kulka, i mozoląc się na zbyt wysokich schodach, w zawrotnym tempie pomknęła na dwór bez miauknięcia na pożegnanie.

— Nie! — krzyknęłam i rzuciłam się za nią. Schody przebyłam ekspresowo, przed drzwiami nabrałam świeżego powietrza dwoma głębokimi wdechami i popędziłam w stronę nieskoszonej parceli i zanurkowałam w pokrzywy, ale po chwili zrezygnowałam, bo i tak nie miałam szans, jedynie może na bąble trochę powyżej stóp, resztę walecznie chroniła spódnica w kropeczki.

— To twój wybór — szepnęłam zrezygnowana w stronę kępy traw, które pochłonęły moje zwierzątko, nie pozostawiając mi nadziei na odnalezienie uciekiniera w takim buszu.

Powróciłam do pokoju i usiadłam ciężko na łóżku.

— Wakacje do dupy — powiedziałam głośno i wywróciłam się jak pajac. Mój nienormalny chichot zastąpiło uczucie kompletnej i obezwładniającej bezsilności fizycznej. Leżałam sobie i leżałam i świat przestał mnie obchodzić. Wszystko stało się dla mnie obojętne i niepotrzebne oprócz telefonu, który coraz bardziej domagał się odebrania. Sięgnęłam po niego tylko ze względu na to, że nie mogłam już słuchać dźwięku, jaki się z niego wydobywał.

— Halo! — powiedziałam, nie sprawdzając nawet, kto dzwoni.

— No nareszcie! — wykrzyknęła mama. — Gdzie ty byłaś? Dlaczego nie odbierasz? Co ty tam robisz? Tyle godzin dzwonię i dzwonię, a ciebie nie ma i nie ma! — Pociągnęła nosem, jakby miała się zaraz rozpłakać.

— Przecież jestem — odpowiedziałam bełkotliwie, bo mój język też chciał mieć teraz spokój.

— A co ty tak dziwnie mówisz?

— Normalnie mówię.

— Bogusiu, czy ty coś piłaś? — zdenerwowała się.

— Nie, nic nie piłam, nawet wody — mruknęłam, starając się zapanować nad wielkim i miękkim kawałkiem mięsa w moich ustach.

— Może mi się wydawało… — skapitulowała i zaraz jej głos zmienił się na radosny. — Ty oczywiście o niczym nie wiesz!

— Nie — odpowiedziałam, bo nie wiedziałam. Ziewnęłam przy tym szeroko.

— To się dowiesz, jak przyjedziesz! — oznajmiła.

— Mhm — mruknęłam.

Mama zachichotała, chociaż ja w tej chwili nie wiedziałam z czego, ale chyba mnie to nie interesowało. Nie zapytałam o nic, więc tak jak zawsze jej opowieść popłynęła wartkim strumieniem. Wreszcie wyczerpała cały zbiór najświeższych wiadomości i zamilkła na chwilę.

— Bogusiu, twój ojciec przyszedł, kolację mu muszę zrobić — szepnęła konspiracyjnie.

— Mhm — mruknęłam ponownie.

— A ty już jadłaś?

— Mhm. — Przełknęłam ślinę na wspomnienie zapiekanek.

— To pa. Zadzwonię jutro.

— Pa — odpowiedziałam i odrzuciłam telefon na wielkie i twarde wzgórze, jakie stworzył drewniany koc z granatowym napisem „PKP".

Właściwie to nie wiem, czy mi ta pigułka pomogła, może trochę tak, bo przez chwilę faktycznie miałam dobry humor, ale teraz już sobie poszedł i chyba w najbliższym czasie nie powróci. Nic już nie powróci, westchnęłam i zwinęłam się w kłębuszek.

Rozdział 9

Wyszłam wcześniej z mojej piwnicy i z przyjemnością spojrzałam w niebo, po którym leniwie płynęły puszyste białe chmurki wróżące dobrą pogodę. Idąc powolutku z twarzą wystawioną w stronę słońca, zastanawiałam się, czy powinnam stanąć przy brzegu chodnika i czekać już na Karola, czy udać się w zielony pokrzywowy busz i jednak poszukać tego nieznośnego kota. Miałam jeszcze trochę czasu do dyspozycji, o czym powiadomił mnie swoimi wskazówkami mój najpiękniejszy z pięknych turkusowy zegarek. Oczywiście znowu przypomniała mi się scena wyławiania go ze sterty obrzydliwych śmieci i chyba to przeważyło. Drugiej, a raczej trzeciej pary takich burych oczu nie znajdę już nigdzie. Odwróciłam się na pięcie, przepchnęłam torbę do tyłu i weszłam w pokrzywy z uniesioną głową. Mogłam sobie na to pozwolić, bo byłam ubrana w długie dżinsy i T-shirt. Z sadystyczną wręcz radością deptałam każdą wybujałą roślinkę kładącą się pokornie pod naciskiem moich malinowych trampek. Ręce na wszelki wypadek założyłam na czubek głowy i manewrowałam wyjątkowo zgrabnie tułowiem. Moje natarcie wyglądało jak latynoski taniec i wprowadziło mnie w dobry humor. Po trzech metrach wędrówki zmieniłam krok na jeszcze bardziej taneczny i wprowadziłam w ruch biodra. Teraz odpychałam nimi polujące na mnie chwasty.

— Tarata, ta, ta, tarata, ta, ta — nuciłam sobie, posuwając się powoli w stronę dziury, w której powinnam znaleźć wygłodzonego kotka.

I nie pomyliłam się, no może jedynie w tym, że kotki nie lubią samby. Kotek rzeczywiście siedział skulony w okiennej dziurze i na mój widok w popłochu ją opuścił, znikając w czeluściach śmierdzącej stęchlizną piwnicy. Gdybym wcześniej opuściła ręce, gdybym zostawiła torbę, zanim weszłam w pokrzywy, to może udałoby mi się go złapać, a tak zostałam zmuszona do ponownych odwiedzin w katakumbach ohydnego starego domu. Westchnęłam i przepchnęłam się, starając się nie dotykać wyschniętego błota żadną częścią mojego ciała i garderoby.

— Kici, kici… — wyszeptałam, ostrożnie stawiając stopy. — Kici, kici… Wyjdź, obiecuję ci, że będę dobrą mamą i się tobą zajmę… — Pochyliłam się na wszelki wypadek. — Kotku, obiecuję, tylko wyjdź, bo mamy mało czasu…

W ciemnościach tego miejsca, do których przez chwilę musiałam przyzwyczaić wzrok, ujrzałam to, co ostatnio, bo w tym miejscu nic przez jedną noc się nie zmieniło i nadal obrzydliwie śmierdziało zgnilizną, w której odorze ciężko się oddychało.

Po moich plecach przeszedł dreszcz obrzydzenia na widok zwisających smętnie pajęczyn w zastraszającej ilości, z pewnością posiadających paskudnych właścicieli w takiej samej obfitości. Kota jednak nie zauważyłam, więc nie pozostało mi nic innego, jak tylko spenetrować dalsze pomieszczenia, w których było już zdecydowanie ciemniej.

— Przydałaby się latarka — mruknęłam, odsuwając spróchniałym patykiem jedną z pajęczynowych firanek albo raczej żaluzji, bo na roletę było ich troszeczkę za mało. — Ohyda… — jęknęłam z obrzydzeniem i ponownie po moich plecach przeszedł lodowaty dreszcz. — Cóż — szepnęłam — miłość wymaga poświęceń…

I po tym stwierdzeniu, nie zważając na otaczające mnie resztki mebli i spore kawałki gruzu, przecisnęłam się do drugiego pomieszczenia przez zbutwiałą i ruchomą futrynę, która zaskrzypiała niesympatycznie.

— Kici, kici, kotku — wyszeptałam z nadzieją, że moja wędrówka już tu się skończy. — Kici, kici, gdzie jesteś? Wyjdź, proszę, bo Karol nie będzie na mnie czekał i wycieczka do Gdańska przejdzie mi koło nosa — mruknęłam niezbyt głośno, żeby nie spłoszyć zwierzęcia, ale nic nie przerwało panującej ciszy. Stałam z bezradnie zwieszonymi rękami i przeglądałam piwnice centymetr po centymetrze. I nagle, w samym kąciku tego jeszcze bardziej paskudnego pomieszczenia zobaczyłam dwa świecące jasno koraliki, chociaż nie wiem, dlaczego świeciły, skoro dookoła było ciemno choć oko wykol. — Chodź — wyszeptałam łagodnie, wyciągając ostrożnie dłonie. — Chodź — powtórzyłam pochylona i zaczęłam, nie zwracając uwagi na dziwnie miękkie podłoże, ostrożnie podsuwać się w tamtą stronę. Wpatrzona jak zaklęta w jaśniejące pod ścianą punkciki, myślałam tylko o tym, że mogą zaraz zniknąć i moje „polowanie" nie odniesie zamierzonego skutku. — Mam cię — syknęłam, dotykając futerka, które zamiast być zadowolone, skoczyło do przodu i pognało w stronę pomieszczenia z okienkiem lub raczej z dziurą po nim, czyli w stronę wyjścia na szeroki świat pokryty wysoką trawą i wyrośniętymi, dorodnymi pokrzywami, w których stworzyłam ścieżkę. — Stój! — krzyknęłam i nie zważając już na nic, popędziłam za znikającym bardzo szybko kotem. — I tak cię złapię!

Obawiałam się tylko okienka, które było jedyną drogą kociej ucieczki w stronę nieskoszonej trawy, i chociaż widziałam o wiele lepiej i tropienie zbiega wydało się łatwiejsze, to i tak byłam czujna. Miałam przewagę w rozmiarze, ale niestety nie w sprycie i szybkości. Nie przypuszczałam, że malutki zwierzaczek tak zwinnie będzie mnie wyprowadzał w pole swoimi zwrotami w biegu, podskokami w miejscu i zdolnością przywierania do podłoża pod dotykiem moich palców. Nie chciałam w żaden sposób wyrządzić mu krzywdy i starałam się łapać go delikatnie, co skutkowało tym, że wymykał się z moich rąk niezwykle zwinnie. — Chyba sobie kpisz! — krzyknęłam do uciekającego w stronę ciemniejszej części piwnicy zwierzaka i oparłam ręce na biodrach. — Tam też cię znajdę, wracaj!

Kotek niestety nie bardzo się przestraszył, więc zabrałam się do tworzenia barykady ze starych mebli walających się dookoła w nadmiarze, obrzydliwego, zgniłego materaca i dopiero po ich ustawieniu i sprawdzeniu, ile jeszcze pozostało mi czasu, przeszłam obok, pewna, że udaremniłam ucieczkę małym łapkom.

Dojrzałam przestraszoną kulkę w tym samym miejscu co poprzednio. Podeszłam spokojnie i bez słowa dotknęłam kotka, który tym razem nie fuknął na mnie i dał się wziąć na ręce. Przytuliłam pachnące pleśnią futerko.

— Idziemy do domu… — wyszeptałam do malutkiego uszka i przełożyłam nogę przez barykadę.

Słońce, jakie ujrzałam po wyjściu z piwnicy, zmusiło mnie do zmrużenia oczu, ale trafiłam w wydeptaną przez siebie ścieżkę i już normalnym krokiem skierowałam się w stronę domu. Przy krawężniku zobaczyłam samochód dostawczy, a w nim Karola.

— Już idę! — zawołałam i weszłam do budynku.

Pozostawienie kotka w pokoju, nałożenie mu jedzenia do misek trwało zaledwie kilka minut, jedynie powrót z połowy schodów i ponowne włożenie papierka do dziurki od klucza zajęło troszkę więcej czasu. Nie chciałam z tego zrezygnować, bo już nie miałam ochoty wchodzić kolejny raz do tej paskudnej, sąsiedniej piwnicy. Wyszłam zadowolona z siebie i z uśmiechem podeszłam do auta. Otworzyłam drzwi, wgrzebałam się na miejsce obok kierowcy i z westchnieniem opadłam na fotel. Sięgając po pas, odwróciłam się bokiem do kierowcy.

— Ty, coś ci chodzi po plecach — powiedział Karol, wpatrując się z obrzydzeniem w moją koszulkę na wysokości barku.

Skóra na mnie ścierpła i dreszcz obrzydzenia przebiegł mi po plecach.

— Co mi chodzi po plecach? — wyszeptałam, zaciskając szczęki.

— Chyba pająk — powiedział spokojnie i przekręcił stacyjkę. — Cała jesteś w pajęczynach — dodał, włączając kierunkowskaz.

— Stój — krzyknęłam, zanim jeszcze ruszył. — Zdejmij mi go!

Powoli przejechał dłonią i nic nie powiedział. Najchętniej zerwałabym tę cholerną koszulkę, żeby sprawdzić, czy żaden stwór, których nie cierpię z całych sił, nie spaceruje po mnie, ale nie mogłam i musiałam zdać się na Karola i jego rękę gładzącą mnie w tej chwili bardzo powoli, co potęgowało moją histerię wywołaną obrzydzeniem.

— Chyba mi się wydawało — powiedział ze spokojem i nagle krzyknął. — Jest, ale ja się brzydzę!

— Gdzie jest?! Zdejmij go! Błagam! — rozdarłam się z całej siły i następne dreszcze wstrząsnęły moimi plecami.

— Sama sobie zdejmij! Jest na prawym ramieniu! — rozdarł się tak jak ja.

— Gdzie?! — wykręciłam się cała.

— Tu — dziobnął mnie boleśnie palcem.

Wykręciłam się jeszcze bardziej i palcami podciągnęłam koszulkę.

— To jest plama, a nie pająk! — warknęłam w jego stronę i tupot tysiąca pajęczych nóg uspokoił się jak ręką odjął.

Karol uznał swój kawał za wyśmienity, roześmiał się głośno, wrzucił bieg i ruszył. Nie wytrzymałam i walnęłam go pięścią w ramię. Krzyknął, ale nie przestał się śmiać, wreszcie ja też się roześmiałam.

*

Nie udało mi się zwiedzić Gdańska, nie zobaczyłam żurawia ani starego miasta, nie weszłam do żadnego jubilera i nie kupiłam wisiorka z bursztynem. Tamtego, którego oglądałam z Waldkiem, już nie było. Komuś się bardziej spodobał niż mnie albo ten ktoś miał więcej pieniędzy niż ja. Żałowałam, że go wtedy nie kupiłam, wydawało mi się, że jest bardzo drogi, ale po zapłaceniu Gudrun za paskudne batoniki doszłam do wniosku, że jednak nie, i poszłam zobaczyć, czy czeka na mnie jakimś przypadkiem, ale nie czekał i dlatego miałam nadzieję, że w Gdańsku kupię sobie podobny, ale oczywiście, znając moje szczęście, nie kupiłam. Za to zwiedziłam chyba wszystkie hurtownie, jakie tylko zwiedzić się dało. Nanosiłam się paczuszek takie mnóstwo, że już więcej też się chyba nie dało. Zapakowani po brzegi wracaliśmy w milczeniu. Ani jemu, ani mnie nie chciało się rozmawiać. Nie przypuszczałam, że zdobywanie towaru może być tak męczące. Oparłam się wygodnie i zamknęłam oczy, współczując Karolowi, że musi siedzieć prosto i mieć otwarte oczy.

— Ty, skąd miałaś tę pigułkę? — odezwał się nagle.

— Od takiej jednej — mruknęłam, nie otwierając oczu.

— Ty, a ona ma tego więcej?

— Ty, Karol! Ja mam jakieś imię!

— Ty, kurde, a skąd znasz moje?

— Ty, twój ojciec mi powiedział.

— Bogumiło — odezwał się grubym głosem — ona ma tego więcej?

Otwarłam oczy i spojrzałam na niego badawczo. Zaśmiał się zadowolony, chociaż ja nie wiedziałam z czego, i poruszył „szczotkami", przechylając się w moją stronę.

— Byłem w „Starym Ratuszu" i słyszałem, jak się temu łysemu drzesz do ucha.

— Bardzo śmieszne — mruknęłam i spuściłam głowę, bo przypomniało mi się, jak strasznie się wtedy wygłupiłam, ale przypomniał mi się też Waldek, i to zabolało. Nie odezwałam się.

— To skąd miałaś tę pigułkę? — ponowił pytanie.

Wzruszyłam ramionami.

— Już ci mówiłam. Od takiej jednej, a co, potrzebujesz?

— Nie... — roześmiał się. — Ty, i nie wiedziałaś, co to jest, a zeżarłaś?

— No...

— Gdzieś ty się, kobieto, uchowała! — Pokręcił głową. — Nie wiesz, że mogą ci wcisnąć takie świństwa, że się przekręcisz?

— Nie... — Pomyślałam o batonikach, nadal śmierdzących na dnie mojej torby. — Przesadzasz... — skrzywiłam się.

— Raczej nie — mruknął i wjechał na stację benzynową. Weszliśmy do sklepu i zapachniało mi jedzeniem. Zajęta pomaganiem Karolowi zapomniałam o obiedzie i bardzo się zdziwiłam, że tak się stało. — A mówią, że pieniądze nie śmierdzą — szepnęłam nad koszem zaraz przy wejściu. Oczywiście woreczek z batonikami wylądował w nim z bólem serca, bo jak by na to nie patrzeć, to w tym woreczku śmierdziała okrągła stówa.

— Chyba trzeba by coś zjeść — stwierdził Karol i przejechał dłonią po koszulce.

— Chyba — potwierdziłam i przełknęłam ślinę, wpatrzona w różne rodzaje kiełbasek kręcących się za szybą na specjalnej płycie grzewczej. — Jemy hot-doga czy zapiekankę?

Karol wykrzywił się z niesmakiem.

— Zapiekanek to ja już mam powyżej uszu. Ja jem hot-doga.

— A ja sobie wezmę... — zaczęłam, ale nie dokończyłam, bo okazało się, że jak zawsze mam problem z wyborem. Przestałam patrzeć na kręcące się kiełbaski i podeszłam do lady chłodniczej, zza której spoglądały na mnie płaskie bułeczki z różnymi dodatkami i każda z nich wyglądała bardzo apetycznie.

— Ty, Bogusia, co bierzesz?! — rozdarł się i brutalnie przerwał mi kontemplację.

— A, kurczę, nie wiem — westchnęłam.

— Dwa hot-dogi — zadecydował za mnie. — XXL — dodał.

— Z kiełbaską czy parówką? — zapytała dziewczyna przy kasie.

— Z kiełbasą — znowu zadecydował za mnie i zapłacił za bułki i benzynę. Nie odezwałam się, bo ten obiad odpracowałam z nawiązką.

Z wielkimi jak łódź podwodna i gorącymi jak piekło hot-dogami wróciliśmy do auta i następny odcinek drogi przebyliśmy, przeżuwając w milczeniu. Wprawdzie w moim było o wiele za dużo musztardy, ale i to da się zjeść. Musztarda podobno jest zdrowa.

— Odkręcisz? — zapytał kierowca i podał mi butelkę coca-coli. — Opowiedz mi o sobie — zaproponował, oddając mi butelkę do ponownego zakręcenia.

— Co mam ci opowiedzieć?

— Wszystko — odparł, a ja zaczęłam się zastanawiać, co się kryje pod słowem „wszystko". Spojrzałam na niego ukradkiem, sprawiał wrażenie, jakby naprawdę go to interesowało. Westchnęłam i zaczęłam:

— Dokuczali ci w szkole, że masz rude włosy? — wypaliłam i w tym momencie skojarzyłam, że może zaraz się na mnie obrazi.

— Jasne! — uśmiechnął się. — Ale do czasu.

— To znaczy?

— Jeden dostał w pysk i reszta przestała — odpowiedział spokojnie.

Westchnęłam.

— Gdybym ja każdemu, który mi dokuczał, chciała przylać, to chyba do dzisiaj miałabym rękę na temblaku — jęknęłam.

— Współczuję...

— No... ja sobie też.

— Co im w tobie nie pasowało?

Przez chwilę biłam się z myślami, czy mam dalej opowiadać, czy nie, ale on przecież sam powiedział, że lubi obfitości, i przedstawił się jako Rubens, to może mu to nie przeszkadza, że nie jestem chuda jak inne dziewczyny i nie będzie sobie drwił z moich przeżyć, tak jak to zawsze robią inni. Jeszcze raz wzięłam głęboki oddech i zaczęłam swoje niemiłe wspominki. Samochód jechał, Rubens słuchał, a ja jak ten turoń, co po kolędzie po wsiach kiedyś chodził, kłapałam paszczą bez oporów.

— Ty, kurde, żartujesz?! — komentował od czasu do czasu.

— Nie — odpowiadałam spokojnie.

— Kurde, wy, dziewczyny, przesadzacie... — powiedział nagle i pokręcił głową. — Jesteś, jaka jesteś! — wzruszył ramionami. — Zresztą większość facetów woli, no wiesz — wystawił zębiska i poruszył tymi swoimi wypłowiałymi szczotkami — trochę ciałka tu i tam.

— I według ciebie wszystko jest okej?

— Jasne, ale jak ci przeszkadza, to nie pakuj w siebie dwóch zapiekanek — wzruszył ramionami. — A oprócz tego... Są ważniejsze sprawy na świecie — stuknął palcem w skroń i chyba uznał temat za zamknięty, bo zapytał: — Pomożesz mi rozładować auto?

— Yyy — zerknęłam na zegarek — muszę nakarmić kota.

— W czym problem? Nakarm i pojedziemy — zadecydował, chociaż ja nie byłam tego taka pewna, bo wydawało mi się, że mój malutki kotek bardzo za mną tęskni i nie powinnam go na tyle czasu zostawiać samego.

Po wejściu do lokalu zastępczego, jakim w tej chwili była moja „wspaniała" i wyjątkowo „tania" piwnica, stwierdziłam, że kotek nie tęskni. Śpi w najlepsze przytulony do mojej piżamy.

— Gdzie to rozładujemy? — zapytałam po powrocie do kabiny dostawczaka.

— W domu — odpowiedział krótko.

— Yyy... może ja jednak nie pojadę z tobą — mruknęłam w przypływie chęci zdezerterowania.

— Dlaczego? — zdziwił się

— No wiesz... — zaczęłam, ale nie dał mi skończyć.

— Jasne, zjedzą cię tam.

Mam nadzieję, że nie, pomyślałam i zatrzasnęłam drzwi.

*

Po rozładowaniu auta, w którym uczestniczyli prawie wszyscy domownicy, przy okazji poznałam Maksymiliana — starszego brata Karola — który nie okazał się tak sympatyczny jak jego młodszy brat, usiedliśmy na tarasie i odpoczywaliśmy ze szklankami soku pełnymi kostek lodu. Pobrzękiwały wesoło przy każdym łyku.

— Od dawna się znacie? — zapytała mama Karola i podsunęła mi owoce.

— Kurde! Znowu zaczynasz! — burknął Karol, zanim zdążyłam odpowiedzieć, więc sięgnęłam po wielką jak arbuz truskawkę.

— Przecież tylko zapytałam, czy od dawna się znacie! — uniosła nieco głos.

— A potem zapytasz, czy to może moja nowa dziewczyna! — dodał w tym samym tonie co poprzednio.

— Nie — mruknęła i też wzięła truskawkę.

— Znowu się kłócicie! — stęknął ojciec Karola.

— Nie kłócimy się — powiedziała śpiewnie i uśmiechnęła się do niego uśmiechem słodkiej idiotki. — Rozmawiamy tylko. Prawda, kochanie? — zwróciła się do Karola.

— Nie rozmawiamy, tylko wypytujesz jak zawsze — warknął i wstał. — Wychodzę! — oznajmił wszystkim i zostawił mnie ze swoją rodziną. Chyba sądził, że się zerwę i pobiegnę za nim, ale ja jeszcze miałam pół szklanki soku. Szybko dopiłam to, co mi pozostało, kiwnęłam głową i jednak za nim pobiegłam, ale już w budynku się zatrzymałam.

— Rubens! — zawołałam, ale nikt mi nie odpowiedział. Stałam bezradnie na środku i nie mogłam się zdecydować, czy powinnam szukać pomocy na tarasie, czy raczej czekać na powrót Karola, który już pewnie siedział w samochodzie i nie miał w planie zjawić się tu ponownie. Postanowiłam sama znaleźć to, czego w tej chwili tak bardzo potrzebowałam.

Nieśmiało rozglądnęłam się dookoła i westchnęłam, bo w hallu było mnóstwo jednakowych drzwi w żaden sposób nieoznaczonych. Z duszą na ramieniu oczywiście, bo nie chciałam być posądzona o niezdrową ciekawość, podeszłam do pierwszych z brzegu, tłumacząc sobie, że mnie przecież nie obchodzi, co rodzice Rubensa mają w domu, i gdybym nie stała na środku całkiem sama, nigdy bym tego nie zrobiła.

Interesowało mnie tylko jedno. Możliwość maksymalnie szybkiego skorzystania z toalety. Złapałam za klamkę i otwarłam drzwi powoli i przez szparkę zobaczyłam salon z kominkiem. Nie był tak wspaniały, jak ten w różanym ogrodzie, ale też mi się spodobał. Cichutko zamknęłam drzwi z powrotem i podeszłam do następnych, które też niestety nie były drzwiami do toalety, lecz do gabinetu pana domu. Następne były drzwiami do piwnicy. To też nie było to, czego coraz bardziej potrzebowałam. Obok tych piwnicznych znalazłam składzik z miotłami, wiadrami i stertą ścierek. Uff, sytuacja zaczynała być groźna, czułam, że jeśli za moment nie znajdę tego, czego szukam, to moja wizyta w tym domu skończy się katastrofą. Rozglądnęłam się bezradnie, pozostało mi już tylko dwoje drzwi do sprawdzenia. Te, na które teraz patrzyłam, z pewnością były drzwiami do kuchni, pomyślałam i zdecydowanie nacisnęłam klamkę tych obok.

— *Yes!* — szepnęłam i weszłam do pomieszczenia zadowolona, że jednak bez niczyjej pomocy odnalazłam miejsce, bez którego nikt nie może się obejść. Usiadłam na klozecie i poczułam niewymowną ulgę, w którą po chwili wdarły się czyjeś kroki.

— Piotrze! — usłyszałam głos mamy Karola i już wiedziałam, kto przyszedł do kuchni.

— Idę!

— Piotrze! — Wydobyło się spomiędzy szumu wody, stuku szklanek i talerzyków, prawdopodobnie w zlewozmywaku. — Jak ci się wydaje, czy ta dziewczyna to nowy nabytek naszego syna?

— Nie wiem, nie nadążam za nim. — Tata Karola już też znalazł się w kuchni.

— Ale jak ci się wydaje?

Mogłam już spuścić wodę i wyjść, ale zamiast tego przycupnęłam jak myszka, skrępowana tym, że rodzice Karola nie wiedzą, że ja tu nadal jestem.

— Dlaczego pytasz?

— Podoba ci się?

— Czy ja wiem…

— Mnie nie bardzo…

— Dlaczego? Miła jest, ładna i mu pomaga… — powiedział, a ja się uśmiechnęłam do swojego odbicia w lustrze.

— No tak, jest miła i tak jak mówisz, mu pomaga, ale jest…

Jak się domyśliłam, nastąpiła teraz niezbyt miła dla mnie gestykulacja.

— Nie pasuje ci, że nie wygląda jak szparag? Wolałaś Justynę?

— No nie, ale wiesz... — Westchnienie na tyle głośne, że też je usłyszałam.

— Nie, nie wiem. — głos się oddalił. — Żonę też mu chcesz wybrać i podać na tacy? — dobiegło z daleka. — Dajże chłopakowi trochę pożyć!

Teraz już mogłam spuścić wodę i wyjść. Zamknęłam drzwi trochę głośniej, niż należało, i przechodząc z przyklejonym do twarzy uprzejmym uśmiechem, powiedziałam głośno:

— Do widzenia!

Bez słowa wsiadłam do auta.

— Co ci? — Usłyszałam pytanie, na które nie miałam ochoty odpowiadać.

— Nic — mruknęłam pod nosem. — Jedziemy?

Karol wpatrywał się we mnie badawczo. Na niego też byłam zła, do niego też miałam pretensje. Mógł mnie nie zostawiać, mógł poczekać. Siedziałam teraz obok niego, bo nie miałam wyjścia, ale bardzo chciałam już stamtąd odjechać, a on jak na złość nie przekręcił nawet stacyjki. Bunt, wściekłość i łzy zaczęły się we mnie gromadzić coraz to szybciej i najchętniej teraz zostałabym sama, ale nie mogłam.

— Możemy już jechać czy mam iść piechotą?! — powiedziałam głośno, gotowa to zrobić.

— Jak mi powiesz, o co chodzi...

— A co za różnica? — warknęłam wraz ze wzruszeniem ramion i poczułam, że łzy są już na samiutkim koniuszku i tylko malutka chwilka dzieli je od wypłynięcia.

— Kobieto! Weź się ogarnij! — rozdarł się tak niespodziewanie, że zapomniałam o łzach. Obróciłam się do niego plecami.

*

— Jak miło — szepnęłam, otwierając jedno oko. Drugiego nie chciało mi się otwierać, więc go nie otwarłam, bo po co mam się przemęczać w przedostatni dzień mojego urlopu, który dopiero teraz nabrał wakacyjnego tempa. — Tak jak wczoraj powinno być przez dwa tygodnie, wtedy na pewno miałabym co wspominać. To znaczy teraz też mam co wspominać, ale... No dobra, mam co wspominać, ale wczoraj to było bardzo fajnie... — mruknęłam i zamiast otworzyć drugie oko, zamknęłam to pierwsze, bo najlepiej wspomina się z oczami szczelnie zamkniętymi.

Jednak nie. Muszę jeszcze raz uchylić powiekę, ale tylko po to, żeby sprawdzić, czy mój kotek jeszcze śpi. Okej, śpi, więc mogę rozpłynąć się w ponownym przeżywaniu tego, co nastąpiło po naszym odjeździe spod Karolowego domu.

*

— Kurde! — uderzył w kierownicę znienacka. Chyba się domyślił, że niepotrzebnie mnie zostawił.

Obróciłam się i spojrzałam na niego, przebaczając mu w jednej chwilce.

— Odwieźć cię czy może masz ochotę na małą przejażdżkę w nieznane? — zapytał, wpatrując się w jezdnię przed nami.

— Odwieź mnie — mruknęłam.

Ruszył bez słowa i nie odezwał się aż do ulicy Grottgera. Zatrzymał się przy krawężniku i czekał, aż wysiądę. Dotknęłam klamki i wtedy zapytał jeszcze raz, udając obojętność, nie obrócił nawet głowy.

— Jesteś pewna?

Czy byłam pewna? Przypomniała mi się jego mama i coś ukłuło mnie gdzieś w środku, prowokując pytanie. Właściwie dlaczego by nie, uśmiechnęłam się, bo już mi przeszło, i nieco zadarłam podbródek. Niech sobie kobieta myśli, że może jestem grubą, niezgrabną dziewczyną jej syna. Zachichotałam w środku, bo na zewnątrz starałam się nie zdradzać tego, co w tej chwili poczułam.

— No... może nie tak do końca — powiedziałam bardzo powoli, żeby nie wyglądało, że mi zależy na jego wcześniejszej propozycji.

— To się zdecyduj... — mruknął nie bardzo zachęcająco, kręcąc z dezaprobatą głową.

— No dobra — westchnęłam, strzelając minę urażonej księżniczki i odłożyłam plażową torbę na podłogę.

— Nie będziesz żałować! — uśmiechnął się i tak jak zawsze poruszył wypłowiałymi szczotkami. — Masz kostium kąpielowy?

— Na sobie? — Spojrzałam na niego jak na stwora z kosmosu. Kto przy zdrowych zmysłach piekłby się w lycrowym pancerzu?

— No...

— No co ty! W kostiumie miałabym jechać do Gdańska?

— No! A to jakiś problem?

— No raczej... — stęknęłam, schylając się w stronę cały czas wywracającej się torby. Poprawiłam ją i szybko się wyprostowałam. Zauważyłam, że Karol z przyjemnością, która zakwitła minimalnym uśmiechem na jego twarzy, wpatruje się w moje biodro. Machinalnie dotknęłam ręką miejsca jego wzrokowej wycieczki i stwierdziłam, że ukochana koszulka zawinęła się na tyle, że z dżinsów wyglądnęło nieopalone w tym miejscu, wylewające się nieco „ukochane" ciałko.

— Idź po kostium — mruknął, nie zmieniając wyrazu swojej twarzy.

— Ale ja nie chcę się kąpać w lodowatym morzu!— ostrzegłam go na wszelki wypadek.

— Idź! — kiwnął głową wyraźnie z czegoś zadowolony.

Zostawiłam torbę i wysiadłam, a ona zamiast stać, znowu się przechyliła. Wzruszyłam ramionami i jej odpuściłam. Jak chce leżeć, to niech leży, pomyślałam w drodze do mojej „luksusowej" piwnicy. Oczywiście pierwszą czynnością było wydłubanie papierka, tym razem nie zapomniałam, że go tam włożyłam, i dzięki temu mogłam go wyjąć bez pomocy spinacza.

*

— Jestem! — zawołałam i wskoczyłam lekko do kabiny.

Pojechaliśmy znajomą drogą. Znowu zobaczyłam most, w oddali port i znajomy statek, którym podróż kosztowała mnie ciut przydługi pobyt w toalecie. Po zjeździe z mostu samochód nagle zakręcił, a ja straciłam z oczu wspaniały widok. Teraz znaleźliśmy się bardzo blisko miejsca, które odwiedziłam z Gudrun.

— Byłam tu już! — podskoczyłam. — Z Gudrun tu byłam!

— Z kim?

— Z tą znajomą, co mi pigułę dała! Byłyśmy u takiego bardzo groźnego Rambo! Okropnego! — Otrząsnęłam się na wspomnienie faceta, który mnie tak wystraszył.

— Taki napakowany po brzegi?

— No... nawet poza brzegi.

— To Dziubas.

— Znasz go?

Wzruszył ramionami.

— Wszyscy go znają. Ma siłownię w centrum. Tę twoją znajomą też wszyscy w tej naszej dziurze znają. Kurde! Nie przypuszczałem, że oni... — Pokręcił z niedowierzaniem głową. — Nie powiem, fajne znajomości udało ci się zawrzeć.

— Tak? — Zdziwiły mnie te słowa. Ja tak nie uważałam.

— Ta twoja Gudrun to niezła świruska, wiesz?

— No... chyba coś wiem...

— Ma kupę kasy i bzika na punkcie róż. Jej mąż pływa non stop. Wszyscy już zapomnieli, jak on wygląda, ona chyba też, i dlatego jej odbija. Kurde! — Pokręcił głową z podziwem. — Jaką ona ma chatę... — rozmarzył się.

— Wiem — mruknęłam na wspomnienie pobytu w różanym domu. — To jej chata? Powiedziała mi, że to dom ciotki!

— Zmamiła cię, a ty się dałaś! — zaśmiał się pod nosem i dodał gazu, bo skończył się teren zabudowany, o czym poinformowała mnie nieco przekrzywiona tablica stojąca w trawie na poboczu. Jechaliśmy teraz wzdłuż wybrzeża i mogłam podziwiać morze w całej swojej okazałości, czyli aż po horyzont.

— Dlaczego świruska? — zapytałam wpatrzona w widok za oknem.

— Tak o niej mówią. Musiałabyś porozmawiać z moją mamą, ona wie więcej niż ja.

Wzdrygnęłam się. Chyba nie muszę wiedzieć.

Na szczęście Karol włączył radio i przestaliśmy na ten temat rozmawiać. Za to zaczęliśmy się gibać do taktu prawie jednakowo, przerywając to gibanie wybuchami śmiechu przetykanymi jedzeniem czereśni kupionych po drodze i oczywiście strzelaniem pestkami przez okno. Całkiem niezła zabawa.

Dlatego dopiero po dojechaniu na miejsce zorientowałam się, że zostałam porwana do parku wodnego, na którego widok chciałam zawołać „*WOW!*", ale się powstrzymałam, żeby na końcu nie wyszło tak jak z Gudrun.

— *WOW!* — Jednak zawołałam, bo Rubens to zdecydowanie nie Gudrun.

*

— Jedziemy tą rurą?! — z zadartą głową przekrzykiwałam basenowe wrzaski. — Albo teraz tamtą?

— Którą chcesz! — Karol darł się tak jak ja i tak jak ja nie mógł się zdecydować, bo zarówno do tej najbliższej, jak i do tej trochę oddalonej, ale za to najdłuższej, kolejka była jeszcze dłuższa niż moja poranna po gofry.

— To może idziemy tam! Tam jest teraz pusto!

— Okej! — zawołał, złapał mnie za rękę i wpadliśmy oboje do basenu jak bomby, wywołując grymas zgorszenia na twarzach co poniektórych pań zażywających bąbelkowych kąpieli.

— Karol! — darłam się dalej, bo bąbelki też huczały i nie pozwalały rozmawiać. — Chciałam ci podziękować! Jeszcze nigdy nie byłam w aquaparku!

— Żartujesz?!

— Nie! U nas nie ma takiego! To znaczy jest, ale w innym mieście i trzeba jechać autem!

— Nie macie auta? — zdziwił się, a ja sobie pomyślałam, że przecież nie każdy musi mieć.

— Ojciec ma dostawczy, większy niż twój! — wyjaśniłam mu przyczynę nieznajomości przybytków takich jak ten.

— Aha! A takim nie można?!

— Można, ale tata nigdy nie ma czasu!

— A sama nie możesz?! — Znowu się zdziwił.

— Nie mam prawka!

— Żartujesz?! — krzyknął i zniknął pod wodą. — To zrób! — Pojawił się w całkiem innym miejscu, niż się spodziewałam.

To popołudnie dzisiejszego dnia zaliczyłam do bardzo udanych, właściwie cały dzień mogłabym do takich zaliczyć, gdyby nie rozmowa rodziców Karola, którą niepotrzebnie usłyszałam. Na basenie, w towarzystwie Karola, który nie patrzył krytycznie, jak się rozbierałam, poczułam się całkiem inaczej niż na ogół w takich miejscach. Właściwie za to też powinnam mu podziękować, ale oczywiście nie podzieliłam się z nim tymi myślami, bo po co. Pozostawiłam je tylko i wyłącznie dla siebie jako temat do przemyślenia pod kocykiem deską, oczywiście z granatowym napisem „PKP".

— Wracamy? — zapytałam przy samochodzie. — Mam już dość... — Bezwładnie opuściłam ręce wzdłuż ciała i zgarbiłam się lekko, udając zupełny brak sił, co oczywiście nie było tak do końca prawdą.

— Jeszcze nie... — Karol nadal starał się być bardzo tajemniczy, o czym mógł świadczyć dość intensywny ruch jego brwi.

— To dokąd teraz?

— Teraz to zapraszam cię na późny obiad, a potem, jeśli zechcesz, zakończymy ten wieczór gimnastyką.

— Okej — mruknęłam, mając w planie raczej poobiedni odpoczynek, ale postanowiłam poinformować go o tym potem.

*

— Puść mnie! — krzyczałam z całych sił, chociaż śmiech mnie ich pozbawiał, ale to i tak nic nie dawało, bo Karol uparcie trzymał mnie za rękę i wlókł za sobą jak wielki wór ziemniaków. — Puść! — krzyknęłam jeszcze raz i zaparłam się z całej siły, łapiąc poręcz ławki. Nie uśmiechało mi się pójście na plażę, w której kierunku tak uparcie mnie teraz holował. Było już całkiem ciemno i, jak się domyślam, bylibyśmy tam tylko my i złowrogo huczące morze.

— Powiedziałem, że cię utopię, to cię utopię! — krzyknął, nie odwracając głowy.

— Puść, już nie będę!

— Nie wierzę!
— Obiecuję, że nie będę!
— Przyrzekasz?
— Przyrzekam!
— Nareszcie — jęknął i puścił moją obolałą już nieco rękę. Usiadłam na murku, ale zdałam sobie sprawę, że za moimi plecami czai się ciemność, i zmieniłam szybko murek na bezpieczną ławeczkę. Karol usiadł obok mnie i westchnął głośno.
— Ale mnie zmęczyłaś — pokręcił głową.
— Mówiłam ci, że jestem gruba i ciężka... — mruknęłam, żeby go troszkę jeszcze podenerwować.
Poobiednia gimnastyka okazała się dyskoteką w tym samym miejscu co przed tygodniem. Tak samo weszliśmy do budynku jak uprzednio z Waldkiem, z tą tylko różnicą, że nie wpadłam przez diabelskie drzwi, nie spotkałam Rafała i nie rozdarłam się na cały głos, przedstawiając się wszystkim obecnym w tym lokalu.
— Znowu zaczynasz! — jęknął głucho.
— To prawda! — uśmiechnęłam się, ale nie do niego, raczej do siebie.
— Kurde! Boguśka, ty siebie nie słyszysz? Jęczysz jak moja mama albo i jeszcze gorzej.
— Prze...sadzasz... — wykrzywiłam się.
— No, kurde, chyba nie! Nagraj się na dyktafon! — zawołał i zaczął mnie przedrzeźniać. — To nie takie, tamto do kitu. Tego nie chcę, tamtego nie mogę. Jak stara baba! Albo jeszcze gorzej!
— No bo tak jest i nic na to nie poradzę! — Tupnęłam nogą.
— Tak jest czy ty chcesz, żeby tak było?!

Zirytował mnie.

— Nie rozumiem!

— Czego, kurde, ty nie rozumiesz? No czego?! Dobra, jak chcesz, to ci wytłumaczę. Numer jeden: Rafał. Od początku miał cię gdzieś, prawda? Po prostu byłaś pod ręką i tyle. Zniknęłaś na chwilę, to napatoczyła się inna. Ta druga też na pewno myśli, że jest w siódmym niebie, a to gówno prawda, o czym ty już się przekonałaś. Na pewno ma nadzieję, że go urobi, zmieni.

Wzruszyłam ramionami.

— Już go zmieniła.

— E tam!

— Myślisz, że nie?

— Myślę, że on już taki będzie do końca życia. Nic nie straciłaś.

— Może... — Spuściłam głowę i kopnęłam szyszeczkę.

— Jedziemy dalej. Numer dwa: Waldemar.

— Nie chcę o tym gadać.

— Dlaczego?

— Bo nie. — Szurnęłam butami po piasku, zastanawiając się, czy nie powinnam wstać i zakończyć tę niezbyt miłą rozmowę, która już trwała za długo. Karol koniecznie starał się coś mi udowodnić, a mnie się już nie chciało go słuchać. — Odpuść, dobra?

— No dobra. Odpuszczę ci, ale moim zdaniem mogłaś mu odpisać.

— Po co? — Znowu wzruszyłam ramionami. — Musiał, to musiał.

— A ja myślę, że coś mu wypadło.

Skrzywiłam się.

— To fajnie, że tak myślisz, ale mam to już z głowy.

— Jeszcze możesz…

— Nie.

Teraz to już naprawdę miałam dość, zarówno tematów, jakie Karol poruszał, jak i jego samego, bo z jednej strony musiałam mu przyznać rację, co mi się niezbyt uśmiechało, a z drugiej bardzo nie chciałam mu jej przyznać. Może faktycznie powinnam wtedy odpisać, ale nie zrobiłam tego i teraz nawet gdybym bardzo chciała, to już tego nie zrobię. Choćbym nie wiem jak żałowała, nie da się niestety odtworzyć tego, co zostało skasowane.

Karol westchnął i wyjął z kieszeni papierosy. Wydłubał jednego i zapalił.

— To już nic ci na to nie poradzę… — mruknął i wydmuchał dym, a ja odetchnęłam z ulgą.

— Nie wiedziałam, że palisz.

— Czasami.

— Wiesz, że to niemodne… — szepnęłam lekko pochylona, lepiej się w tej pozycji szurało butem.

— To nie pal. Umrzesz zdrowsza! — roześmiał się, a ja mu zawtórowałam i tak jakoś niechcący oparłam się o jego ramię. Nie odsunął się, więc przylgnęłam do tego jego ramienia i zrobiło mi się cieplej. Żałowałam, że nie wzięłam ukochanej bluzy, z którą do tej pory prawie się nie rozstawałam.

— Ty, a mówiłaś, że twój ojciec ma hurtownię.

— Mhm…

— Z czym?

Znowu mi ramiona drgnęły.

— Materiały budowlane — odpowiedziałam i ponownie szurnęłam nogą.

— Ale ty z nim nie pracujesz?

— Nie.

— Dlaczego?

— A po co?

Podskoczył, musiałam się wyprostować. Spojrzał na mnie tak, jakbym powiedziała coś bardzo niedorzecznego. Znowu zrobiło mi się chłodniej. Popatrzyłam na żarzącego się papierosa i wstałam.

— Idziemy już?

— Okej — mruknął, rzucił niedopałek na ziemię i zgasił go czubkiem buta. — Chyba cię znowu nie rozumiem — powiedział cicho i wypił ostatni łyk piwa, jaki mu pozostał w butelce.

— A co tu rozumieć! — prychnęłam. — Mam swoją pracę!

— Jak lubisz pracować na kogoś... Ja tam wolę dla siebie... Za rok będę miał licencjat z biznesu.

Szliśmy powoli, najpierw opustoszałym prawie deptakiem, potem parkiem, w którym też prawie nikogo nie było.

— Studiujesz? — Uniosłam głowę zdziwiona.

— No...

— Fajnie...

— Każdy może... Ty też.

— E... Nie chce mi się.

— Myślałem, że jesteś mądrzejsza — wymamrotał i ramieniem przyciągnął mnie do siebie.

Powrót

Wszystko ma jakiś koniec, więc wakacje też go muszą mieć, nawet jak są takie jak moje, i w związku z tym należy wykonać pewne czynności, chociażby spakować się i kupić bilet powrotny.

— Dzień dobry, na dworzec proszę — powiedziałam, sadowiąc się na tylnym siedzeniu beżowego mercedesa z miną tego, co dużo płaci za kurs. Kierowca spojrzał w lusterko i mnie poznał, tylko nie wiem, dlaczego się skrzywił, ostatecznie to on wywiózł mnie w pole, a nie ja jego, ale silnik zamruczał i pojechaliśmy, płynąc po jezdni tak jak ostatnio, ale tym razem pod pełną kontrolą, bo gdzie jest dworzec, wiedziałam dokładnie.

— Proszę poczekać — powiedziałam stanowczo, jak tylko samochód się zatrzymał. — Ja tylko yyy… po bilet!

Wujek ekspedientki ze spożywczego kiwnął głową i jak już prawie wysiadłam, zawołał, uchylając swoje drzwi:

— Proszę nie trzaskać!

Za późno, pomyślałam, pędząc prawie bez tchu po schodach starego dworca. Rozglądnęłam się i od razu namierzyłam okienko kasy. Znajdowało się tam tylko jedno i na szczęście było czynne, choć w pierwszej chwili na takie nie wyglądało. Właściwie cały dworzec nie wyglądał na czynny, nadawał się do remontu, bo raczej odpychał, niż zapraszał do podróży. Nie przejęłam się jednak jego obskurnym wyglądem, bo już go sobie pooglądałam, gdy tu przyjechałam, a oprócz tego moje myśli zaprzątały całkiem inne problemy. Pierwszy to oczywiście szybkie nabycie biletu, w dodatku z jak najszybszym terminem odjazdu, a drugi to spakowanie wszystkich rzeczy, by móc je wygodnie przewieźć.

Zagapiłam się jak zawsze, ale to może dlatego, że ostatnie dni spędziłam bardzo miło. Po pierwsze, hm, powróciłam z ochotą do tradycji, to znaczy dzień rozpoczynałam smakowitym gofrem ze śmietaną, a potem spokojnie korzystałam z kąpieli słonecznej, nie oczekując na plaży na nic innego i może dlatego nic innego mnie już tam nie spotkało. Po jakimś czasie wracałam do mojej piwnicy, gdzie odpoczywałam z mruczącym koło mnie zwierzakiem, wpatrując się w jego malutkie bure oczka, które patrzyły na mnie z ufnością.

Wieczory oczywiście spędzałam z Karolem i wyjątkowo dobrze się bawiłam w jego towarzystwie. Może dlatego się zagapiłam i teraz się zamartwiałam, czy uda mi się kupić bilet powrotny, czy też będę zmuszona z kotem i z ciężkimi torbami jechać autobusem, co mnie trochę przerażało, bo autobusów nie lubię. Pozostałby mi autostop, ale to raczej niewykonalne w moim wypadku, więc jeśli jednak już zdobędę ten bilet i w dodatku na poranny pociąg, to będę bardzo zadowolona, bo jadąc w dzień, nie będę miała wrażenia, że wakacje się skończyły. Podziwiałabym zmieniający się w słońcu krajobraz i długa droga nie wydałaby mi się taka nudna. W nocy za oknem jest po prostu czarno i tylko czasami pojawiają się jakieś światełka, ale trudno się wpatrywać w ciemność bez granic i polować na pojedyncze mrugnięcia nielicznych zabudowań.

I jeszcze jeden problem, zdobycie biletu z miejscem leżącym, bo nie wysiedzę z kotem na twardej kanapce w zapełnionym przedziale przez dziesięć godzin monotonnej jazdy, jaka mnie czeka.

— Dzień dobry! — wysapałam z uśmiechem do pani bez uśmiechu. Prawie nie było jej widać za potężnym, okrągłym mikrofonem umieszczonym na samym środku szyby. — Kiedy odjeżdża, uff, najbliższy pociąg do Katowic?

Kobieta bez słowa wskazała mi palcem wiszącą tuż nad moją głową tablicę z rozkładem pełnym hieroglifów. Spojrzałam tam, nawet odsunęłam się trochę, ale nic mi to nie dało, a czas uciekał i taksometr tykał.

— Czarna magia... — wyszeptałam, patrząc na cyferki pomieszane z literkami i jakimiś nieznanymi znakami w niebieskich kolorach. — Przepraszam, ale ja niewiele rozumiem z tego rozkładu. Pomoże mi pani? Katowice! Sypialny! Jutro!

— Przecież tam pisze! — mruknął mikrofon matowym głosem.

— Chyba „jest napisane”... — poprawiłam ją z uśmiechem, który w momencie zamarł na mojej twarzy. Pani skrzywiła się i spojrzała na mnie z pogardą:

— Jak jest napisane, to pani se czyta — wysyczał mikrofon.

— Ale ja yyy, ja... — Intensywnie poszukiwałam argumentu maskującego moją nieudolność w posługiwaniu się rozkładem jazdy. — Zapomniałam okularów! — zadowolona wykrzyknęłam kolejne kłamstwo.

— Dwudziesta druga dziesięć szósta dwanaście dziesiąta trzydzieści — wypluła z siebie miarowym głosem zupełnie pozbawionym jakichkolwiek emocji. — Szósta dwanaście bez kuszetek bez sypialnego z miejscówkami — dodała, nie zmieniając tonacji.

W jej wypowiedzi nie było przecinków, kropek ani wykrzykników, była gładka jak stół, jak sieczka, chociaż nie widziałam nigdy sieczki. Będę musiała na jakiejś wsi sprawdzić, jak to wygląda.

— To na jutro, na tą... yyy... dziesiątą trzydzieści — uśmiechnęłam się znowu.

— Dziesiąta trzydzieści już nie ma — powiedział robot po chwili.

Zerknęłam na zegarek. Pyk, pyk, pyk, podskakiwała wskazówka sekundnika.

— A co jest? — mruknęłam, żeby nie wypytywać o wszystko po kolei.

— Tylko na dwudziestą drugą dziesięć coś by się znalazło. Dzisiaj.

— Na jutro nic nie ma? — zdziwiłam się.

— Nie. — Pani zza wielkim mikrofonem wyraźnie

była już zniecierpliwiona. Zerknęłam za siebie, ale żadna kolejka za mną się nie tworzyła, więc nie wiem, dlaczego była taka. Westchnęłam z rezygnacją, miałam inne plany. Ten ostatni wieczór w nadmorskiej miejscowości chciałam spędzić z Karolem. Byłam zaproszona na ostatnią lampkę wina.

— To jeden proszę — westchnęłam zrezygnowana.

— Jeden?

— Tak — potwierdziłam, chociaż nie byłam pewna. — A dla malutkiego kota też trzeba bilet?

Po moim pytaniu szeroki uśmiech rozjaśnił ponurą twarz za szybą, która nabrała blasku, jakby była skąpana w promieniach słońca, bure stanowisko nabrało ciepła.

— Ja też mam kotka! — ucieszył się mikrofon i zaczął mnie zasypywać lawiną pytań, w których były nie tylko przecinki i kropki, lecz także wielkie znaki zapytania.

Musiałam, dyskretnie zerkając na zegarek, który nie raczył mieć w tej chwili przerwy, odpowiedzieć na wszystkie bez wyjątku. Dowiedziałam się, co z rzeczy, które kupiłam, do niczego się nie nadaje, a co wybrałam dobrze i co koniecznie muszę jeszcze dla kotka zrobić, o czym już byłam poinformowana przez przystojnego weterynarza, ale udawałam, że nic zupełnie nie wiem, żeby nie zrobić tej pani przykrości i nie sprowadzić jej z powrotem do postaci bezdusznego robota, jakim była zaledwie przed chwilką.

Na koniec, bo już prawie odchodziłam od okienka, niecierpliwie w miejscu przebierając nogami, jakby mi się chciało siusiu, co nawet było zgodne z prawdą, chociaż jeszcze nie tak całkiem pilne, odebrałam życzenia powodzenia w hodowli, za które oczywiście podziękowałam, a podobno nie powinnam, ale cóż, stało się.

Wybiegłam z dworca, wskoczyłam do taksówki i delikatniej niż poprzednio zatrzasnęłam drzwi.

— Dokąd teraz? — zapytały oczy w lusterku.

— Yyy... Z powrotem — uśmiechnęłam się.

— Na postój? — zapytał, zakręcając tak powoli, jakby to nie był zwykły mercedes, tylko dziewięciometrowy lincoln.

— Yyy... nie, na Grottgera!

Limuzyna, jak poprzednio, sunęła płynnie z delikatnym szmerem, w kabinie panowała odpowiednia temperatura, wiadomo, klima, i uwodził wręcz zapach skórzanych siedzeń. Uzmysłowiłam sobie, że ten zapach mój mózg kojarzy nie ze świnką, co by było skojarzeniem prawidłowym, ale z eleganckim mężczyzną. W garniturze, ewentualnie we flauszowym płaszczu, w koszuli i krawacie i z wyczyszczonymi na połysk butami. Uch... Marzenia...

Miło by było wracać takim autem aż pod sam dom, zamiast tłuc się pociągiem z nieznajomymi, którzy mogą mi się trafić bardzo różni pod wieloma względami, i wielogodzinna podróż może wcale nie być miła, mimo godzin nocnych przeznaczonych na ogół na spanie. Myśląc o tym, wpatrywałam się w przeszycia na siedzeniu obok mojego tyłka i zauważyłam, że jest na nich ciemniejsza plama, jakby coś się rozlało i nie do końca udało się to coś wywabić.

— Ma pan tu plamę... — powiedziałam, nie podnosząc głowy.

— Ktoś mi zostawił pomidora — burknął kierowca.
Spojrzałam w lusterko.
— Pasażer?
Oczy wujka dziewczyny ze sklepu przez chwilę zamiast skupić się na jeździe wpatrzyły się we mnie.
— Raczej pasażerka — mruknął na tyle głośno, że usłyszałam tę odpowiedź wyraźnie.
— Taaak? — zdziwiłam się niewinnie, przypominając sobie wyraz jego twarzy, zanim wsiadłam, i przyszło mi do głowy, że powinnam się jakoś za tę plamę zrehabilitować, bo w moim piwnicznym pokoiku faktycznie poszukiwałam jednej czerwonej kulki, bo wydawało mi się, że kupiłam ich więcej. Plama wyraźnie świadczyła o tym, że jednak było ich więcej. W ramach rekompensaty postanowiłam jechać z tym panem na dworzec i zostawić sowity napiwek.
— Yyy... — zaczęłam. — Może moglibyśmy się umówić? — palnęłam bez namysłu i zaraz tego pożałowałam.
Oczy kierowcy znowu spojrzały na mnie za pomocą lusterka wstecznego, ale nie wyrażały już złości, tylko milczące zaciekawienie. Na moją twarz wpłynęło gorąco, zdałam sobie sprawę z dwuznaczności pytania, jakie zadałam, i że w związku z tym czerwienię się jak ten rozgnieciony poprzednim razem pomidor.
— Na kawę? — zapytał, wyraźnie przebaczając mi tę cholerną plamę, której nie udało mu się do końca wywabić.
Moje myśli zaczęły galopować w zawrotnym tempie po głowie, w której w tej chwili ciężko było o coś mądrego, bo jakoś wszystko wywietrzało, no, może nie do

końca wszystko, ale akurat tego, co powinnam odpowiedzieć, w niej nie było.

— Yyy... ja właściwie... tylko chciałam...

— Na kolację?

Fajnie, pomyślałam speszona, patrząc, jak gość prostuje się na siedzeniu. Teraz zawiezie mnie do jakiejś knajpy, a ja nie chcę z nim jeść kolacji, bo po pierwsze, w ogóle nie chcę kolacji, a po drugie, nie mam na nią czasu, a po trzecie... Nie lubię mężczyzn w wieku mojego taty!

— Może innym razem! Chciałam raczej poprosić pana o pomoc, bo yyy... mam ciężką torbę, a muszę na dworzec, jadę już niestety do domu i mogę... sama nie dać rady — uśmiechnęłam się do powoli zachmurzającego się czoła w lusterku. — Gdyby podjechał pan po mnie o dziesiątej, to znaczy o dwudziestej drugiej, tu gdzie teraz, i mi pomógł, to yyy... byłabym wdzięczna — uśmiechnęłam się jeszcze bardziej. — Pociąg mam dziesięć po... — Pokiwałam głową z tym poprzednim uśmiechem przylepionym do twarzy tak skutecznie, jakby był zamocowany na klej.

Wujek dziewczyny ze sklepu spojrzał jeszcze raz w lusterko, trochę za długo jak na prowadzącego w tej chwili pojazd mechaniczny, co moim zdaniem mogło zagrażać zarówno nam, jak i innym użytkownikom tej samej drogi, i opadając do uprzedniej pozycji, mruknął tak jak wcześniej:

— O dziesiątej to chyba za późno, jeśli odjazd jest dziesięć po...

— To o której? — zapytałam zadowolona, że nie powtórzył zaproszenia na kolację.

— Za piętnaście powinno wystarczyć.
— Dobrze — zgodziłam się i wysiadłam, delikatnie zamykając drzwi.

*

Już wiem, że będzie mi brakować plaż, fal, budek z pamiątkami, łososia z surówką i gofrów ze śmietaną pachnących zabójczo.
— Ach...! — westchnęłam i zerknęłam na zegarek. — To jadę... — wyszeptałam wraz z ostatnim spojrzeniem na piwniczne pomieszczenie, które pochłonęło dość dużo mojej gotówki i z przyjemnością zatrzasnęłam drzwi, zostawiając w nich klucz. Nie powiedziałam, że wyjeżdżam, nie powiedziałam „do widzenia", bo już nigdy tu nie wrócę i nie mam zamiaru oglądać tej paskudnej piwnicy po raz drugi, więc typowe pożegnalne słowo w tym wypadku nie miało racji bytu. Może powinnam użyć słowa „żegnaj", ale nie chciało mi się wędrować do góry i spotykać się z babą, aby zobaczyć jej „miły" uśmieszek, bo taki na pewno zakwitłby na jej twarzy, chociażby z powodu wyjazdu mojego kotka. Tej przyjemności zdecydowanie nie mogłam sobie i jej sprawić.
Za pomocą silnego dźwigu, jakim były ramiona taksówkarza, oczywiście nie za darmo, raczej za ostatnie pieniądze, jakie wysupłałam z ulubionego portfelika w kolorze południowych mórz, zjawiłam się na peronie o czasie i nawet udało mi się znaleźć odpowiedni wagon i przedział. Rozsiadłam się wygodnie w oczekiwaniu na współpasażerów, ale nie doczekałam się nikogo i pociąg ruszył, zanim zdążyłam zamknąć się w przedziale.

— Ma pani szczęście — powiedział do mnie pracownik kolei, który zjawił się w drzwiach znienacka. — Cały przedział dla pani!

— Naprawdę? — uśmiechnęłam się zaskoczona, usiłując wcisnąć głębiej za plecy kocią torbę. — Nikt więcej ze mną nie pojedzie? Nie dosiądzie się po drodze?

— Nie, proszę pani, będzie pani tu sama.

Spojrzałam na niego i zamiast się ucieszyć, przestraszyłam się i to chyba było widać na mojej twarzy, bo mężczyzna uśmiechnął się uspokajająco.

— Proszę spać spokojnie — powiedział. — Będę pani pilnował, ale mimo to proszę się dobrze zamknąć. Dobranoc! — zasalutował i odszedł korytarzem.

— Dziękuję — szepnęłam. — Dobranoc. — Zamknęłam drzwi i spojrzałam za siebie. — Przynajmniej na coś się przydasz — wysapałam, z wysiłkiem ciągnąc pod drzwi wypchaną do maksimum torbę.

*

— Wiesz, że muszę ci wymyślić jakieś fajne imię? — wyszeptałam do malutkiego, aksamitnego uszka, jak tylko poukładałyśmy się w przedziale. — Musi być takie, z którego będziesz zadowolona, które będzie ci się podobać, którym będziesz się z dumą przedstawiać — zachichotałam, drapiąc miękkie, mruczące z zadowolenia futerko. — Może by ci się podobało… — zastanowiłam się — Florentyna? Jak sądzisz? Florentyna jest takie… No… Takie tajemnicze, romantyczne i w ogóle. Wiesz, długa suknia, rękawiczki do łokcia, kapelusze z kwiatami… Mnie się podoba, a tobie? — zapytałam, ale mała główka nie drgnęła i nie przerwała cichutkiego mruczenia, więc uniosłam nieco moją i wpatrzyłam się w zachodzące na czerwono słońce. — Wiesz Flo… — wyszeptałam. — Jutro będzie wiatr…

*

— Halo! Proszę pani! — zawołała do mnie żaba w czarnym fraku i złotej kamizelce, spod której wystawał ogromny żółty brzuch i dwie bardzo chude nogi zakończone czarnymi gumowymi płetwami, jakich używają płetwonurkowie. Do tego stała na kamieniu wystającym z pełnej białych nenufarów niewielkiej kałuży. Wydało mi się to dziwne, bo przecież nenufary na ogół nie rosną w kałużach. — Halo! Proszę pani! — powtórzyła żaba i zniknęła, jak otwarłam jedno oko. — Nareszcie! — powiedziały granatowe spodnie zaprasowane na kant. — Ale ma pani sen… — uśmiechnął się do mnie pan w kolejarskiej czapce. — Już dojechaliśmy, Katowice.

Spojrzałam już przytomniej na uśmiechającego się do mnie siwego mężczyznę i coś we mnie wykrzyknęło: „Katowice! Wysiadać! Do domu!".

Zerwałam się przerażona, że nie zdążę wysiąść i pojadę dalej, i zaliczyłam czubkiem głowy pryczę nade mną.

— Auu! — krzyknęłam i usiadłam z powrotem, rozmasowując ręką bolące miejsce.

— Ostrożnie! — uspokoił mnie kolejarz.

— Ile mam czasu? — zadarłam głowę.

Zerknął na zegarek.

— Całe pięć minut, zdąży pani — powiedział bardzo spokojnie.

— Fajnie! Dziękuję! — wykrzyknęłam i szybko wstałam, zerkając na to, co nade mną. — Mógł mnie pan zbudzić wcześniej!

— Mogłem wcale nie budzić! — odpowiedział i kręcąc głową, wyszedł na korytarz.

Poprawiłam grzywkę, bo w lustrze zobaczyłam, że jeszcze śpi, poprawiłam spodnie i koszulkę i porwałam torbę plażową pełną niezjedzonego pożywienia, narzuciłam ją na ramię i sięgnęłam po torbę z cicho siedzącym kotkiem.

— Flo! — wykrzyknęłam do pustej kociej sypialni, bo niestety była pusta, zero zwierzaka, zero pręgowanego futerka, zero malutkich, ślicznych burych oczu! — Flo! — wykrzyknęłam bezradnie, przypominając sobie, że kotka zasnęła nie w torbie, tylko na poduszce koło mnie. — O Boże! — jęknęłam i łzy napłynęły mi do oczu. — Nie nadaję się na matkę! — szepnęłam załamana i osunęłam się na swoje miejsce, nie zważając na umykający czas. — Muszę znaleźć mojego kota i jest mi wszystko jedno, dokąd dojadę — jęknęłam i w tym momencie moje uszy wyłapały podejrzane hałasy na peronie i jakby gwizd, chociaż tego ostatniego nie byłam pewna. Lepiej, żeby to nie był znak do odjazdu, pomyślałam, i zerwałam się, pociągając za sobą skotłowaną pościel. Moim wilgotnym oczom, w samym rogu, tuż przy tylnej ścianie ukazał się bury kłębuszek z zaspanymi, zdziwionymi oczkami, które zdawały się mówić: „Dlaczego mnie odkrywasz, gdy jest mi tak dobrze?".

— Flo... — wyszeptałam, przyciskając zdziwione futerko do policzka. — Jak dobrze, że jesteś...

Szczęśliwa, z inną energią, pozytywną, oczywiście,

pozbierałam wszystko, co moje, i pełna sił szarpnęłam torbą, a mną szarpnął pociąg, który zdecydował się ruszyć.

— Chwileczkę! Jeszcze ja! — rozdarłam się na całego gardło, licząc, że tam, na samym początku, ktoś mnie jednak usłyszy i opóźni odjazd. — Już wychodzę! — krzyknęłam zasapana, ciągnąc wzdłuż niezbyt szerokiego korytarza mojego „słonia" ze złotymi zamkami. — Już! — krzyknęłam ostatkiem sił i zeskoczyłam na peron. Tobół spadł koło mnie. Zadowolona spojrzałam w stronę początku składu. Wagony stały spokojnie, lokomotywy nie było.

— Coś ty tam napchała? — stęknął tata, podnosząc moją wspaniałą torbę.

— Ja? — skrzywiłam się.

— A kto?

— Mama — szepnęłam.

— Mhm... — Mruknięciem przyjął do wiadomości moją odpowiedź i zerkając na torbę z Florentyną, zapytał jakby od niechcenia: — A tam, co masz?

— Kota...

— Świetnie — ucieszył się, co wydało mi się trochę podejrzane. — Będzie łapał myszy w hurtowni!

— Yyy... masz myszy w hurtowni? — zdziwiłam się.

Objął mnie ramieniem i roześmiał się głośno.

— Nie wiem, bo jak dotąd nie miałem kota.

*

— Nareszcie! — Po naciśnięciu dzwonka drzwi się otwarły i ukazała się w nich mama. — Tak się martwiłam!

— jęknęła z rękami złożonymi jak do modlitwy i cofnęła się, żeby zrobić mi miejsce. — Taty z tobą nie ma?

— Nie. Pojechał.

— To dobrze, muszę ci tyle opowiedzieć. — Z radością na twarzy zamknęła drzwi i jej wzrok padł na kocią torbę. — Bogusiu, co ty tu masz? — zainteresowała się. — Co jest w tej torbie? — Pochyliła się.

— Kot — odpowiedziałam.

— Jaki kot? — Wyprostowała się zdziwiona. — Przecież my nie mamy kota.

— Już mamy.

— Aha... — Spojrzała jeszcze raz w kierunku torby. — Słuchaj, czy on nie jest głodny, bo tak dziwnie patrzy?

— Na pewno... — mruknęłam i wypuściłam Flo, żeby poznała swój nowy dom, bo nie ma mowy, żebym ją oddała do hurtowni.

Wieczorem, kiedy w domu zrobiło się cicho i byłam pewna, że moi rodzice zasnęli, wyjęłam z szafy znienawidzoną kolorową spódnicę, mój nietrafiony zakup, i na paluszkach poszłam w stronę lustra w przedpokoju. Spódnica, tak jak poprzednio, przemknęła przez stopy, łydki i uda. Podciągnęłam ją dalej i dalej też zachowywała się całkiem w porządku. Sięgnęłam do tyłu i zdziwiona, z łatwością, a nawet z małym luzem zapięłam niewielki guziczek. Moje odbicie powiedziało mi, że schudłam, ale moja radość nie trwała długo, bo w tym momencie otwarły się drzwi do sypialni moich rodziców i zjawiła się w nich rozespana mama.

— I co? Dobra? — szepnęła, ziewając.

— Mhm... — uśmiechnęłam się. — Nawet luźna.

— Wiedziałam — szepnęła.

— Wiedziałaś, że schudnę? — wyszeptałam z niedowierzaniem.

— Przecież ci ją przerobiłam… — westchnęła i weszła do łazienki.

Zakończenie

Moje wakacyjne przygody powoli blakły, by z upływem miesięcy prawie zniknąć, jak małż znika w swojej skorupce odgrodzony nią od świata, i już tylko Florentyna przypominała mi odległe chwile, wpatrując się we mnie swoimi burymi oczami, które sprawiały, że nie mogłam tak do końca wszystkiego zapomnieć i od czasu do czasu z telefonem w dłoni zastanawiałam się, czy nie popełniłam wielkiego życiowego błędu. Nie mogłam również zapomnieć Gudrun, która pomimo tego, co się wydarzyło, pozostała dość miłym wspomnieniem, a jej różany ogród z przyjemnością zobaczyłabym jeszcze raz. Żałowałam, że jednak nie zrobiłam wtedy żadnych zdjęć. Może powinnam mieć do niej pretensję, obarczać winą za to, że tak mi doradziła, ale jak się głębiej zastanowić, to przecież ja miałam wybór i ja powinnam go dokonać, co Karol uświadomił mi dobitnie. Dzięki niemu zrozumiałam wiele spraw i problemów, które od powrotu do domu nabrały innego koloru. Przy nim, tam nad morzem, poczułam się jak statek, który sam, a nie przypadkiem, jak dotąd sądziłam, osiadł na mieliźnie i chociaż źle się na niej czuł, to nie starał się ratować. Byłam takim ciągle niezadowolonym z siebie statkiem, który szukał przysłowiowej „dziury w całym", i dlatego postanowiłam moje przemyślenia wprowadzać powoli w czyn. Pierwsze z nich udało mi się zrealizować bezproblemowo, bo wymówienie w trybie natychmiastowym mojej dotychczasowej pracy było pesteczką, mina Nieczaja — bezcenna, miny koleżanek — bardzo różne. Nie zjawiłam się w pracy, tak jak planowałam, opalona i tryumfująca, bo wydało mi się to bezcelowe, tak jak bezcelowa była chęć zaimponowania dziewczynom nowymi ciuchami. W starych też przecież mogłam się z nimi pożegnać i zrobiłam to, niespecjalnie żałując. Jakiś etap mojego życia zamknął się za mną, by otworzyć zupełnie nowe „drzwi". Dzięki obecnemu szefowi, który nie chce być tak nazywany, poczułam się kimś wyjątkowym. Z dumą przedstawia mnie każdemu ze stałych klientów i zadowolony wysłuchuje gratulacji, chociaż właściwie nie wiem, dlaczego mu gratulują, córkę ma przecież już tyle lat.

Po powrocie nareszcie dowiedziałam się, co mama chciała mi wygadać i czego na szczęście nie wygadała, dzięki Gudrun, bo to ona poczęstowała mnie tą dziwną pigułką, co sprawiło, że nie byłam w stanie rozmawiać z mamą. Oczywiście już nigdy tego nie powtórzę, bo nie było to aż takie rewelacyjne uczucie, jak inni opowiadają, natomiast wspaniałym uczuciem było zobaczenie na własne oczy samochodu, nareszcie nie dostawczego, który kupili moi rodzice podczas mojej nieobecności. Samochodu, którym ja też będę jeździć, jak tylko zdam egzamin i dostanę dokument uprawniający mnie do siedzenia za kierownicą, co — mam nadzieję — nastąpi już niedługo, ale na razie docieram w różne miejsca tym samym sposobem co zawsze, czyli autobusem.

— Bogusia?! — usłyszałam i zatrzymałam się na widok znajomej, choć bardzo zmienionej twarzy mojej byłej koleżanki. — Fajnie cię spotkać! — uśmiechnęła się Majka bez kolczyków w brwiach, zawinięta w szalik aż pod brodę.

— Ciebie też — mruknęłam.

— Co porabiasz? Nigdzie cię nie widać.

— Pracuję, studiuję i nie bardzo mam czas na cokolwiek.

— *Wow!* Gratuluję! — rozpromieniła się na chwilkę i zaraz przygasła.

— A ty? — zapytałam, bo wypadało zapytać.

— A ja... — zamyśliła się. — A ja za cztery miesiące urodzę dziecko Rafała — dotknęła kurtki.

— Gratuluję! — zawołałam tak jak ona z przylepionym do twarzy niezbyt naturalnym uśmiechem.

Skrzywiła się z niesmakiem, szybkim ruchem wzruszyła ramionami i prychnęła jak zła Florentyna.

— Czego mi gratulujesz?

— No... dziecka.

Ponownie wzruszyła ramionami.

— Nie ma czego — mruknęła i uniosła hardo głowę. — Na pewno się teraz cieszysz, że to nie na ciebie padło!

— Nie rozumiem...

— Czego nie rozumiesz? Spieprzyłam sobie życie, a na dodatek ten dupek nie przyznaje się do dziecka — uderzyła się po brzuchu.

— Nie mów tak — szepnęłam i zamiast zachichotać złośliwie gdzieś tam w środku, poczułam, że zrobiło mi się przykro, chociaż tak właściwie nigdy za nią specjalnie nie przepadałam. Może tylko dlatego, że znałyśmy się tyle lat. — Będziesz mamą, to radosne wydarzenie!

— Co ty tam wiesz… — Gibnęła się kpiąco.

— No, trochę wiem.

— E tam — machnęła ręką. — Idę, bo cholernie zimno. Trzymaj się!

— Ty też.

Kiwnęła głową i odeszła pochylona, zimowy wiatr wiał jej teraz prosto w oczy. Obróciłam się i zobaczyłam, że zbliża się mój autobus. Wsiadając do niego, jednak się uśmiechnęłam, ale tak nieznacznie. Uśmiechnęłam się, bo chyba faktycznie powinnam jej podziękować.

*

Nie cierpię remanentów! Kto wymyślił coś takiego jak remanent?! Remanent, czyli spis z natury. U nas, niestety, większość tej natury tkwi pod wiatą i ja musiałam pod tą wiatą z tą naturą też tkwić i jeszcze na dodatek ją spisywać, sztuka po sztuce, do grubego jak książka zeszytu, z którym wędruję z miejsca na miejsce, od półki do półki. Remanenty to zmora każdego końca roku, ale najgorsze mam już za sobą, bo pozostała mi już tylko drobnica typu wkręty do drewna. Ups! Cała skrzynka. Rurki, złączki różnego rodzaju, zawory powykręcane i proste, zaślepki duże i małe, kolanka lewe i prawe, przedłużki przedłużające, syfony syczące, armatury i inne tego typu przedmioty, które są bardzo potrzebne i muszą na stanie hurtowni przebywać w zastraszającej liczbie, która na co dzień mi nie przeszkadza, bo lepiej, jak klient ma wybór, ale gdy przychodzi czas na ten cholerny remanent, którym zajmuję się już od tygodnia i będę zajmować się jeszcze co najmniej przez następny tydzień, to jestem zła, że tyle na tych regałach tego drobiazgu się znajduje i że nie wykupili wszystkiego na święta w ramach prezentu. Importowana z Włoch armatura w dwóch kolorach jest tak piękna, że chybabym się nie obraziła, gdybym znalazła ją pod choinką. Albo deski klozetowe wolno opadające lub nawet klozety stojące zwartym szeregiem na mrozie pod wiatą.

Bo święta tuż-tuż, jak to się mówi, i za chwilę przyjdzie czas na prezenty, których ja oczywiście jeszcze nie mam, i do tego nadejdzie czas opychania się, a ja niespecjalnie mam na to ochotę. To znaczy ochotę to ja mam, aż za bardzo, ale nie mam ochoty na skutki uboczne świątecznego obżarstwa. Tych maminych makowców, sernika, pierniczków, na których wspomnienie połykam nagromadzoną w ustach ślinę w zastraszającej ilości, choć nie wiem dlaczego, bo właśnie te mamine wypieki powodują co roku zmianę mojego obwodu pasa o co najmniej pięć centymetrów, a to akurat tyle, ile udało mi się zgubić przez ostatnie dwa miesiące.

Najgorszą przeprawę miałam z mamą, która nadal myśli, że jedzenie w życiu jest najważniejsze, a przecież tak nie jest, i dlatego uznałam, że protestowanie przeciw sześciu kromkom po kryjomu wciskanym mi do torebki, zamiast na przykład dwóch, które wystarczyłyby mi w zupełności, jest walką z przysłowiowymi wiatrakami. Zabieram więc te nadliczbowe kanapki do pracy i dokarmiam nimi wszystkich, którzy w taki mróz nie są w stanie sobie nic znaleźć. Ostatnio przypałętał się jakiś bezdomny psiak, któremu mamine kanapki smakowały jeszcze bardziej niż ptaszkom.

Po przyjeździe znad morza zrobiłam zalecone badania i okazało się, że z moją tarczycą wszystko jest okej i w ogóle zdrowa jestem jak rydz. W pierwszej chwili oczywiście się zmartwiłam, zamiast się ucieszyć, bo nie miałam na co zwalić moich zbędnych kilogramów, ale przemyślałam to sobie i doszłam do wniosku, że to jednak dobrze, że jestem zdrowa i że winowajca znajduje się całkiem gdzie indziej, niż się spodziewałam, i że oczywiście nic mu nie powiem, bo bardzo go kocham. Z tego właśnie powodu zaczęłam dokarmiać okoliczne ptaszki, które przez te pół roku rozgadały swoim sąsiadom o niezłej stołówce i zlatują się na podwórze dość liczną grupą.

Zimowe słońce już zaszło i mróz zaatakował ze zdwojoną siłą, wymiatając z hurtowni klientów, a przyganiając mnie, bo w taki mróz pod wiatą nie da się pracować za długo.

I dobrze, bo to ostatni dzień mojego przedświątecznego spisywania i będę miała spokój przez następne trzy dni, ale teraz stoję i liczę. Dziesięć, jedenaście, dwanaście zapinek A-5 w kolorze białym, bo są również w kolorze czarnym, ale do czego one służą, to się jeszcze od taty nie dowiedziałam, choć tkwią na tej najbardziej zakurzonej półce już tyle lat i nikt ich nie kupuje. Zapinki A-7, też w dwóch kolorach i w prawie takiej samej liczbie zalegają równie długo w tym samym kącie, tylko na półeczce poniżej, i też je muszę policzyć i wpisać na przygotowane wcześniej kartoniki mojego pomysłu, na których widok tata się dziwnie uśmiecha i nic nie mówi, a ja wiem, wbrew temu, co mogę wyczytać z jego twarzy, że to jest dobry pomysł, tylko trochę pracochłonny.

Po wczorajszym przemarznięciu ubrałam się dzisiaj w najgrubszy sweter z mojej szafy, i z tego powodu ruszam się jak miś, a nie mogę z siebie zdjąć swetra z wielkim golfem, bo pod spodem mam tylko koszulkę na ramiączkach, a w niej samej byłoby mi za zimno, więc stoję w tym swetrze i powoli zaczynam się pocić, a do tego wszystko jest tak zakurzone, że wyglądam nie jak zwykły miś, tylko jak niedźwiedź polarny w czasie błotnistych roztopów i choć nie powinnam, cieszę się, że nikt nic nie potrzebuje i hurtownia świeci pustkami.

— Bogusiu! Klient! — Mój nowy szef zjawił się w moim kąciku niespodziewanie, przerywając mi liczenie zapinek A-7. Oczywiście zapomniałam, ile ich policzyłam, i będę musiała robić to od nowa. — Idź, bo ja mam bardzo brudne ręce!

— Ja też. — Pokazałam mu zakurzone dłonie.

— Ja mam gorsze — mruknął, pokazując mi swoje.

— O kurczę! Co ty robisz, że masz takie?

— Piec się zatkał. Idź, bo facet czeka…

— Okej — westchnęłam, odłożyłam długopis i karteczki z moimi liniami papilarnymi, bo zalegająca na wszystkich woreczkach powłoka kurzu podziałała na moje palce jak farba, w którą w filmach wpychają ręce przestępców i pyk, mają już ich odciski. Moje też by już mieli, nawet bez wtykania ich w farbę.

Przeszłam pomiędzy regałami i poprawiłam grzywkę, która przez te pół roku podrosła i teraz złośliwie, jak zapomnę wsuwki, plącze się na wysokości ust i zasłania cały świat, ale postanowiłam, że wytrzymam i już jej nie obetnę, dlatego nie mam innego wyjścia jak tylko jej ciągłe poprawianie. Weszłam na główną salę, ale nikogo nie zobaczyłam, przeszłam obok i o mały włos bym przegapiła kucającego faceta w ciemnoszarej czapce i w ciemniejszej jeszcze kurtce. Grzebał w regale z rurami kanalizacyjnymi.

— Mogę w czymś pomóc? — zapytałam, podchodząc.

— Mhm... — mruknął, ale się nie podniósł.

— Czegoś konkretnego pan szuka? — zapytałam, chcąc mu doradzić, skasować, jeśli coś wybierze, i wypchać za drzwi, bo nie skończę liczenia zapinek A-7 do wieczora.

— Kolanka. Setki — odpowiedział. Jego głos wydał mi znajomy, ale to oczywiście niemożliwe i moje wspaniałe uszy z pewnością się pomyliły.

— To nie tutaj, tu są tylko pięćdziesiątki.

Uparty facet z kawałkiem rury w ręce wstał wreszcie i się obrócił, a ja... a mnie... O kurczę! Kompletnie zatkało!

— Bo...! — wykrzyknął na mój widok Waldemar i zamilkł, wyraźnie zablokowany moim widokiem. Ja też nie byłam w stanie się ruszyć ani wydobyć z siebie głosu. Stałam, wpatrując się w jego bure oczy w całkowitym milczeniu. Słychać było tylko szum wody w malutkiej fontannie na wystawie przy drzwiach.

— Bo... — powtórzył Waldek. — To ty?

Kiwnęłam głową i uśmiechnęłam się do wpatrujących się we mnie burych oczu. Ich właściciel pokręcił głową z niedowierzaniem, wyciągnął w moją stronę rękę i dotknął mojego swetra tak delikatnie, że ledwo to poczułam. Jakbym nie była człowiekiem z krwi i kości, tylko lalką z porcelany.

— Co ty tu robisz? — zapytałam idiotycznie, żeby ukryć zmieszanie. — To znaczy yyy...

— To raczej ja powinienem zapytać, co ty tutaj robisz. Nie przypuszczałem, że jesteś z Katowic, myślałem raczej, że może, no nie wiem, ze stolicy?

— Dlaczego tak pomyślałeś? — roześmiałam się.

— Nie wiem. — Wzruszył ramionami. — Taka byłaś, jak by to powiedzieć, inna?

— Ja? Inna? Niby dlaczego?

— Byłaś inna. — Zsunął czapkę, rozpiął kurtkę, ale nie do końca. — Z początku to nawet myślałem, że może jesteś lekarką albo studentką medycyny — powiedział pochylony nad niechcącym się rozpiąć zamkiem. Udało mu się wreszcie, kurtka się rozchyliła i znowu mogłam spojrzeć mu w oczy.

— Ja? Co ty! Jak widzisz — wskazałam ręką regały — pracuję tutaj.

Spojrzał na mój brudny sweter i się zaśmiał:

— To widać! — I spoważniał nagle. — Wiesz, ja wtedy musiałem wyjechać. Nagle. Choć nie chciałem, bo...

— Chyba „musiłem" — poprawiłam go.

Zmarszczył brwi i spojrzał badawczo.

— Nie rozumiem.

— Tak napisałeś. „Musiłem".

Uśmiechnął się.

— Bo „musiłem", był wypadek na kopalni, jestem ratownikiem. Dlaczego nie odpisałaś?

— Bo… — Nabrałam powietrza i wierzchem dłoni odgarnęłam włos, którego nie objęła wsuwka. — Bo myślałam, to znaczy Gudrun mi tak powiedziała, i… — przerwałam, bo to, co mi wtedy powiedziała, w obecnej sytuacji nie nadawało się do powtórzenia. — A potem… A potem sobie pomyślałam, że jest już za późno. A w ogóle to wydawało mi się, że ty nie chcesz — wyjawiłam w końcu prawdę, spuściłam nieco głowę i chyba niepotrzebnie dodałam szeptem: — Ale ja chciałam…

— Naprawdę chciałaś? — Uśmiechnął się i podszedł bliżej.

— Mhm. — Kiwnęłam mocno głową i wyleciała mi ta cholerna wsuwka, a grzywka opadła na oczy. Oboje się po nią schyliliśmy, ale mnie pierwszej udało się złapać uciekinierkę i zacisnąć na niej palce.

— A ja myślałem, że nie chcesz mnie znać… — wyszeptał i dotknął mojej spoczywającej na podłodze dłoni. — Wakacyjny kaprys, pełen luz.

Poczułam, jak do oczu napływają mi łzy. Podniosłam się z klęczek i przetarłam wilgotne oczy otwartą dłonią.

— Wybrudziłaś się — roześmiał się facet moich półrocznych marzeń i przysunął się jeszcze bliżej, ale zamiast zetrzeć brud z mojej twarzy, objął mnie i przyciągnął do siebie. — Schudłaś… — wyszeptał najpiękniejsze słowo na świecie, najpiękniejsze zaraz po „kocham cię".

— Mhm… — Uśmiechnęłam się do burych oczu, które patrzyły na mnie tak… tak… kurczę, jak one na mnie patrzyły.

— A ty wiesz, że ja wtedy, nad ranem, wyszedłem przez okno?

— To przez ciebie zmarzłam! — zmrużyłam oczy. — I przez ciebie... — nie dokończyłam, bo mi na to nie pozwolił.

— Hm... — chrząknął tata. — Nie chciałbym przerywać, ale znalazłem kolanko — rzekł zadowolony i podał je Waldkowi.

— Tata. — Delikatnie wyswobodziłam się z obejmujących mnie ramion i z tego kolanka, które mu podał, choć mogłabym tak stać w nieskończoność, jakoś nie czułam poprzedniego bólu nóg. — To jest... yyy... mój znajomy z wakacji, opowiadałam ci.

— Aha... — mruknął tata i uśmiechnął się ze zrozumieniem, ale nie zdążył nic powiedzieć, bo w tym momencie ktoś wszedł do hurtowni. Drzwi zatrzasnęły się impetem, szyby weszły w rezonans i damski głos na bardzo wysokim tonie zazgrzytał w naszych uszach:

— Wal...di?! Znalazłeś to, czego szukałeś? Kurde, ale tam piździ!

Waldek uśmiechnął się do mnie i odpowiedział jej tak samo głośno:

— Tak! Znalazłem!

— To zapłać i wracamy! *Presto, presto!* — ponagliła go po włosku i zaczęła tupać nogami, zasypując śniegiem podłogę.

— Do której macie państwo dzisiaj czynne? — zapytał głośno. — Bo nie wiem, czy to — spojrzał na rurę, potem na mnie — będzie pasowało?

— Właściwie do siedemnastej — odpowiedział mu tata tak samo i dodał ciszej, pochylając się lekko w jego stronę: — Ale czasami zostajemy dłużej — i z uśmiechem puścił oczko, a ja poczułam, że żołądek kurczy mi się do rozmiaru orzeszka.

— Super... — odwzajemnił uśmiech, sięgnął po portfel, wyjął banknot i położył go na ladzie.

Nie wiem, jak uruchomiłam kasę, nie wiem, jak wydałam mu resztę, wiem tylko, że bardzo, bardzo za nim tęskniłam i że okropnie mi go brakowało, i że bardzo chcę, by to kolanko, które teraz kupił, zupełnie nie pasowało do reszty rur.